# Catalina

GILLES GOUGEON

# Catalina

Libre Expression

**Données de catalogage avant publication (Canada)**

Gougeon, Gilles

Catalina

ISBN : 2-7648-0001-0

I. Titre.

PS8563.O839C37 2002    C843'.54    C2002-941113-0
PS9563.O839C37 2002
PQ3919.2.G68C37 2002

Maquette de la couverture
FRANCE LAFOND
Infographie et mise en pages
SYLVAIN BOUCHER

Libre Expression remercie le gouvernement canadien
(Programme d'aide au développement de l'industrie de l'édition),
le Conseil des Arts du Canada et la Société de développement
des entreprises culturelles du soutien accordé à
ses activités d'édition dans le cadre de leurs programmes
de subventions globales aux éditeurs.

Éditions Libre Expression
7, chemin Bates
Outremont (Québec) H2V 4V7

Dépôt légal :
4e trimestre 2002

ISBN 2-7648-0001-0

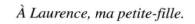

*À Laurence, ma petite-fille.*

# 1

Le nez aplati sur la vitrine, elle fixait effrontément les clients du restaurant qui, mal à l'aise, détournaient leur regard pour ne pas perdre l'appétit. Lorsque le maître d'hôtel l'aperçut, il fit un signe vers la porte de l'établissement. L'enfant déguerpit avant que le colosse qui gardait l'entrée du *Playa Blanca* ne la chasse à coups de pied, comme la dernière fois. Camouflée sous la bâche de la charrette d'un marchand de feuilles de coca, elle regarda passer les immenses bottes du cerbère qui la cherchait. Le crachin froid de septembre lavait déjà la vitrine.

– Tu as un joli foulard. Je te donnerai du pain en sortant, lui avait promis la jeune femme, en lui passant la main sur la tête.

Elle l'attendait depuis plus d'une heure lorsqu'elle avait décidé d'importuner les clients pour attirer l'attention de cette femme qui semblait l'avoir oubliée. À moins qu'elle n'ait menti. Mais elle ne pouvait lui avoir menti. Pas ce soir. Elle avait trop faim, trop froid. On ne ment pas à une enfant de huit ans qui tend une main crottée, pendant que l'autre cherche un peu de chaleur sous le poncho.

Magda avait cessé de manger.

– Tu avais pourtant faim, lui dit sa mère.

– J'ai oublié. La petite…

Elle tassa le filet de poisson qui refroidissait dans son assiette, croisa les ustensiles en signe de capitulation et fixa la vitrine contre laquelle la pluie tambourinait.

Ce souper faisait partie du rituel que Clara imposait gentiment à Magda depuis le jour où, il y a six ans, elle avait quitté Franco, son mari, le laissant vivre seul avec sa fille de vingt-quatre ans le soir même de son anniversaire. Magda avait beaucoup pleuré. Clara avait juré que sa fille ne pleurerait plus le jour de son anniversaire.

– Tu as quand même envie d'un peu de gâteau, lui dit-elle en faisant signe de l'œil au maître d'hôtel.

Les serveurs s'approchèrent en chantant *Happy Birthday to you* et en prenant soin d'inviter les autres clients à se joindre à eux et à applaudir l'arrivée du tiramisu couronné de trente chandelles. Magda sourit, remercia de la tête les autres convives et, avant de souffler, dirigea son regard vers l'extérieur. Où était donc passée l'enfant ? Probablement dans le grand parc où errent chaque nuit les centaines d'autres enfants abandonnés. Ou sous les arcades de l'avenue Arequipa, où les pédérastes viennent écumer les derniers arrivages de chair fraîche des bidonvilles. Des enfants comme celle-là, elle en voyait chaque jour des hordes. Pourquoi cette petite l'avait-elle émue plus que les autres ?

Le bouchon de la bouteille de champagne bondit au plafond et la ramena à la table où sa mère, comme à l'habitude, invita les autres convives à partager les bulles et le gâteau volontairement trop gros pour être avalé par deux personnes. Des clients se levaient pour la remercier et embrasser sa fille dans un joyeux tintamarre.

Clara était connue du Tout-Lima. Grande et mince, elle n'avait pas cédé à la tentation des femmes de son âge de masquer ses cheveux poivre et sel par des mèches blondes ou châtaines. Au contraire, elle affichait fièrement ses cinquante-deux ans tout en prenant soin de couvrir quelques rides de son cou par des colliers parfois spectaculaires qui convenaient bien à son rôle d'hôtesse et de propriétaire. Son restaurant était le rendez-vous des gens importants, qu'ils soient riches et célèbres, ou simplement puissants et gastronomes. Elle avait fait distribuer des morceaux du gâteau aux membres du personnel qui s'empiffraient, sans toutefois avoir droit au champagne. Soudain, Magda hurla. La stupeur paralysa la petite foule. On accourut vers sa table qui bascula au moment où une boule de laine rouge et noir essayait de s'enfuir. Le colosse l'attrapa par une jambe, la souleva de terre et, comme on montre un rat tenu par la queue, laissa gigoter, la tête en bas, une petite fille qui criait :

– J'ai faim, j'ai faim.

Pendant que deux jeunes complices avaient attiré le gardien sur le trottoir, Catalina avait réussi à se cacher dans le vestiaire, espérant profiter du brouhaha provoqué par la distribution des morceaux de gâteau pour s'emparer d'un peu de pain. Mais, se croyant repérée, elle s'était glissée sous la grande table, dissimulée derrière la nappe qui pendait. Prisonnière des pieds et des jambes qui risquaient de la heurter, elle avait paniqué et mordu le mollet de Magda.

Au moment où le géant allait la frapper, Clara lui retint le bras et lui demanda de poser l'enfant par terre. Humilié de s'être fait déjouer, il la cloua sur une chaise où ses grosses mains l'empêchèrent de fuir. Magda se massait le mollet, mordu au sang. Terrorisée, l'enfant regarda Clara s'approcher et lui offrir un morceau de tiramisu. Les yeux rougis et exorbités, l'enfant hésita. Clara lui essuya le visage. Il lui sembla avoir déjà vu la petite. Elle sourit et lui tendit le gâteau. Sans quitter des yeux la femme aux cheveux argentés, la fillette mit la main sur le rectangle de chocolat qu'elle fourra vite dans sa bouche. Puis, elle ramassa le foulard rouge tombé de son cou lorsque le géant la tenait par une jambe. Clara l'observa de nouveau.

– Comment t'appelles-tu? lui demanda-t-elle.

L'enfant s'enfuit sans répondre.

Cette nuit-là, Magda s'endormit avec l'étrange sensation de n'avoir rien mangé.

# 2

Catalina avait bien dormi. La faim ne l'avait pas réveillée. Seul le passage d'un rat sur son poncho lui avait fait ouvrir les yeux pendant quelques secondes, le temps de constater que tout était calme dans la caverne. Avant de s'endormir, elle avait raconté à sa mère imaginaire qu'elle avait mangé du gâteau et qu'une belle dame, « comme toi, maman », avait empêché un homme de la battre. Sécurisée par ce contact magique quotidien, la main accrochée à son foulard rouge, elle s'était assoupie au milieu d'une dizaine d'autres enfants qui, comme elle, vivaient dans une des nombreuses grottes bordant les rives du Rio Rimac, le fleuve qui coule au milieu de Lima.

Elle fut la première de la bande à ouvrir l'œil. Elle frissonna. Les murs de la caverne étaient imbibés de l'humidité du fleuve. Jamais un rayon de soleil dans ce trou lugubre creusé à même les parois de l'égout à ciel ouvert, le Rimac. Les autres jeunes pensionnaires avaient, comme elle, été abandonnés. Ils avaient entre cinq et douze ans et formaient une petite société dont les codes étaient fort simples : voler, manger, survivre. Dans les grottes voisines, d'autres groupes d'enfants profitaient aussi de la protection de ces murs humides qui leur épargnaient de dormir dans les parcs de la ville, où les agressions du climat et des hommes se conjuguaient pour les précipiter chaque jour un peu plus vers la maladie et la mort. Souvent, un des jeunes squatters ne rentrait plus. La rumeur courait qu'on assassinait les enfants. Dans toutes les grandes villes du Pérou, tant à Lima qu'à Cuzco ou Arequipa, des milliers de garçons et de fillettes devaient assurer leur survie après avoir été abandonnés par des parents incapables de les faire vivre. Catalina n'était pas une exception. Aux yeux du gouvernement, elle n'était qu'une statistique.

En pensant au visage de sa mère, Catalina sortit de la caverne et descendit vers le fleuve. À la surface de l'eau souillée, elle devina les formes de son propre visage qu'elle humecta avant de nettoyer ses paupières ensablées. Avec son petit foulard rouge, elle s'essuya la figure, prenant soin de respirer ce qu'elle croyait être les odeurs de sa mère emprisonnées à jamais dans ce carré de coton. Elle était maintenant prête à affronter la vie et la mort. Sa journée commençait.

Ils étaient huit, jamais plus. Il ne fallait pas attirer l'attention et, surtout, ne pas être trop nombreux à se partager le butin. Les policiers les avaient surnommés les *piranhitas*. Ces bandes de jeunes voleurs étaient remarquables d'efficacité, de précision et, même, d'humour. Catalina faisait partie de la troupe de Vidal, un garçon d'une douzaine d'années, qui avait oublié avoir eu une famille, tellement il habitait depuis longtemps le centre-ville de Lima. Ce jeune caïd avait vite repéré Catalina dès les premières semaines de son errance. Cette belle enfant, au teint clair, aux cheveux châtains et à l'allure féline, avait tout ce qu'il fallait pour attirer les clients.

Ce matin-là, alors que la grisaille de l'hiver austral s'apprêtait à perdre son combat contre le soleil, les *piranhitas* de Vidal se dirigèrent vers Polvo Azules, le grand marché dont la spécialité est le matériel de contrebande. La présence d'un autre groupe de *piranhitas* les força à se rabattre sur la gare de Desemparados, le terminus de la ligne Lima-Huancayo, un édifice néoclassique blanc et vert où, depuis le début du vingtième siècle, des milliers de voyageurs arrivent à la recherche d'emploi ou d'aventure. Ils furent les premiers installés. La place leur appartenait pour la journée.

Les policiers en patrouille firent semblant de les chasser; les enfants firent semblant de déguerpir. Chacun ayant joué son rôle, ils n'allaient plus s'embêter.

L'homme d'une quarantaine d'années portait une sacoche à l'épaule. Catalina s'approcha en lui offrant quelques colliers. L'homme n'avait pas besoin de ces bijoux, mais, comme des dizaines d'autres victimes, il s'arrêta pour le simple plaisir d'entendre et de regarder la petite, si mignonne dans ses jupes à étages aussi crottées que colorées. En quelques secondes, il fut entouré d'une bande de garçons rieurs et turbulents. Avec des couteaux, ils lacérèrent les poches de son pantalon et de sa chemise, taillèrent la courroie de la sacoche et s'enfuirent à la vitesse de l'éclair. L'homme, éberlué, venait de se faire détrousser. Il restait là, au milieu de la place, incrédule, désemparé, ne parvenant pas à comprendre qu'il venait de se faire voler sans avoir été physiquement agressé. Les policiers s'approchèrent en faisant semblant de courir et essayèrent de le réconforter pendant qu'il tentait d'enfouir sa chemise en lambeau dans un pantalon éventré.

Si la récolte était généreuse, les enfants n'auraient plus besoin de travailler du reste de la journée. Ce matin-là, les *piranhitas* se partagèrent quelques centaines de *soles* avant de se disperser. Avec trois autres enfants, Catalina acheta des galettes de maïs et se dirigea vers la cathédrale à l'ombre de laquelle elle espérait dormir de nouveau en laissant le soleil de l'après-midi sécher la laine de ses vêtements humides. Plus tard, ils se promenèrent entre la Plaza de Armas et la Plaza San Martín, le long de cette grande avenue dont elle ne pouvait lire le nom, mais où elle était assurée de pouvoir quêter quelques *soles* de plus. Elle ne pouvait ni lire, ni écrire, ni compter, mais elle savait si elle avait assez d'argent pour acheter un bout de pain ou un morceau de viande grillée.

Elle s'amusa à se moquer des passants en grimaçant, en ricanant à haute voix et en chantonnant comme une enfant qui a peur. Depuis maintenant deux ans, elle s'était intégrée à cette planète irréelle du centre-ville de Lima où les citoyens ont appris à vivre avec ces adultes miniatures qui ressemblent à s'y méprendre à leurs propres enfants. La bande de Vidal voyait disparaître chaque mois ceux qui n'avaient pu intégrer à leur vie quotidienne l'adversité, la violence, la faim et la peur.

Catalina s'était vite vu assigner son rôle dans le groupe.

— Tu es la plus belle, avait proclamé Vidal. Tu attires les adultes. Nous, on fait le reste.

Elle avait alors appris les trois gestes les plus importants de sa vie : séduire, prendre et disparaître. Le soir, épuisée, elle refaisait ses forces en redevenant l'enfant qui rêvait. Lorsque les chauves-souris quittaient la caverne, elle racontait à sa mère qu'elle n'avait pas peur. Le matin, elle s'éveillait, victorieuse : elle était vivante. Le jour, le groupe lui fournissait une armure, comme une mère habillerait sa fille pour la protéger du froid ou de la pluie. Cette bande était les spectateurs de sa vie, qui validaient son existence.

De retour à la caverne, les enfants ne virent pas rentrer Elvira. Vidal lui avait recommandé, quelques

16

jours auparavant, d'accepter d'aller dans les buissons avec les hommes qui demandaient une jeune fille.

– Si tu ne saignes pas encore, il n'y a pas de danger, lui avait-il expliqué.

Catalina n'avait pas compris de quoi parlait Vidal. De son poste de cireur de chaussures, il avait accès aux clients, qu'il abordait sans ambiguïté et d'un seul mot : « fucki ». Si l'homme disait oui, il lui assignait une fille de la bande. S'il refusait, il lui proposait un garçon. Ce matin, Vidal avait fait signe à Elvira de monter dans la voiture d'un homme.

Le lendemain matin, Catalina sortit de la caverne au moment où le soleil jaunâtre permettait aux enfants de s'approcher du fleuve pour s'humecter le visage.

– Regardez ! cria un garçon.

Sur les eaux boueuses du Rio Rimac, un corps nu flottait à la dérive. Trop loin pour l'attraper, mais assez proche pour que Catalina reconnaisse le visage tuméfié d'Elvira.

# 3

La saison sèche était installée et les odeurs de jasmin de cette soirée douce du 24 décembre annonçaient un été agréable. Franco avait ouvert le toit de sa Mercedes et admirait le ciel étoilé en attendant sa fille Magda qui, comme toujours dans les grandes occasions, n'arrivait pas à décider quelle robe porter. Il klaxonna. Elle lui fit signe par la fenêtre de son appartement. Encore cinq minutes. Franco sourit.

Il poussa sur la cassette pour entendre de nouveau sa musique fétiche, la sublime aria des *Bachianas brasileiras*, d'Heitor Villa-Lobos. Ses lèvres goûtaient encore le sel et le passage où les violoncelles se laissent bercer par la mélodie, comme les algues par les courants sous-marins, le ramena sous l'eau. Dans l'après-midi, il avait suivi un barracuda et ces quelques heures de plongée l'avaient remis d'une semaine éprouvante où les habitants des bidonvilles semblaient s'être donné le mot pour une visite à la clinique. C'était toujours ainsi au cours de la semaine qui précédait Noël. À cinquante-deux ans, le médecin s'accordait de plus en plus de temps pour garder la forme, lire et faire autre chose que d'inspecter des corps, tâter des organes et prescrire des médicaments que, de toute manière, ses patients n'avaient pas les moyens de se payer. Magda sortit en courant et son entrée dans la voiture parfuma l'air d'un soupçon de vanille. Franco le remarqua.

— Je savais que ça te ferait plaisir. C'est ton odeur préférée, lui dit Magda en l'embrassant sur la joue.

Franco était toujours troublé par la ressemblance entre la mère et la fille. Même taille, mêmes yeux verts. Les cheveux châtains de Magda frôlaient ses épaules qui, ce soir, étaient dénudées. La robe, imprimée de larges fleurs colorées, semblait frissonner à chaque mouvement d'un corps aussi athlétique que celui de Franco.

— Que tu es belle, lui dit-il.

Il n'était que dix-neuf heures, mais il démarra en trombe. Ils avaient rendez-vous à vingt-deux heures pour le souper de Noël au *Playa Blanca*, le restaurant de Clara, mais Franco devait faire un détour par le centre de la ville. C'était son habitude. Deux ou trois fois par semaine, il allait marcher près des grands parcs, le long des larges avenues où des centaines d'enfants butinaient leur pitance quotidienne auprès des passants. Il arrêtait saluer les deux religieuses qui, chaque soir, garaient un vieil autobus dans lequel les enfants les moins sauvages venaient manger, se réchauffer ou fuir les policiers. Le véhicule, offert par un groupe de donateurs rassemblés par Franco, était devenu un petit sanctuaire mobile où aucun adulte, sauf les religieuses, ne pouvait pénétrer.

— Bonsoir, sœur Magdalena, dit Franco en s'approchant d'une fenêtre de l'autobus. Tout va bien?

— Oh! docteur Perez! Nous n'avons déjà plus de bouillon. Les enfants ont tout avalé.

— Je vais voir à ce qu'on vous en livre le plus vite possible. C'est quand même Noël!

Souvent, Magda l'accompagnait. Ce soir, ils avaient l'air de deux personnages sortis d'un conte de fées pour aller observer les gueux. Elle sentit un léger malaise à se promener ainsi, en tenue de soirée, au milieu de toute cette pauvreté ambulante. Malgré cela, elle ne put qu'admirer l'engagement de son père à combattre la

19

misère chez les enfants. Depuis qu'il siégeait au sein du Comité national pour la protection de l'enfance, présidé par la femme du président du pays, il se faisait un devoir de venir observer les enfants du centre-ville, «question de garder le contact avec le terrain», disait-il.

— Parfois, je me demande pourquoi j'ai pu échapper à la rue, dit-il.

— Parce que tu as été chanceux, suggéra Magda.

Tout au long de ses études de sociologie, Magda avait pris goût à accompagner son père. Elle profitait de toutes les occasions pour discuter et sortir avec lui. Il lui avait raconté cette chance qu'il avait eue, enfant, d'être remarqué par le curé de la paroisse de ses parents, qui leur avait offert de payer les études de ce fils intelligent dont les revenus familiaux ne permettaient pas d'espérer autre chose que la pauvreté en héritage.

Il posa sa main sur l'épaule de Magda. Elle le prit par la taille. Comme des amoureux, ils marchaient lentement. Magda ne se souvenait pas de l'avoir vu se promener ainsi avec Clara. Elle avait toujours éprouvé une fierté secrète de pouvoir partager avec son père des moments, des gestes, des silences auxquels n'avait plus droit sa mère. Il était, pour elle, l'homme idéal; plus qu'un père accueillant et généreux : un ami, un confident dont les avis et les conseils, jamais imposés, l'avaient bien préparée pour «débarquer dans la vraie vie», comme il disait.

— Si l'on pouvait amener tous ces enfants fêter Noël chez ta mère, ça leur ferait une belle fête.

Magda se souvint de l'incident de la petite fille, mais n'en glissa mot. Comme Franco n'avait pas été invité, elle ne voulait pas revenir sur cette soirée, même par le biais d'une anecdote.

À quelques reprises dans l'année, le père, la mère et la fille partageaient un repas, dont celui de Noël. Clara et Franco avaient conservé des rapports respectueux. Ils avaient le même âge. Jusqu'à la séparation, elle avait toujours vécu comme la majorité des femmes de la bourgeoisie de Lima. La maison, sa fille, une vie sociale animée et quelques voyages balisaient son quotidien de « femme au foyer ». Après le divorce, avec l'argent que Franco lui avait donné, Clara avait ouvert ce restaurant où, chaque soir, elle tenait son rôle de metteur en scène des intrigues sociales et politiques de la capitale. Mais, derrière cette vie mondaine animée, Magda avait appris par hasard que sa mère visitait les habitants des bidonvilles.

À trente ans, Magda s'était faite à l'idée qu'elle ne connaîtrait jamais les raisons qui avaient mené ses parents à divorcer. Cette rupture avait éclaté comme un coup de tonnerre dans un ciel bleu. Elle avait vingt-quatre ans et complétait une année d'études universitaires en sociologie à Paris. Sa mère avait téléphoné. Rien n'allait plus. Elle venait de quitter la maison. Magda avait toujours regretté de ne pas avoir été là. « J'aurais pu voir venir, faire quelque chose », se disait-elle. Elle était rentrée sur-le-champ, se sentant coupable de n'avoir pu intervenir et empêcher la séparation. Elle avait posé mille questions. Toujours la même réponse de la part des deux parents : « Ça n'allait plus entre nous. » Sa mère lui était apparue plus forte, plus stoïque dans l'épreuve. Convaincue que son père avait besoin d'être soutenu, elle s'en était rapprochée, appuyée d'ailleurs par Clara.

Elle avait maintenant des rapports différents avec l'un et l'autre, afin de protéger le fragile équilibre et la mince couche de respect qui subsistaient entre eux. Même si elle se sentait plus près de son père que de sa mère, elle se préoccupait à distance du sort de Clara qui semblait, malgré tout, avoir été meurtrie par la rupture.

Le père et sa fille marchèrent presque deux heures dans Lima. Ils distribuèrent quelques *soles* aux enfants qui tendaient la main, mais, chaque fois que Franco essayait de leur parler, ils déguerpissaient vers d'autres âmes généreuses.

— Pourquoi t'obstines-tu à vouloir leur parler? dit Magda en riant. Lorsqu'il faut quêter pour vivre, on n'a pas le temps de raconter sa vie.

— C'est ce que ta maîtrise t'a appris? fit son père en ricanant.

— Non, c'est ce que j'ai appris avec toi.

— J'ai pour toi un joli cadeau pour Noël, lança soudain Franco.

— Maintenant?

— Je préfère t'en parler ici plutôt qu'au restaurant, où il y aura beaucoup de monde. Un de mes bons amis qui travaille au cabinet du président cherche quelqu'un pour accompagner une mission technique canadienne à Nampuquio, un petit village des montagnes, du côté de Huancayo. C'est la région où tu as déjà fait des recherches.

— Oui, je connais Nampuquio. Que vont-ils faire là?

— Ce sont des spécialistes en électricité. Il s'agit d'un projet-pilote d'électrification rurale. Ils ont besoin de quelqu'un qui parle aymara et quechua et qui connaît bien la mentalité des populations des villages isolés. C'est très payant.

— Mais, papa, j'ai un contrat avec le Groupe de défense des femmes.

— Tu pourrais peut-être prendre congé pour un mois ou deux. Tu mets en banque quelques milliers de dollars, puis tu reprends ton travail.

Magda ne répondit pas. Elle fut distraite par un groupe de jeunes qui traversaient effrontément le boulevard, obligeant les automobilistes à freiner et à les contourner. Les enfants riaient. Ils s'amusaient à affronter la mort. Au milieu de la bande, une petite fille virevoltait sur elle-même en sautillant. Elle perdit son foulard, s'arrêta net et se pencha pour le ramasser. Une voiture faillit la renverser. Le conducteur sortit de son véhicule et fit semblant de la pourchasser. La petite disparut derrière un bosquet du terre-plein central.

– Magda, je te parle, dit Franco en lui secouant le bras.

– Excuse-moi, j'ai vu une petite fille… J'ai cru qu'elle allait se faire tuer.

Franco jeta un coup d'œil. Des enfants, il n'y avait que ça qui grouillait partout. Magda continua à fouiller des yeux la noirceur qui entourait les bosquets et les arcades des magasins. Elle eut l'impression d'avoir déjà vu la fillette.

Pendant les jours qui suivirent, elle ne cessa de revoir l'image de l'enfant qui dansait dans la rue la veille de Noël. Ce foulard rouge, elle l'avait déjà vu. Peu à peu, la figure de la petite morveuse, le nez aplati dans la vitrine du restaurant, émergea : c'était celle qui l'avait mordue. Magda passa une main sur son mollet comme pour confirmer l'identité de la petite. Heureuse d'avoir repéré ce souvenir, elle sourit et ne s'en préoccupa plus.

# 4

Il était à peine plus vieux qu'elle. Lorsqu'elle le vit avec son père dans un des petits salons du *Playa Blanca*, Magda fut étonnée. On lui avait parlé d'un ingénieur en hydroélectricité, spécialiste des lignes à haute tension. Voilà qu'elle serrait la main d'un jeune homme à la carrure d'athlète, en costume clair et chemise rose, sans cravate et, surtout, arborant une magnifique chevelure noire nouée en queue de cheval par une bande élastique du même rose que la chemise.

— Magda, voici monsieur Provost, Marc Provost, de Montréal.

C'est avec fierté que Franco entendit sa fille répondre en français, une langue qu'elle maîtrisait depuis ses études à Paris.

Provost s'excusa de ne pas parler aussi bien espagnol qu'elle s'exprimait en français. Raoul Mendoza, le directeur de cabinet du président, résuma à Magda la mission de Marc Provost. Le gouvernement avait décidé d'une politique à long terme d'électrification rurale.

— Ici, à Lima, quatre-vingt-dix-sept pour cent des gens ont accès à l'électricité. Mais dans la sierra, en dehors des villes, seulement huit pour cent de la population a l'électricité. Dans les montagnes et les forêts, plus de huit millions de personnes vivent encore au rythme du soleil.

Magda savait tout cela. Pour sa maîtrise en sociologie, elle avait ciblé sa recherche sur l'acculturation des populations andines descendues vivre dans les bidonvilles de Lima. Elle avait donc eu à se rendre à quelques reprises dans ces villages qu'on désertait à cause des conditions de vie misérables. L'absence d'électricité, elle en avait beaucoup entendu parler et en avait constaté l'impact. Mais elle savait aussi que ce projet d'électrification rurale était une promesse récurrente de tous les gouvernements depuis des décennies. Pendant que Mendoza soliloquait, elle continua d'observer Marc Provost. Même s'il avait à peu près son âge, jamais un ingénieur péruvien n'oserait se vêtir et se coiffer de la sorte. Toutefois, s'il était là, se dit-elle, c'est que sa compagnie avait dû magouiller avec le gouvernement de Lima pour mettre la main sur un contrat sans doute financé par la Banque mondiale ou le Fonds monétaire international.

– Qui finance le projet? coupa Magda, elle-même surprise d'interrompre aussi sèchement Mendoza.

Décontenancé, le directeur de cabinet esquissa un début de réponse.

– Permettez-moi de répondre de mon point de vue, ajouta ensuite Provost qui avait compris la question posée en espagnol.

Il s'excusa auprès de Mendoza et enchaîna en français, laissant ainsi entendre à Magda qu'il voulait établir des liens de travail avec elle.

– Au Québec, nous avons développé une expertise unique dans le transport d'électricité sur de très longues distances.

– Vous avez surtout inventé une manière de récupérer l'énergie perdue par ces fils électriques, interrompit Mendoza dans un français approximatif.

– Tout à fait, reprit aussitôt Provost, en baragouinant en espagnol. Le Canada et le Québec ont offert au Pérou de faire bénéficier les populations rurales de cette invention. Mon travail, poursuivit-il en français, consiste à capter l'énergie perdue par les fils déjà installés sur les montagnes et à fournir l'électricité à la population de Nampuquio, un petit village situé à plus de trois mille mètres d'altitude.

— Et, si vous le voulez bien, Magda, reprit Mendoza en espagnol, vous aiderez à expliquer tout cela aux gens de Nampuquio.

Par politesse, Magda offrit à Mendoza de lui traduire les explications de Provost, mais elle sentit sa frustration d'avoir perdu le rôle de premier plan dans la rencontre. Le ton et l'assurance de Provost avaient touché Magda, mais Franco fut tout à coup un peu inquiet de voir avec quelle rapidité elle avait établi le contact avec l'ingénieur québécois, qui semblait être aussi compétent que séduisant.

À la sortie du restaurant, Clara intercepta sa fille.

— Qui est ce beau garçon? chuchota-t-elle, avec le sourire d'une mère qui avait gardé ses réflexes de jeune femme.

— C'est l'homme avec qui papa veut me voir partir dans les montagnes, répondit Magda en riant.

Elle embrassa sa mère et lui présenta Marc, comme si elle le connaissait déjà bien.

— Faites attention à elle, dit Clara en s'adressant à Marc, elle est célibataire, vous savez!

— Maman! soupira Magda, gênée par une allusion aussi peu subtile. Tu ne veux quand même pas que je lui traduise ce que tu viens de dire.

Marc fit mine de ne pas avoir entendu. Sur le trottoir, ils furent rapidement entourés d'enfants qui tendaient leurs mains souillées.

\* \* \*

Marc Provost s'était installé à l'hôtel *Miraflores*, dans le quartier du même nom, à mi-chemin entre l'appartement de Magda et la maison de Franco. Dans les jours qui suivirent, il ne donna pas signe de vie à Magda. Ses journées se passaient à perdre d'interminables heures à attendre dans l'antichambre du bureau de nombreux fonctionnaires, tous désignés comme importants dans l'organisation du projet. Il comprit vite que peu de gens étaient vraiment au courant de cette entreprise et qu'il s'agissait pour eux de la dernière des priorités. L'un d'eux, que Marc avait eu la bonne idée d'emmener dîner, lui confia que le dossier était éminemment politique.

— Il y a deux sortes de fonctionnaires, affirma-t-il. Ceux qui doivent tout au gouvernement et ceux qui sont totalement neutres. C'est pourquoi tout le monde est prudent.

Cette prudence se traduisait par une lenteur incroyable dans toutes les démarches. Malgré des rendez-vous fermes, on le faisait attendre de deux à trois heures avant qu'il ne rencontre l'assistant de l'adjoint de la personne contactée, pour se faire ensuite dire de revenir le lendemain. Il s'en ouvrit à Franco et à Magda au cours d'un souper au chic restaurant *Costa Verde*. Franco prómit d'intervenir. Magda conclut par une explication aussi lucide que déconcertante.

— Marc, le Pérou est pauvre. Ça n'y paraît pas beaucoup ce soir dans ce restaurant luxueux, ni dans le quartier Miraflores où nous habitons. La moitié de la population du pays est âgée de moins de vingt-cinq ans et vit en situation de chômage chronique. L'inflation a atteint l'an passé deux cent pour cent. La misère augmente. Il y a quatorze millions de pauvres pour vingt-cinq millions d'habitants. Quarante pour cent de la population de Lima vient des montagnes et des forêts que les gens ont désertées pour s'installer dans d'infects bidonvilles. Cette pauvreté a une conséquence ; vous l'avez vue l'autre soir dans les rues : des milliers d'enfants vivent abandonnés...

Elle s'arrêta, essoufflée et troublée de dresser le portrait misérable de son pays devant une assiette de langoustes et une série de verres où les meilleurs vins du Chili avaient coulé à flots depuis trois heures.

— Ce que Magda veut vous expliquer, résuma Franco, c'est que lorsqu'on est pauvre, la seule chose sur laquelle on a un peu de contrôle, c'est le temps. Alors, Marc, ne vous étonnez pas si on vous fait toujours attendre. La seule façon pour ces fonctionnaires d'exercer l'unique pouvoir qui reste, c'est par le contrôle du temps.

Marc repoussa légèrement son assiette. Pendant que Magda allait se rafraîchir et que Franco regardait la carte des desserts, il s'excusa et se retira de table pour aller admirer les eaux du Pacifique qui entouraient ce magnifique pavillon sur pilotis où l'on avait installé ce restaurant très fréquenté. À peine levée, la lune avait posé sur la crête des vagues des millions de petites lanternes blanches qui dansaient. Isolé comme une île, le *Costa Verde* était inaccessible aux jeunes qui quêtaient pour manger. Il se revit, enfant, jouant dans les ruelles d'Hochelaga, un quartier ouvrier de l'est de Montréal, là où ses parents avaient peiné pour le faire instruire. « Au moins, je m'en suis sorti », pensa-t-il en revenant s'asseoir à la table.

Avant de rentrer, Marc demanda à ses hôtes s'ils pouvaient l'emmener vers le centre-ville. Cette question des enfants abandonnés le troublait. Franco allait offrir de les y conduire, mais Magda le court-circuita en suggérant de marcher.

— Après un tel repas, c'est une balade qui fera digérer, dit-elle.

Franco grimaça pendant que tout le monde se levait de table. Il se sentit agacé de voir sa fille aller se promener dans un territoire qu'il considérait comme lui étant exclusif lorsqu'elle s'y trouvait. Il prétexta la fatigue et rentra chez lui. Magda offrit à Marc de lui faire aussi visiter Lima le jour.

— Le soir, ce spectacle des enfants est désolant. Ce n'est pas un attrait touristique de la ville, lui précisa-t-elle.

Le couple fut vite entouré de dizaines d'enfants qui, à onze heures le soir, travaillaient encore à quêter, à voler ou à se prostituer. Magda les chassa gentiment, tout en jetant un œil pour voir si la petite au foulard rouge ne traînait pas par là. Elle raconta à Marc l'incident de la morsure. Il en fut stupéfait.

Soudain, une demi-douzaine de camions s'immobilisèrent autour de la Plaza de Armas. Quelques dizaines de policiers partirent en courant dans toutes les directions, essayant d'attraper les enfants comme des malfaiteurs. On entendait crier de partout. Marc et Magda se mirent en retrait pour observer la scène. Les policiers rabattaient maintenant les buissons. Magda sursauta en voyant courir vers elle la fillette au foulard rouge. Elle l'attrapa de justesse et la ramena vers elle au moment où un policier s'approchait.

— Elle est avec moi, affirma Magda en collant l'enfant près d'elle.

— Alors, ne la laissez pas traîner ici. On a l'ordre de nettoyer le quartier.

— Pourquoi?

— Trop de vols. Trop d'agressions. Dernièrement, on a retrouvé des enfants morts dans les buissons.

Le policier repartit. L'opération de nettoyage dura une dizaine de minutes. La main de l'enfant tremblait dans celle de Magda. Ses doigts la serraient si fort qu'elle eut l'impression d'être à nouveau mordue, cette fois par les ongles de la petite.

– Dis-moi ton nom, ordonna Magda, sinon je ne peux pas te protéger.

L'enfant la regarda, inquiète.

– Tu es de la police?

– Non, non. Je suis ton amie.

– Et ton monsieur, il est de la police?

Une fois rassurée, elle délaissa la main de Magda, qui lui redemanda son nom.

– Catalina! cria-t-elle en déguerpissant.

Elle s'arrêta net, revint vers le couple pour demander quelques *soles*. Marc fouilla dans ses poches et s'en chargea. Elle disparut aussitôt dans les ruelles du quartier.

– Je crois que vous en avez eu pour votre argent, ce soir, dit Magda à Marc, sans lui préciser avoir reconnu la petite fille qui l'avait mordue.

Dans le taxi, Marc était silencieux. Il pensait de nouveau aux ruelles d'Hochelaga. La pauvreté qu'il y avait côtoyée lui apparaissait banale comparée à celle de ces enfants forcés si jeunes de devenir des adultes et des prédateurs pour survivre. Des fillettes de cinq ans portant leur petit frère sur leur dos, des garçons de huit ans attaquant un plus jeune pour lui arracher un bout de pain : il regrettait presque d'avoir demandé à Magda de l'emmener voir les enfants. Il eut le sentiment de s'être offert un spectacle de cirque où de jeunes animaux affamés s'agressaient entre eux lorsqu'ils étaient incapables de séduire un adulte pour recevoir un peu d'argent.

Après avoir déposé Magda en taxi, il rentra à l'hôtel et s'installa sur le patio adjacent à sa chambre. Il prit une bière et laissa les embruns de la mer apaiser son âme troublée. Mais, peu à peu, l'image de Magda dans sa petite robe noire se substitua à celle des enfants en guenilles.

* * *

Dans les semaines qui suivirent, Magda revit Marc à quelques reprises pour préparer le travail à Nampuquio. Mais, chaque fois qu'il l'invitait à manger, elle n'était jamais disponible. Elle lui expliqua qu'elle devait mettre les bouchées doubles à son travail dans le Groupe de défense des femmes, avant de s'absenter pour quelques semaines.

Chaque soir elle allait plutôt arpenter les rues du centre-ville à la recherche de Catalina. Les journaux avaient rapporté une vague d'assassinats d'enfants. Magda se souvint des escadrons de la mort qui, en Colombie et au Brésil, avaient éliminé des centaines d'enfants de la rue. Elle était convaincue que Catalina pourrait être victime de cette purge. La rumeur voulait que des prédateurs sexuels s'emparaient des enfants, les agressaient et les faisaient disparaître. Une autre hypothèse laissait entendre que des policiers d'extrême droite éliminaient ces jeunes qui, de plus en plus atteints du sida, menaçaient la santé publique. Depuis la morsure au mollet, Magda se demandait souvent si la petite avait mangé. Depuis quelques semaines, elle s'inquiétait pour sa vie.

Quelques jours avant le départ pour Nampuquio, pendant sa balade nocturne près de la Plaza de Armas, elle entendit un homme hurler derrière le buisson d'un parc. Une petite forme multicolore sortit des arbustes en courant à toutes jambes. Elle portait un foulard rouge. Sans se préoccuper de l'homme, Magda se mit à courir derrière l'enfant. Elle avait peine à la suivre. Elle faillit se faire renverser par un camion, en traversant la rue Lampa. Lorsqu'elle fut assez près de l'enfant, essoufflée, elle lui lança :

– Catalina !

L'enfant se retourna, effrayée. Elle ne vit que cette femme qui ne semblait pas être policière.

– C'est moi, Magda, je t'ai protégée des policiers l'autre soir.

Magda cessa d'avancer. L'enfant cessa de reculer.

– N'aie pas peur. Que se passe-t-il?

– Le soldat voulait mettre son truc dans ma bouche. Je l'ai mordu.

Magda réfléchit à la vitesse de l'éclair. Il lui fallait quitter le quartier. Elle tendit la main à la fillette, qui s'approcha avec inquiétude. Une voiture de police passa, ralentit et reprit sa route.

L'enfant fit quelques pas.

– Où veux-tu que je te ramène? lui demanda Magda.

– Dans ma grotte, près du Rio Rimac.

– Mais, tu pourrais encore rencontrer le soldat. Veux-tu dormir dans une vraie maison?

– Pas la crèche!

– Non, non. Une vraie maison, j'en ai une. As-tu faim?

La question fit bifurquer la conversation. Magda emmena l'enfant vers une voiturette où un vendeur de galettes de maïs calma la faim de ce petit animal. À chaque bouchée, Catalina regardait autour d'elle, prête à filer à la moindre menace.

– C'est votre fille? demanda le vendeur.

Magda fut presque insultée à l'idée qu'elle pourrait être la mère d'une enfant aussi malpropre.

– Pourquoi me demandez-vous cela? répondit-elle.

– Je ne sais pas. Il y a un petit quelque chose, les yeux, les pommettes, le regard…

Magda l'observa. Elle était si sale, si mal fagotée qu'elle ne put imaginer avoir un jour ressemblé à cette enfant.

La rue avait retrouvé son calme. Magda et Catalina étaient assises sur un banc.

– Tu as une maman, toi?

La question bouleversa Magda. Pendant un instant, elle se vit sans parents, errant dans les rues, tendant une main crottée aux passants.

– Tu es une maman, toi?

Magda fut encore plus touchée. À trente ans, elle n'avait pas d'enfant et même pas l'ombre d'un amoureux dans son entourage. Elle répondit qu'elle n'avait pas encore d'enfant parce qu'elle n'avait pas encore trouvé de monsieur pour faire le papa.

– Mais, lui répondit l'enfant, tu n'as pas besoin d'un monsieur. Il faut juste une maman pour avoir un enfant. Moi, j'ai juste une maman.

– Et tu n'habites pas avec elle? osa lui demander Magda.

– Il n'y a pas de maman dans les cavernes. C'est juste pour les enfants, les cavernes.

Magda convainquit Catalina de la suivre. Épuisée, elle glissa sa main dans celle de Magda. Elle refusa de monter dans un taxi. Magda se résolut donc à marcher les six kilomètres qui la séparaient du quartier Miraflores. Au bout d'une heure, la petite titubait. Elle accepta de monter dans une voiture qui les déposa chez Magda, sous le regard inquiet du chauffeur de taxi. Après avoir fait le tour de l'appartement, Catalina refusa de prendre un bain et demanda à dormir sur la chaise longue du balcon. Le lendemain matin, elle avait disparu.

Le soir, Magda retourna Plaza de Armas. Elle fut surprise d'y trouver Marc qui cherchait un restaurant. Sans maquillage, vêtue d'un jeans et d'un t-shirt blanc, les pieds chaussés d'espadrilles de tennis, elle se sentit plutôt gênée d'accepter l'invitation de Marc à l'accompagner pour prendre une bouchée, mais, même si elle avait déjà mangé, elle ne put résister à son invitation.

– Ça vous va très bien, cette tenue sport, lui dit-il, l'œil allumé.

Elle rougit, mais aurait préféré être plus élégante. Ils choisirent un restaurant populaire dont la grande terrasse était animée par un groupe de jeunes musiciens enthousiastes. À la porte, comme dans la majorité des établissements, un gardien empêchait les enfants d'entrer pour quêter. Magda jeta un coup d'œil autour.

– Vous cherchez la petite? dit Marc.

La question l'atteignit au cœur.

Ils s'ouvrirent un peu sur leur vie personnelle. Marc avait trente-quatre ans. Il avait vécu pendant sept ans avec une femme qu'il aimait beaucoup, mais qui l'avait quitté parce qu'il l'ennuyait, avoua-t-il. À sa sortie de Polytechnique, il avait travaillé pour un institut de recherche en hydroélectricité où ses talents avaient attiré l'attention d'une entreprise qui le chargea de projets de développement à l'étranger. Il travaillait beaucoup.

– Trop, dit-il. Je n'étais pas souvent à la maison, ma vie linéaire était sans surprise, axée sur la performance et l'excellence. Lorsque Isabelle m'a quitté, ce fut un choc salutaire, conclut-il.

– Vous ne semblez pas être un homme ennuyeux.

– Tu peux me tutoyer, si tu veux. Regarde. Je suis aux antipodes de ce que j'étais, il y a un an.

Il sortit une photo de lui et Isabelle où on le voyait en costume et cravate, les cheveux coupés court.

– Belle femme, commenta Magda.

– Oui. Maintenant elle a un enfant, avec un autre gars.

Magda baissa les yeux, comme elle le faisait chaque fois qu'on lui parlait d'une femme de son âge qui avait un enfant.

À la sortie du restaurant, une demi-douzaine d'enfants tendaient la main.

– Magda!

Interpellée, elle découvrit Catalina à l'arrière du groupe.

– Je t'ai vue entrer avec ton monsieur. J'ai attendu que tu sortes. Je ne t'ai pas mordue!

Elle se souvenait donc de l'incident. Magda en fut émue.

– Tu veux encore dormir sur mon balcon?

– Non. Dans ta maison, si tu veux. Mais pas le monsieur.

Magda éclata de rire. Non, «le monsieur» ne viendrait pas dormir chez elle.

\* \* \*

Deux semaines plus tard, un couple dans la trentaine quittait Lima dans une Jeep. Sur la banquette arrière, une petite fille de huit ans, silencieuse, voyait apparaître les premiers contreforts des Andes. Elle avait refusé de se dénuder pour prendre un bain, mais Magda avait réussi à la débarbouiller et à lui faire porter un t-shirt neuf et une paire de sandales dont Catalina avait choisi la couleur : rouge. Rouge comme le petit foulard qu'elle tenait serré sur son cœur.

# 5

– Je suis étourdi. On s'arrête, dit Marc en dirigeant la Jeep vers l'accotement.

– C'est le *soroche*, le mal des hauteurs, expliqua Magda.

Ils descendirent de la camionnette. Marc tituba, tellement l'oxygène était raréfié.

– Tu crois qu'on a bien fait de l'emmener?

– Oui, répondit Magda. Je connais le maire de Nampuquio. J'y suis allée pour ma maîtrise. Elle sera en sécurité là-bas.

Catalina dormait profondément, la tête bien appuyée sur les sacs et l'équipement. À peine sortie de Lima, elle s'était détendue, assommée par ce déracinement. Depuis, elle n'avait pas ouvert l'œil. Même pas pour manger.

À plus de quatre mille mètres d'altitude, les arbres avaient disparu. La terre, lessivée par le vent, offrait au soleil brûlant son crâne nu. Seul un ruisseau fougueux, alimenté par la couronne écumante des neiges éternelles, donnait un peu de vie à ce sol désertique qui, depuis un siècle, avait ouvert ses entrailles aux prospecteurs miniers. L'argent, le cuivre, l'or et le zinc avaient fait saliver les Espagnols, les Britanniques et les Américains dont le passage avait laissé des routes, un chemin de fer, des sites d'extraction, mais aussi très peu d'argent entre les mains calleuses des populations indiennes. Marc se sentait bien petit dans tout ce fracas économique et politique. On lui avait demandé d'aller brancher un village sur le réseau électrique. Il se retrouvait en route vers l'inconnu, accompagné d'une jolie femme et d'une enfant qu'on avait extirpée d'une caverne urbaine. Il secoua la tête, bu un peu d'eau et, comme s'il était ivre, marcha lentement vers la Jeep.

Tout juste avant Huancayo, ils choisirent de s'arrêter pour la nuit. Il ne restait à l'hôtel qu'une seule chambre avec deux lits. Magda et Marc se regardèrent et pensèrent la même chose : ils avaient l'air d'une petite famille. Catalina refusa net de partager un lit avec Magda. Il n'était pas question que Marc et Magda dorment ensemble. On laissa Catalina s'endormir dans un lit avant de la transporter sur des coussins posés par terre. Avant de s'effondrer dans son lit, Magda s'approcha de Marc et l'embrassa sur les deux joues.

— Merci. Merci d'avoir accepté d'emmener Catalina, murmura-t-elle pour ne pas réveiller l'enfant.

— C'est comme si nous l'avions kidnappée, chuchota Marc.

— Oui. Nous l'avons enlevée. Mais...

Magda ne termina pas sa phrase. Dans l'obscurité, Marc ne la vit pas chercher son regard. Elle avait l'étrange impression d'avoir échappé à son père. Lui qui, chaque semaine, se préoccupait des enfants, il ne se doutait pas que sa fille, sa complice, avait fait un geste plus fort que le sien : elle avait pris une enfant avec elle, s'en était emparée. Ou était-ce, plutôt, l'enfant qui s'était emparée d'elle ? Un geste dont elle n'avait glissé mot à Franco, comme pour aller plus loin que lui. De plus, elle se retrouvait dans une chambre avec un homme qui l'attirait. Un homme que son père lui avait mis entre les bras sans imaginer qu'il pourrait peut-être lui plaire.

* * *

Même si la route descendait vers Nampuquio, ils étaient encore à trois mille mètres d'altitude. La culture en terrasses décorait le flanc des montagnes d'immenses escaliers qui bordaient la route millénaire des Incas. Sur les cimes environnantes, des lamas longeaient la ligne de chemin de fer la plus haute du monde. La Jeep avalait des kilomètres de poussière sur une route de terre qui ressemblait plus au lit d'une rivière asséchée qu'à une voie de communication. Dans un virage, un homme leur fit signe de ralentir. Des ouvriers remplissaient à la pelle des trous d'au moins cinquante centimètres. Il fallait s'arrêter. Un des hommes tendit la main.

— Il faut leur donner quelque chose, dit Magda. Ils ne sont à peu près pas payés. Sans eux, impossible de passer.

En voyant des adultes quêter, Catalina se mit à rire.

— Ils font comme moi, dit-elle en les saluant de la main.

Le trio était maintenant en vue de Nampuquio. Le haut plateau était affaissé en son centre, comme si on avait vidé un lac de son eau. C'est dans cette petite dépression en pente douce que les habitants de Nampuquio vivaient depuis toujours, au rythme du soleil. Les maisons de terre battue étaient plutôt espacées et une place centrale, plantée d'arbres parasols, accueillait chaque jour l'autocar qui reliait Huancayo à Huancavelica. Pas de terminus. Un simple arrêt naturel où s'agglutinaient ceux et celles qui devaient se rendre au marché de Huancayo. Nampuquio ne vivait que de la culture de la pomme de terre. C'est aussi sur la place centrale que l'on chargeait les camions des sacs de tubercules qu'on allait vendre sur les marchés des villes avoisinantes. À trois mille mètres, l'air était vif et le ciel, bleu cobalt. Des cimes des montagnes partaient de longs filins de métal qui, d'un pylône à l'autre, passaient avec arrogance par-dessus la tête des paysans avant d'entreprendre une descente vertigineuse de quelques centaines de kilomètres vers Lima. Çà et là, les jambes d'acier des pylônes piétinaient le sol dénudé, sans jamais laisser tomber, au passage, la moindre parcelle d'électricité vers cette population qui vivait encore comme ses ancêtres.

– C'est un beau contrat, fit Marc.

– Non, ça va être une révolution, répliqua Magda.

– Je veux faire pipi! lança Catalina.

La Jeep était à peine arrêtée que, de partout, accouraient des femmes et des enfants, curieux de voir arriver des visiteurs dans leur village, au sommet du monde. Pendant que Catalina courait se soulager sous un arbre, Magda saluait les gens en quechua. Un petit orchestre s'acharnait à noyer un air folklorique dans les vapeurs éthyliques de ce qui ressemblait à une fête.

– C'est pas pour nous, quand même, s'étonna Marc. Personne ne nous attendait.

– Ce n'est pas pour vous, mais on vous attendait, claironna, en français, une voix tonitruante.

Incrédules, Marc et Magda se retournèrent pour voir s'avancer un homme d'une carrure imposante, dont le visage cuivré était couronné d'une chevelure poivre et sel.

– *Padre, padre*, lançaient les femmes.

– Salut, Marc Provost! Je suis Roger Perron, missionnaire du Saint-Esprit et, ajouta-t-il avec fierté, Québécois d'origine. Si tu es ici, c'est un peu à cause de moi.

L'homme d'une soixantaine d'années parlait haut et fort, comme s'il était sourd. Éberlué, Marc lui présenta

Magda au moment où Catalina venait se réfugier près d'elle.

– Et cette petite-là, c'est à vous? lança-t-il à Magda.

Faisant fi des villageois qui transpiraient l'alcool de maïs, il expliqua qu'il vivait dans les Andes depuis près de trente ans. À sa demande, sa communauté avait fait des démarches pour que le Canada finance l'électrification rurale. Il tutoyait Marc et Magda comme s'il les avait toujours connus. Il passa la main dans les cheveux châtains de Catalina, faisant glisser son foulard rouge. Elle s'éloigna de lui, mécontente que cet inconnu ait touché à ce qu'elle avait de plus précieux. Excité, il termina son exposé en soulignant qu'il avait pris soin, lui, d'informer les villageois qu'ils obtiendraient bientôt l'électricité.

– Car, vous savez, personne du gouvernement n'ose informer ces gens!

Magda le remercia et, attirant Marc, lui suggéra d'aller saluer le maire. Le père Perron lui emboîta le pas.

– Décidément, il va nous suivre partout, grommela Marc à Magda.

Sur la place centrale, des hommes et des femmes titubaient en essayant de danser au rythme cassé de musiciens ivres.

– Magda, vous ici!

– Monsieur le maire, vous me reconnaissez, s'exclama Magda en lui serrant la main.

– Certainement. La dernière fois que vous êtes venue, c'était aussi le jour de la fête du saint patron du village, comme aujourd'hui.

Magda présenta Vidal Romero à Marc et à Catalina.

– Vidal! Il s'appelle Vidal, comme le chef de ma caverne, commenta Catalina, ricanant.

– C'est votre fille?

– Non, enfin… une enfant dont on s'occupe, répondit Magda. Je vous en reparlerai.

– Bienvenue à Nampuquio. Je suppose que c'est le monsieur qui va nous donner la *luz*, dit-il en désignant Marc.

– Si, si, c'est lui, interrompit le missionnaire.

Marc était de plus en plus agacé par le curé.

– Si vous permettez, dit-il, nous allons, Magda et moi, faire connaissance avec les gens de Nampuquio. Ce soir, nous retournons dormir à…

– Huancayo, je sais, dit Perron.

– Alors nous pourrions peut-être nous voir là-bas.

Lancée sur un ton ferme, la phrase cloua le bec au curé.

Marc se rapprocha de Magda pour accompagner le maire qui voulait tout de suite leur montrer le matériel électrique que l'armée avait apporté par camions depuis un mois. Catalina trottinait derrière eux, évitant le curé qui semblait lui porter une attention aussi gentille qu'envahissante.

Le maire offrit à ses invités un verre de *trago*, une liqueur de canne à sucre dont le taux d'alcool faillit les terrasser. Magda suggéra qu'on boive plutôt le *mate*, une infusion d'herbes sucrées composée surtout de feuilles de coca. Vidal Romero parlait avec effervescence de la *luz*. Magda expliqua à Marc que, pour ces paysans, l'électricité allait d'abord leur donner la lumière, la *luz*. Une inspection rapide de l'entrepôt lui confirma que tout le matériel semblait avoir été livré. Les soldats reviendraient dans les prochains jours travailler sous ses ordres.

– Si tout va bien, dans un mois vous aurez la *luz*, dit Marc dans un espagnol approximatif.

Le missionnaire voulut traduire au bénéfice du maire, mais Magda lui coupa l'herbe sous le pied. Perron comprit et se retira de la conversation.

En fin de journée, après avoir pris des arrangements avec le maire pour l'organisation du chantier, ils repartirent vers Huancayo. Ils durent de nouveau s'arrêter et donner quelques *soles* aux ouvriers qui réparaient encore la route. De retour à l'hôtel, ils furent accueillis par Perron qui s'invita à manger. Catalina poussa un cri lorsqu'elle vit la cuisinière s'approcher de la table en laissant pendre à bout de bras un animal bizarre dont on avait enlevé la peau.

– C'est le menu de ce soir, expliqua-t-elle avec fierté.

On aurait dit un lapin, mais il s'agissait d'une grenouille géante.

– À cette altitude, dit Perron, les grenouilles peuvent facilement peser quelques kilos. Ici, c'est tout ou rien.

La conversation se déroula en français. Régulièrement, Catalina demandait : « Qu'est-ce qu'il dit ? » Magda comprit qu'elle devrait le plus vite possible convaincre le maire de Nampuquio de prendre la petite en pension. Elle laissa Marc et emmena l'enfant se coucher.

– Catalina, dit Magda, avant de te coucher, tu dois prendre un bain.

– Non ! pas de bain, rétorqua l'enfant.

– Il faut se laver. On a voyagé, on a eu chaud. Il y a la poussière qui colle. Tu verras, on se mettra du parfum après le bain.

– Non, pas de bain.

– Pourquoi ne veux-tu pas te laver ? demanda avec douceur Magda.

– Parce que je ne veux pas mourir.

– Mourir ? On ne meurt pas parce qu'on se lave.

– Les enfants qui sont nus peuvent mourir. Mon amie Elvira est morte et elle était nue. À cause d'un monsieur.

42

Magda choisit instinctivement de ne pas lui faire parler d'Elvira.

– Toi tu es Catalina, et tu es ici, avec moi, Magda, dans les montagnes. Il n'y a pas de monsieur avec nous. Fais-moi plaisir.

Catalina accepta finalement de prendre un bain à condition de garder son foulard rouge noué autour du cou. Son corps était parsemé d'éraflures cicatrisées et de traces de piqûres de puces. Magda lui lava les cheveux. Avec tendresse, elle la savonna en lui massant les muscles. L'enfant ne résistait pas. Magda n'avait jamais autant touché un enfant. L'émotion la gagna. Un pincement lui parcourut le ventre. La majorité de ses amies avait déjà une famille. Magda ralentit chacun de ses gestes pour profiter de cet instant magique où une enfant inconnue lui permettait d'imaginer, le temps d'un bain, qu'elle était «maman».

– Tu ne te laves pas, toi? lui demanda Catalina.

Une image lui traversa la tête. Elle était toute petite et sa mère la baignait avec elle en lui caressant les cheveux. Elle vida la baignoire de l'eau souillée, la remplit de nouveau, se déshabilla et, au grand étonnement de Catalina, lui dit :

– À ton tour maintenant.

Timidement d'abord, puis avec l'excitation d'un enfant qui découvre un nouveau jeu, Catalina savonna Magda, lui mouilla les cheveux et parcourut chacun de ses membres en les massant gauchement, comme Magda avait fait avec elle.

– Pourquoi tu pleures? lui demanda Catalina.

– Je ne pleure pas, mentit Magda. J'ai du savon dans les yeux.

La petite était maintenant debout derrière elle et lui caressait les cheveux. Magda sentait ses petits doigts plonger dans sa chevelure. La fillette s'amusait à glisser ses index à l'intérieur des oreilles. Magda eut l'impression que Catalina refaisait d'instinct les gestes de sa mère. Comment une femme pouvait-elle décider un jour de se séparer de son enfant, d'interrompre tous ces gestes, ces contacts intimes qui soudent une mère à sa fille?

Magda sortit de la baignoire, épongea son visage et s'enroba dans un drap de bain. Catalina la suivit, la laissa éponger son corps et, un doigt accroché au foulard qui lui ceinturait le cou, s'étendit sur les coussins rassemblés au pied du lit. Pendant que Magda sombrait dans un sommeil apaisant, Catalina murmurait. «Maman, je suis vivante, sur une montagne, avec une dame.»

Lorsque Marc entra dans la chambre, il remarqua que Magda et Catalina dormaient dans la même position. Il ne restait plus d'eau chaude. Il prit vite une douche froide et bascula dans son lit. Magda ouvrit les yeux quelques instants pour regarder dormir cet étranger qui, tout comme l'enfant, faisait bifurquer la trajectoire de sa vie.

# 6

Depuis trois semaines, à la surprise de Marc, le petit chantier avait progressé rapidement. La vie quotidienne avait trouvé un rythme régulier et prévisible. Chaque matin, accompagné de Magda, il se dirigeait vers Nampuquio, s'arrêtait pour donner quelques *soles* aux ouvriers qui réparaient la route, allait saluer le maire et prendre des nouvelles de Catalina avant de relancer les travaux de construction du poste de transformation de la *luz*.

Une semaine après son arrivée, Magda avait convaincu Catalina de s'installer chez Vidal Romero, dont la femme, Avelina, accueillait avec plaisir ce cinquième enfant; une bouche de plus à nourrir, mais, aussi, deux petits bras supplémentaires pour les travaux quotidiens. Romero avait refusé l'argent pour la pension de la petite en retour de la promesse que la salle municipale serait le premier bâtiment branché sur le réseau électrique. Comme sa maison était contiguë, il n'aurait qu'à tirer un fil pour bénéficier de la *luz*, ce dont aucun autre citoyen ne pourrait profiter.

Le matin, juste avant le lever du soleil, Avelina Romero allumait le feu et commençait à cuire les crêpes de maïs et les œufs. La famille et les ouvriers agricoles avalaient vite le repas avant de partir bêcher les quelques hectares où les Romero cultivaient la pomme de terre. Catalina partageait une pièce de la maison avec les quatre autres enfants du couple. Les plus âgés allaient aux champs alors que Catalina et Victoria, la seule fille des Romero, demeuraient à la maison. Vers la fin de l'avant-midi, Avelina ramassait les crêpes et les œufs supplémentaires laissés au grand soleil sur le toit de tôle du poulailler et, accompagnée des deux fillettes, commençait la lente ascension d'une pente de huit cents mètres pour aller porter le repas et les gourdes d'eau aux hommes qui retournaient avec des pioches la terre rouge des terrasses.

Catalina s'était laissée séduire par cette vie de famille aussi rude que protectrice. Même si la maison des Romero était parfois humide et froide comme la caverne du Rio Rimac, il n'y avait plus de risque d'avoir faim, d'être agressée, ni d'obligation de quêter et de voler pour survivre. À Nampuquio, les enfants partageaient leur vie quotidienne avec des parents. Ils étaient grondés, récompensés, vêtus, nourris et logés. L'énergie que Catalina avait mise depuis deux ans à déjouer quotidiennement la mort était maintenant consacrée à apprendre à parler quechua, à aider à préparer les repas et à passer des heures à simplement jouer avec d'autres enfants.

Catalina mangeait beaucoup. Elle avait pris près d'un kilo en quelques semaines. La visite quotidienne de Magda la rassurait. Un soir, avant de quitter le village, Magda s'était approchée de la chambre pour l'embrasser. Elle l'entendit murmurer dans le noir. Elle s'immobilisa et écouta l'enfant à son insu.

— Maman, chuchotait-elle, aujourd'hui j'ai appris un autre mot. Le *padre* vient souvent au village. Il parle une autre langue, le français. Il m'a dit qu'un jour je pourrais parler comme lui. Chaque jour, il m'apprend un mot nouveau. N'aie pas peur, il est gentil. Aujourd'hui, j'ai appris le mot «lumière». Ça veut dire *luz*. Bonne nuit, maman.

Magda s'éloigna. En regardant le ciel criblé d'étoiles, elle sourit en répétant « lumière ».

* * *

– Madame Perez, je peux vous parler ?
Le propriétaire de l'hôtel de Huancayo s'adressait toujours à Magda avec qui il pouvait parler plus facilement qu'avec Marc qui ne semblait pas toujours comprendre son accent. Marc resta en retrait.
– Lorsque vous êtes arrivée, vous m'aviez demandé deux chambres, mais je n'en avais qu'une de disponible. Demain, j'en ai une qui se libère. Désirez-vous toujours deux chambres ?
Surprise, Magda réfléchit en se retournant vers Marc. Le nez dans un journal, il ne semblait pas suivre la conversation. Elle eut envie de le consulter. Et s'il disait oui ? songea-t-elle.
– Non, répondit-elle à voix basse. Nous sommes bien installés. Merci.
Marc, qui avait tout entendu, referma son journal.
– Un problème ? demanda-t-il, un petit sourire au coin des lèvres.
– Non, non, répondit Magda. Il voulait juste savoir si nous étions toujours satisfaits du service.
Depuis leur arrivée dans la sierra, ils avaient vécu comme un couple. Tous les gestes de la vie quotidienne, chaque repas, les allers et retours étaient partagés. Le soir, avant de s'allonger chacun dans son lit, ils se souhaitaient bonne nuit et, dans la noirceur, poursuivaient leur conversation.
Comme d'habitude, Marc avait laissé Magda utiliser la salle de bain la première. Une fois Marc sous la douche, Magda se glissait au lit. Sa douche terminée, Marc éteindrait l'unique ampoule du plafonnier et se mettrait au lit à son tour. La soirée était calme ; aucune

pétarade de moto n'écorchait le silence impressionnant des montagnes.

— Tu dors? lui demanda Marc.

— Oui et non.

— Ça fait quand même bizarre de partager une chambre. Il y a deux mois, on ne se connaissait même pas.

— Il y a des couples qui sont ensemble depuis douze ou quinze ans et qui ne se connaissent toujours pas. Qu'est-ce que ça veut dire, « se connaître » ?

— Et d'autres qui ne sont ensemble que depuis quelques heures...

— Et qui savent déjà...

La phrase inachevée de Magda dessina dans le noir une zone de silence qu'aucun des deux n'osait rompre. Marc tendit son bras vers le lit de Magda. Si elle faisait la même chose, ils pourraient se toucher. Rien. Il laissa sa main pendre dans le vide.

— Tu dors? chuchota Magda.

— Oui, et je fais un beau rêve.

— À quoi rêves-tu?

— À une belle femme qui n'ose pas me réveiller.

Magda soupira et laissa pendre sa main à l'extérieur du lit. Lorsqu'elle sentit la chaleur de la main de Marc, elle eut le réflexe de retirer la sienne. Marc glissa ses doigts sur les siens. Elle referma sa main sur celle de Marc. Une petite vague de chaleur traversa son ventre. Pour la première fois depuis quelques années, elle touchait le corps d'un homme qu'elle désirait.

— Bonne nuit, Marc. Fais de beaux rêves.

— Bonne nuit. Je vis déjà un beau rêve.

\* \* \*

La Jeep approchait de ce que Marc avait baptisé « la douane ». Les ouvriers s'écartèrent, Marc leur tendit quelques pièces et contourna les nombreux trous. À l'arrivée à Nampuquio, une certaine agitation régnait autour du lieu d'arrêt des autocars. Avelina Romero sortit du car avant qu'il ne reparte. En apercevant Magda, elle se précipita vers elle.

– Catalina a disparu, lança-t-elle, inquiète. Ce matin, au réveil, elle n'était plus dans la maison. Je ne comprends pas. Nous sommes gentils avec elle.

– Calmez-vous, fit Magda. Elle va revenir.

Pendant la journée, tout en assistant Marc auprès des ouvriers qui achevaient d'installer le poste d'électricité, Magda se tint informée de la fugue de sa protégée. Il n'était pas facile de disparaître dans un village aussi petit que Nampuquio. En fin de journée, toujours sans nouvelles de la petite, elle laissa Marc repartir vers Huancayo; elle demeurerait au village tant que Catalina n'aurait pas donné signe de vie.

À la lueur des lampes de pétrole, la famille Romero accueillit Magda pour le repas du soir. Avelina, à la fois troublée et stoïque, cherchait à comprendre. Elle montra à Magda le coin de la chambre où Catalina laissait ses affaires. Magda remarqua le foulard rouge bien plié sur le dessus d'un petit meuble.

– Elle est partie sans son foulard?

– Hier soir, je l'ai forcée à me le remettre. Il était tellement crotté, vous savez. Fallait le laver.

Magda demanda une torche électrique et partit aussitôt, en compagnie de Vidal, arpenter les rues de Nampuquio. Il faisait une nuit d'encre. Seuls quelques chiens aboyaient à leur passage. Dans les maisons, quelques langues de feu illuminaient la pièce principale.

– Avec l'électricité, dit Romero, ça coûtera moins cher de chandelles. On commencera par l'éclairage public et par la caverne où nous entreposons les pommes de terre. Avec un déshumidificateur, on pourra les conserver plus longtemps.

Les propos du maire indisposaient Magda. Une enfant avait disparu. Ce n'était pas le moment d'élaborer des plans de développement de l'électricité.

– C'est vrai qu'avec la *luz* ce sera plus facile de retrouver les enfants qui fuguent! coupa Magda.

Vidal Romero comprit et, silencieux, continua de fouiller chacune des rues en compagnie de son invitée. Après une demi-heure de marche, ils revinrent à la maison. À neuf heures, dans le village, tout le monde dormait. Magda demeura dehors, protégée du froid par le poncho prêté par Avelina. Puis, tout lui parut évident. Elle se précipita vers la caverne des pommes de terre. Elle poussa la porte de bois et entendit des sanglots.

– Catalina, murmura-t-elle.

Une petite ombre se glissa dans le halo de la torche électrique. Catalina se lança dans les bras de Magda.

– Avelina est méchante, elle a pris mon foulard. Elle ne veut plus que je parle à maman.

En reprenant le chemin de la maison, Magda tenta d'expliquer à l'enfant le geste d'Avelina.

– Mais, elle a aussi lavé le parfum de maman! lui répliqua Catalina.

– Non, Catalina, il est impossible d'effacer le parfum d'une maman.

– Toi, tu as un foulard avec le parfum de ta maman?

– Non, pas de foulard. Mais j'ai l'odeur de ma maman dans ma peau. Comme toi.

Magda s'arrêta et fit sentir la peau de son bras à Catalina. Puis elle sentit à son tour le bras de l'enfant.

– Tu vois, dit-elle, nous n'avons pas la même odeur. C'est parce que nous n'avons pas la même maman.

Catalina entra chez les Romero où personne ne s'était encore mis au lit. Avelina se précipita vers elle et la serra fort dans ses bras. Les garçons regardaient la scène avec étonnement. Jamais ils n'avaient vu leur mère aussi émue en présence de la jeune étrangère. Lorsque Victoria invita Catalina à venir se coucher, celle-ci insista pour dormir près de Magda. Victoria céda son coin de la chambre. Catalina s'endormit en collant son petit nez à la peau de Magda.

À son retour, le lendemain matin, Marc souligna à Magda qu'il avait mal dormi en son absence. En souriant, elle baissa les yeux.

\* \* \*

Une immense grue de l'armée fit une entrée triomphale dans Nampuquio. À l'heure prévue, la centrale coupa l'électricité dans les fils à haute tension qui traversaient le ciel du village. En compagnie de Marc, deux ouvriers montèrent à bord de la nacelle suspendue au bras télescopique de la grue. Deux heures plus tard, un simple fil métallique pendait vers la petite centrale où on l'arrima au transformateur. Lorsque le courant fut rétabli, les aiguilles d'un cadran s'agitèrent et, pour la première fois dans ce village, on entendit naître en sourdine la plainte monocorde d'un fantôme énigmatique enfermé dans le ventre de quelques cylindres d'acier. L'électricité venait de toucher terre à Nampuquio. Personne ne réagit, sauf le curé Perron qui, comme d'habitude, s'était invité au village.

– Bravo! cria-t-il.

Le plus naturellement du monde, il bénit les installations. Les ouvriers et les citoyens dessinèrent le signe de la croix sur leur corps, comme s'ils obéissaient à un ordre. Le maire serra Marc dans ses bras, muet d'émotion. La petite fanfare du village entonna l'hymne national. Les dernières notes étaient à peine envolées dans l'air cristallin que des femmes apportaient dans des brouettes des gâteaux et des bouteilles d'alcool. La fanfare se transforma en orchestre et le peuple de Nampuquio se mit à danser. Les jupes multicolores tournaient comme des toupies autour du corps alourdi des femmes qui poussaient des cris de joie. Les hommes sautillaient à leurs côtés en essayant de ne pas perdre l'équilibre. Excitée par la musique, la danse et les cris, Catalina se mit à imiter tantôt les hommes, tantôt les femmes, mimant leurs gestes et se moquant de leur difficulté à se tenir debout. Le monde applaudit la petite. Elle s'enhardit. Plus les gens riaient, plus elle accentuait le balancement de son corps en sautillant et en grimaçant. Elle était devenue l'attraction de la fête. Les musiciens l'entourèrent. Elle parada devant chacun, caricaturant leur manière de tenir leurs instruments. Elle chantonnait à tue-tête, comme pour couvrir le son des instruments. Magda était estomaquée. Cette enfant si renfermée, si secrète, semblait avoir brisé la coquille qui l'emprisonnait et la protégeait tout à la fois. Excités, d'autres enfants s'approchèrent pour se joindre à elle. Catalina s'arrêta net, les dévisagea et s'enfuit derrière le transformateur électrique où Magda vint la retrouver.

— Pourquoi t'es-tu arrêtée de danser? lui demanda-t-elle en lui épongeant le front.

— Parce que je voulais danser toute seule, répondit-elle, furieuse.

Magda lui prit la main et l'amena se balader pour lui faire oublier sa frustration.

La fête se termina aux lueurs des torches. En titubant, tout le monde partit se coucher. Sauf Marc et Magda qui restèrent un bon moment debout, seuls, devant la petite centrale. Magda glissa son bras autour de la taille de Marc.

— Tu viens de créer un nouveau monde, dit-elle, émerveillée.

Il la remercia et la prit dans ses bras en lui murmurant :

– Toi aussi, tu as créé un nouveau monde. Pour Catalina et pour moi.

Ils s'embrassèrent. Pour la première fois, leurs lèvres se touchaient longuement, sans retenue. Magda resta blottie dans ses bras.

– Serre-moi fort, dit-elle.

Elle se laissa bercer dans les bras de cet homme qui semblait aussi décontenancé qu'elle. Il y avait dans leur étreinte une certaine maladresse qui rendait leur bonheur semblable à celui d'adolescents qui ignorent que la passion est plus puissante que ceux qui la vivent.

– Marc, murmura-t-elle, c'est la première fois de ma vie que je me sens aussi femme.

Troublée de s'être ainsi révélée, elle glissa un doigt sur les lèvres de Marc pour lui demander de ne rien ajouter.

\* \* \*

Deux semaines plus tard, les ouvriers avaient terminé le raccordement des fils électriques du village à la centrale de transformation. Il y aurait de la *luz* sur la place centrale, dans la salle municipale, aux intersections des rues principales, à la caserne militaire, dans la caverne des pommes de terre et, surtout, au dispensaire où l'on brancherait le premier et seul réfrigérateur du village, dans lequel on pourrait dorénavant conserver les vaccins. De plus en plus souvent, des officiers militaires et des fonctionnaires débarquaient pour inspecter les lieux. Une certaine fébrilité avait gagné le village. Le maire Romero était dépassé. Les plus vieux commençaient à grogner.

# 7

Marc et Magda avaient décidé de se payer un bon repas dans le seul restaurant de Huancayo qui pouvait prétendre le préparer. Toute la journée, Marc avait procédé, deux fois plutôt qu'une, à l'inspection de chaque fil, de chaque poteau. Les tests confirmaient que le travail avait été bien fait. Il pouvait se relaxer. Demain, les autorités se glorifieraient de son travail et se laisseraient remercier du merveilleux cadeau fait à la population de Nampuquio.

– Dans une semaine, si tout va bien, on quitte les sommets, dit Marc, un brin nostalgique.

– Je ne sais pas comment va réagir Catalina.

– Ce serait peut-être préférable de ne lui en parler que la veille de notre départ, suggéra Marc.

– Elle va me manquer, soupira Magda.

– Pourtant, tu la connais très peu, dit Marc.

– J'ai parfois l'impression de la connaître depuis si longtemps. Toi, tu laisseras un peu de toi ici. Moi aussi.

– Encore une semaine, juste entre nous, souligna Marc, en lui caressant le bras.

Depuis quelques jours, Marc et Magda partageaient le même lit. Ils vivaient dans une bulle de tendresse, d'émotions et de longs frissons amoureux. Elle s'était laissé magnétiser par cet homme à la fois délicat et fougueux dont les premiers pas prudents ne laissaient pas deviner sa capacité d'envahir et de partager. Les moments pénibles de son existence semblaient derrière lui. Il lui avait confié qu'elle était la première femme avec qui il reprenait sérieusement contact après l'échec de son mariage.

Avec lui, Magda se sentait libre et importante. Mais elle éprouvait aussi un certain vertige devant cette liberté. Isolée dans cette bourgade des Andes, elle n'avait plus autour d'elle la vie et l'agitation de Lima qui lui donnaient l'impression d'avoir un rôle à jouer dans la société. Pourtant, à Nampuquio, où elle n'avait été qu'une simple interprète auprès d'un ingénieur québécois, elle se sentait encore plus euphorique qu'à Lima. Dans la capitale, elle était la fierté de son père. Dans les Andes, elle n'avait plus besoin de cette fierté pour exister. Avec Marc, elle aurait récolté des pommes de terre qu'elle en aurait été heureuse. Elle éprouvait pour lui un attachement qui l'isolait du reste du monde et ouvrait la porte à un amour que son père, souhaitait-elle, saurait accepter.

Au cours des huit dernières années, les hommes auxquels elle s'était attachée avaient tous été confrontés à la présence réelle ou sentie de Franco. Le premier, un jeune éducateur physique, orphelin de père, avait vite été récupéré par Franco qui l'avait traité comme son fils, forçant Magda à le voir comme un frère plutôt que comme un amoureux. Le deuxième, médecin, n'avait pu la convaincre de quitter Lima pour l'accompagner à Cuzco où il prenait charge d'une clinique. Franco avait semé le doute chez sa fille. Accepterait-elle de s'ennuyer dans une ville de province où elle devrait supporter les longues journées d'absence auxquelles est contraint un médecin qui commence sa carrière? Enfin, le troisième, un riche marchand de voitures, n'avait pu, malgré sa générosité et sa joie de vivre, lui procurer les plaisirs si souvent partagés de la vie quotidienne avec son père. Devant le scepticisme manifesté par Franco, elle avait laissé la relation s'étioler. Mais tous ces hommes l'avaient quittée, se sentant exclus de sa vie et de ses rêves.

*  *  *

– Une semaine, juste entre nous, reprit Marc. S'il y avait du champagne, ici, j'en commanderais.

– Et si on restait ici un peu plus longtemps? dit-elle en lui caressant les mains.

– Ici ou ailleurs, l'important, c'est d'être ensemble.

– Et seuls, ajouta Magda.

Elle étonna Marc en sortant une robe de sa valise, la seule qu'elle avait apportée.

– On va danser! lança-t-elle.

Lorsqu'elle sortit de la salle de bain, elle était transformée. Son visage cuivré mettait en relief l'émeraude de ses yeux. Un petit collier courait sur son cou comme un ruisseau d'or longeant les fougères multicolores imprimées sur sa robe de soie et de lin. Marc avait rafraîchi sa chemise rose et attaché par un petit ruban de même couleur ses longs cheveux lissés vers sa nuque. Sans se le dire, ils se trouvèrent beaux.

Sur la piste du seul dancing de la ville, Marc découvrit Magda comme il ne l'avait jamais connue. Sensuelle, déchaînée, elle l'enlaçait, l'embrassait, le possédait comme si cette soirée allait être la dernière de sa vie. La nuit fut noyée de passion et de déclarations d'amour qui les transportèrent au-delà des sommets des Andes.

– Fais-moi un enfant! lui dit-elle dans un moment d'extase.

Lorsque leurs corps s'apaisèrent, elle en pleura de joie.

Ils venaient de s'effondrer dans le sommeil lorsqu'un coq déchira le silence de la nuit andine.

* * *

En approchant de Nampuquio, le lendemain matin, la route trouée était réparée et les ouvriers, absents. À l'entrée du village, une grande banderole aux couleurs du Pérou souhaitait la bienvenue aux dignitaires pour l'inauguration de la centrale. Personne ne travaillait aux champs. Déjà, la fête avait commencé. On le voyait au sourire figé de certains hommes qui, malgré l'heure matinale, titubaient de buvette en buvette. Le petit orchestre s'essoufflait à répéter l'hymne national qui résistait mal aux vapeurs éthyliques de l'alcool de maïs. Le curé Perron salua Marc, qui lui signala que les travaux de réparation de la route étaient terminés.

– Elle n'a pas été réparée, expliqua Perron, en s'esclaffant. On a simplement cessé de la creuser. Ces hommes à qui vous donnez de l'argent chaque jour depuis des semaines sont de pauvres gens sans travail qui ont décidé d'installer un petit chantier aux abords du chemin. Chaque jour, ils quémandent leur pitance auprès des automobilistes. La nuit venue, ils recreusent les trous qu'ils vont remplir le lendemain. Ils ont ainsi le sentiment de gagner leur vie. La nuit dernière, les militaires leur ont demandé de disparaître pour la journée. Demain, ils seront de retour. Et les trous aussi !

Quelques heures plus tard, des coups de klaxon signalèrent l'arrivée des dignitaires. La limousine du ministre de l'Énergie était suivie de celle de l'ambassadeur du Canada et d'une autre, arborant un drapeau du Québec sur le capot. Les villageois formaient une haie d'honneur qui ondulait aux rythmes des musiciens qui commençaient à manquer de souffle. Le soleil de l'après-midi avait amorcé sa chute et, dans une heure, le flanc supérieur des montagnes allait créer une ombre assez sombre pour que l'arrivée de l'électricité se fasse voir. Le maire fit taire les musiciens. Avec la dignité

57

et la retenue des paysans, il adressa un mot de bienvenue dans un espagnol approximatif. Ses concitoyens souriaient de le voir ainsi s'efforcer de parler une langue qu'il n'utilisait presque jamais en public. Il termina en présentant M. Ernesto, un instituteur à la retraite, qui avait accepté de donner des leçons d'alphabet et de mathématiques.

– Demain soir, et tous les soirs de l'année, nous aurons la *luz* dans la salle municipale. Une fois le soleil couché, nous n'aurons plus besoin de le suivre au lit! Ceux qui voudront apprendre à lire et à compter pourront maintenant le faire chaque soir grâce à l'électricité.

Il fut applaudi très fort.

Le ministre de l'Énergie se lança ensuite dans un discours politique destiné au reste du pays. Il fallut que le maire amorce les applaudissements pour que la foule manifeste sa joie. Personne n'avait compris.

Catalina s'éloigna d'Avelina pour se rapprocher de l'estrade. L'ambassadeur canadien baragouina quelques mots en espagnol avant de passer à l'anglais. Puis vint le ministre du Commerce extérieur du Québec. Après avoir salué les invités en espagnol, il sortit de sa poche un petit texte écrit qu'il commença à lire. À la surprise de tous, il parla en quechua, exprimant toute la fierté du peuple québécois de mettre ses ressources et ses compétences au service du peuple des montagnes. Pendant qu'il recevait des bravos et des applaudissements, Catalina l'imita en saluant la foule de la main. Le ministre, heureux de son coup, passa en souriant devant l'ambassadeur du Canada, accepta les félicitations du ministre de l'Énergie et salua la petite fille qui l'avait imité. Le père Roger Perron, qui immortalisait l'événement avec son caméscope, avait les larmes aux yeux. Magda se pencha vers Marc et lui dit :

– Je comprends maintenant pourquoi tu m'as demandé l'autre jour de t'écrire ce petit discours en quechua. Ce n'était donc pas pour toi !

Marc sourit et l'embrassa sur la joue.

Le maire et les dignitaires s'approchèrent de la centrale dont un levier enrubanné aux couleurs du Pérou était surmonté des drapeaux du Pérou, du Canada et du Québec. Un photographe provoqua quelques éclairs avec son flash. Les gens applaudirent. Le maire leur fit signe d'attendre. L'orchestre exécuta l'hymne national ; une véritable exécution, dans tous les sens du terme. Puis le maire, le ministre péruvien, l'ambassadeur canadien et le ministre québécois posèrent ensemble leurs mains sur le levier. Ils comptèrent jusqu'à trois et, à l'unisson, abaissèrent le manche enrubanné. L'ampoule du lampadaire de la centrale s'alluma. Tout le monde tourna la tête : les lampadaires plantés aux quatre coins de l'espace soutenaient aussi un petit morceau de lumière. Les applaudissements crépitèrent. L'orchestre s'emballa dans une mélodie très rythmée et tout le monde se mit à danser.

Marc était muet d'admiration. Magda lui serra le bras pendant que Catalina dansait en tournoyant autour d'eux. Cette dernière ne comprenait pas pourquoi les gens étaient aussi euphoriques à la vue d'un simple lampadaire qui s'allume. À huit ans, elle avait toujours vécu dans une ville dont les rues sont éclairées. Mais elle n'allait pas refuser de s'amuser. Elle partit se joindre à un groupe d'enfants qui scandaient :

– On veut la télé ! On veut la télé !

Cette télé, ils devraient l'attendre encore longtemps parce que les montagnes environnantes empêchaient les ondes d'atteindre toute antenne, y compris celle que les militaires avaient fait monter sur le toit de leur caserne. Marc eut une idée.

Une fois les dignitaires partis, il demanda au maire d'aller chercher l'appareil de télévision des militaires. Il emmena le curé Perron sur la place centrale où la foule les suivit. Il brancha un long fil dans une prise de courant de la salle municipale et alluma le téléviseur posé sur le sol au milieu de la place. Les musiciens, soûls, s'étaient endormis. Seul le vent murmurait sous les lampadaires qui éclairaient faiblement l'espace où tout le monde s'était assis par terre. La lumière blafarde de l'écran jeta une langue de craie vers la petite foule. On entendit des oh! et des ah! avant que le maire n'ordonne de se taire. Marc brancha le caméscope de Perron et appuya sur PLAY. Le miracle se produisit.

Le peuple de Nampuquio apparut à la télévision. Les gens se virent danser, tituber, applaudir. Chaque fois que quelqu'un se reconnaissait, les autres riaient, se moquaient, le désignaient du doigt, tant dans la foule qu'à la télévision. Les citoyens revécurent ainsi toute leur journée. Pour la première fois, ces hommes et ces femmes se voyaient vivre ailleurs que dans la vraie vie. De temps à autre, un homme se levait et se rendait derrière l'appareil. Il scrutait l'arrière, puis le devant et, à nouveau, l'arrière du meuble. La séance dura une bonne heure. Le maire faillit déclencher une émeute lorsqu'il décida de fermer l'appareil et d'envoyer tout le monde se coucher. Le *padre* Perron était devenu un véritable héros. Il avait révélé à ces paysans qu'ils existaient ailleurs que dans le village.

En s'endormant, Catalina chuchota à sa mère qu'elle était trop fatiguée pour lui raconter sa journée. Elle mit son nez dans le foulard rouge, chercha l'odeur de sa mère et s'endormit malgré le lampadaire qui, maintenant, jetait un peu de lumière dans la maison de la famille Romero.

# 8

Clara rayonnait. Elle n'avait pas vu sa fille depuis deux mois. Ce soir, elle la retrouvait, la peau cuivrée par le soleil et l'air pur des montagnes. Assis à ses côtés, Marc souriait en caressant discrètement les mains de Magda. Les clients du *Playa Blanca* avaient déserté la place, le personnel nettoyait les tables et le gardien de la porte vint saluer «madame Clara» avant de prendre congé.

– Celui-là, dit la mère, il n'a jamais oublié la petite qui t'avait mordue.

Magda jeta un coup d'œil à Marc avant de détourner la conversation sur la vague de chaleur qui frappait Lima en cette fin du mois de mars. Marc prit la relève auprès de Clara, qui, admirative, ne cessait de le regarder en se disant qu'il ferait un bon mari pour sa fille, trop célibataire à son goût.

Magda s'évada vers Nampuquio. À cette heure-ci, Catalina dormait dans la chambre qu'elle partageait avec sa famille d'adoption. La petite avait carrément refusé de revenir à Lima.

– Reste avec moi, avait-elle supplié en s'accrochant au cou de Magda. Pourquoi ne restes-tu pas ici?

– Je dois retourner à Lima. J'ai ma maison, mon travail, mon papa, ma maman là-bas. Tu comprends, Catalina?

– Je vais te prêter mon foulard. Tu pourras parler à ta maman, lui avait répondu Catalina.

Magda avait tenté de lui expliquer qu'elle devait absolument repartir vers Lima. N'y parvenant pas, elle lui avait alors proposé de revenir dans la capitale. Catalina avait fondu en larmes. Dans ses mots d'enfant, entre deux sanglots, elle lui dit qu'elle ne voulait plus bouger. Elle souhaitait vivre à Nampuquio « avec la famille Romero, Magda, Marc et le *padre* qui m'apprend des nouveaux mots ». Elle ne voulait plus retourner dans la caverne. Magda s'était sentie coincée. Elle ne pouvait pas promettre à l'enfant de l'emmener vivre chez elle à Lima et ne pouvait non plus s'installer à Nampuquio. Elle comprit alors qu'elle avait tissé des liens affectifs avec cette enfant. Ou, plutôt, Catalina avait commencé à fusionner sa vie à la sienne. Comme un arbuste qui grandit, il fallait vite la transplanter avant d'être incapable de la déraciner sans la meurtrir. Mais où fallait-il l'installer ? Dans un orphelinat de Lima ou à Nampuquio, chez les Romero ?

Magda avait hésité avant de l'« abandonner » à Nampuquio. C'est finalement le curé Perron qui lui avait promis de superviser l'enfant, en garantissant que la famille Romero saurait en prendre soin comme de leur fille. En plus de l'argent offert par Magda, Marc avait donné quelques centaines de dollars à la famille. C'était, pour lui, une manière de témoigner de son attachement à cette enfant qui semblait si importante aux yeux de Magda. Le matin de leur départ, Marc et Magda avaient attendu en vain à la porte des Romero pour dire adieu à la petite. Catalina avait refusé de se montrer et ils étaient partis, troublés par cette rupture.

Le couple avait mis trois longs jours à revenir, s'arrêtant dans des auberges où ils se soudaient l'un à l'autre pour que Lima ne puisse les séparer. Le dernier soir, du balcon de leur chambre, ils avaient vu scintiller au loin les lumières de la capitale. Marc avait enlacé Magda et l'avait embrassée.

– Et si nous n'entrions plus dans Lima? lui avait-il murmuré.

– Et si tu t'installais à Lima?

Magda s'était retournée, s'était collée à sa poitrine et n'avait plus dit un mot. Ils étaient restés ainsi, paralysés par ces deux phrases où chacun s'était avancé vers l'autre, dépassant les limites du rêve pour s'aventurer dans le territoire explosif des engagements.

– Il n'y a rien à négocier, avait-elle dit ensuite. Il y a nos deux cœurs, nos âmes, notre envie l'un de l'autre. Où cela nous mène-t-il?

– Ni à Lima ni à Montréal, avait répondu Marc. Tout ce que je sais, c'est que bientôt je dois rentrer au Québec. Je ne peux pas m'imaginer ne pas te retrouver chaque soir.

– Moi, j'ai peine à croire que je ne te verrais plus le matin, en m'éveillant.

Ils s'étaient endormis, les bras noués autour du corps de l'autre.

Dans la capitale, Marc avait retrouvé sa chambre à l'hôtel *Miraflores*, mais allait dormir chez Magda. Ils avaient convenu de ne parler à personne de Catalina.

– Tu sais que les policiers ont décidé de nettoyer le quartier de tous ces *piranhitas*, commenta Clara, ramenant Magda à la conversation.

– Nettoyer le quartier?

– Mais oui, on les tolère dans le centre-ville, mais ici, dans Miraflores, les gens ont commencé à se plaindre. Les jeunes avaient émigré jusqu'ici.

Magda pinça les lèvres.

– Dans les villages de montagne, comme à Nampuquio, les enfants sont tellement plus respectés, dit-elle. Si les familles savaient comment vivront leurs enfants en ville, jamais ils ne quitteraient leurs villages.

– Mais la sierra, c'est la pauvreté totale, dit Clara.

– Oui, mais la ville, c'est la misère totale, ajouta Magda.

Marc lui pressa les doigts pour lui souligner qu'ils avaient bien fait de laisser Catalina à Nampuquio.

* * *

Depuis le retour de sa fille, Franco n'avait pas encore réussi à la convaincre de l'accompagner, le soir, au centre-ville. Elle trouvait toujours une raison, un prétexte, mais n'osait pas lui avouer que toutes ses heures libres étaient réservées à Marc. Puis un jour elle avait enfin accepté d'aller marcher avec son père. Le spectacle l'écœura. Rien n'avait changé. Les adultes prédateurs étaient toujours en chasse. Les policiers aussi. Dans ce grand ballet dégradant, tout le monde jouait son rôle, y compris Franco qui continuait de venir observer les enfants, comme on regarde des animaux au zoo.

– Tu n'as pas l'impression d'être un peu voyeur? lui dit-elle. À part donner de l'argent aux religieuses, que fais-tu pour ces enfants?

Le commentaire déstabilisa Franco. Jamais sa fille ne l'avait ainsi apostrophé.

– Ce que je fais? La question tombe à point. J'utilise mes relations pour permettre à des gens comme les religieuses, ou comme toi, d'agir auprès des enfants. J'ai suggéré à la femme du président, pas plus tard que la semaine dernière, de financer un grand colloque sur le sort des enfants en Amérique latine. J'ai d'ailleurs soumis ton nom comme secrétaire générale de l'organisation.

– Tu aurais quand même pu m'en parler avant.

– J'ai essayé de te voir, mais ta mère m'a dit que ton Marc occupait beaucoup de ton temps.

– Je ne te parle pas de Marc, mais de toi, papa. Qu'est-ce qu'on fait encore ici ce soir?

– Qu'est-ce que tu fais, toi, pour les enfants?

Magda fut tentée de lui raconter l'aventure de la petite Catalina. Elle se retint.

– Avec le Groupe de défense des femmes, on s'occupe plus directement des enfants que ton Comité national pour la protection de l'enfance!

– Dis donc, toi, qu'est-ce qu'ils t'ont fait manger à Nampuquio pour que tu sois si agressive?

– Papa, je ne veux pas te vexer. Je me pose simplement des questions sur ces enfants. À Nampuquio, c'est aussi la pauvreté, mais personne n'abandonne les enfants! Allez, bonsoir, je rentre chez moi.

Franco la vit s'engouffrer dans un taxi. Il eut l'impression qu'elle le fuyait.

\* \* \*

Magda s'endormit en réfléchissant à la proposition que Marc lui avait faite avant d'aller au lit.

– Pourquoi ne viendrais-tu pas passer un peu de temps chez moi, à Montréal?

Pendant la nuit, elle se réveilla à plusieurs reprises. Le petit affrontement avec Franco l'avait troublée. «Pourquoi l'ai-je confronté? Pourquoi ce soir?»

Marc dormait paisiblement. La chaleur de son corps, le rythme de son souffle imprégnaient maintenant sa vie. Mais, depuis le retour à Lima, elle se sentait moins ouverte, moins disponible. Si elle avait bousculé Franco, c'est peut-être qu'elle avait voulu s'en protéger.

«Marc plaît sûrement à papa, se dit-elle. C'est tout de même grâce à lui que je l'ai connu.»

Chaque fois qu'un homme l'avait approchée, elle l'avait inconsciemment comparé à Franco. Personne n'arrivait à égaler sa gentillesse, la qualité de sa présence, sa générosité, son sens critique. Et personne ne lui avait ouvert autant de portes pour le développement de sa carrière et la réalisation de ses rêves et de ses ambitions. En même temps, elle sentait chez son père une certaine fragilité, des zones d'incertitude et de grisaille qui la confirmaient dans son rôle de femme protectrice. Elle adorait sentir que son père avait besoin d'elle. Auprès d'aucun de ses amoureux elle n'avait été capable de jouer un tel rôle.

«Il m'a envahie, réfléchit-elle. Mes succès font sa réussite.»

Marc était différent des autres, mais elle se demanda s'il aurait la détermination et la patience nécessaires pour franchir cette zone imperméable que son père avait aménagée autour d'elle et qu'elle se sentait incapable de détruire.

* * *

— Tu as les yeux cernés, dit Clara à sa fille.

— J'ai mal dormi. Mal digéré, sans doute. Je suis venue te voir plus tôt. Tu n'y étais pas.

— Si tu es venue me voir ce matin, c'est qu'il y a quelque chose qui ne va pas.

— Maman, que penses-tu de Marc?

— Enfin, tu me le demandes! répondit-elle, le sourire aux lèvres.

Les deux femmes discutèrent longuement. Sans retenue, Clara exprima à sa fille son enthousiasme de la voir amoureuse d'un homme comme Marc.

— Mais, il vit au Canada, dit Magda.

— Le cœur ne choisit pas son pays, répondit Clara. Moi, à ton âge, j'aurais suivi Franco à l'autre bout du monde.

— Et j'ai aussi ma carrière, ici.

— Ta carrière, ce n'est pas une vocation. Ton engagement professionnel, ce n'est pas une religion. Es-tu certaine que ce soit ton travail qui t'empêche de suivre ton amoureux?

– S'il m'aime, il saura m'attendre. Peut-être…, ajouta Magda.

– Suis ton bonheur, conclut Clara en embrassant sa fille.

* * *

Franco rappela Magda deux jours plus tard.

– J'ai réfléchi à ce que tu m'as dit et j'ai une idée à te proposer. Avant d'organiser ce colloque sur les enfants abandonnés, j'ai suggéré qu'on augmente la subvention versée à ton organisme de femmes. Ce sera une preuve du sérieux de nos intentions.

Magda se sentit coincée. Elle avait presque décidé de partir avec Marc pour quelques semaines à Montréal. Mais la perspective de profiter d'un plus gros budget pour réaliser les objectifs du Groupe de défense des femmes l'incitait à ne pas s'absenter; du moins, pas maintenant.

À quarante-huit heures du départ de Marc, on annonça que le budget alloué à l'organisme voué à la défense des femmes était triplé. Magda fut inondée d'appels et de messages de félicitations de tous les organismes qui gravitaient autour du Groupe de défense des femmes. Personne n'était dupe : on savait à quel point l'intervention de son père avait été cruciale dans cette décision. Magda ne pouvait plus reculer. Il n'y avait qu'elle pour poursuivre le travail.

La veille du départ de Marc, Clara invita le couple à manger en compagnie de Franco et de quelques amis. Pendant la soirée, Franco glissa à l'oreille de Clara qu'il était ravi de voir leur fille en compagnie d'un homme aussi intéressant que Marc.

* * *

Magda passa la nuit avec Marc. Ils s'abandonnèrent l'un à l'autre, se déclarant à nouveau leur amour, autant par des mots que par des silences où leurs yeux et leurs mains cherchaient à imprimer dans l'autre la marque indélébile de leur attachement. Mais, plus ils s'étreignaient, plus ils sentaient que c'était sans doute la dernière fois.

— Je ne voudrais surtout pas que notre amour t'empêche de réaliser tes rêves, lui dit Marc au petit matin.

— Au début de notre amour, il y a eu une petite fille. Il y en a mille autres à aider. Je vais commencer le travail et j'irai te retrouver. C'est juré, répondit Magda.

En fin de journée, elle le reconduisit à l'aéroport de Lima, où les adieux furent baignés d'étreintes silencieuses et de larmes refoulées.

— À bientôt, *mi amor*, lui dit Magda au moment où il franchissait la barrière de la douane.

Muet d'émotion, Marc répondit par un demi-sourire où elle le sentit blessé. Il la regarda avec intensité. Ses yeux verts, ses cheveux châtains légèrement décoiffés, sa robe envahie de fougères multicolores : il voulait imprimer cette image dans sa tête comme on emprisonne dans un coffre le souvenir le plus précieux d'une personne qu'on ne reverra jamais.

Magda quitta l'aérogare et monta dans la voiture de Franco qui avait préféré l'attendre à l'extérieur. Chaviré par son silence et ses yeux rougis, il se demanda, pour la première fois, s'il ne s'était pas trop immiscé dans la vie de sa fille.

# 9

La salle municipale était bondée. Malgré l'heure tardive et la noirceur, les quatre ampoules, suspendues à égale distance l'une de l'autre, permettaient aux citoyens de Nampuquio de se réunir le soir et de mener des discussions plus élaborées qu'ils ne le faisaient avant l'arrivée de l'électricité. Auparavant, le prix des chandelles limitait la longueur des veilles. Maintenant, la *luz* les allongeait. On venait de changer de siècle.

Assise au fond de la salle, Catalina suivait avec intérêt les échanges. Ce soir, on venait de découvrir que le prix payé pour les pommes de terre de Nampuquio était inférieur à celui consenti aux gens des régions où il existait un syndicat de producteurs. Mais ce qui passionnait Catalina, c'était le jeu des additions et des soustractions. Ernesto, le vieux professeur, lui apprenait à lire, à écrire et à compter depuis trois ans. Pour la récompenser de ses progrès scolaires étourdissants, le curé Perron lui avait fait cadeau d'une calculette. Cet instrument magique ne la quittait plus; il avait presque autant d'importance dans sa vie que son foulard rouge. Chaque nombre mentionné était aussitôt inscrit et mis en mémoire dans l'attente du suivant qu'il faudrait additionner au premier, ou soustraire. Ses yeux s'illuminaient lorsqu'elle voyait apparaître la réponse avant qu'elle ne soit communiquée à l'assemblée. Elle bâillait de fatigue mais voulait prolonger son plaisir. Le lendemain matin, comme chaque jour, en compagnie des autres enfants Romero, elle se lèverait avec le soleil et, après avoir engouffré des crêpes et des œufs, partirait vers les champs où tous les bras du village étaient requis pour la récolte des pommes de terre.

À onze ans, Catalina était nettement plus grande que les enfants des montagnes. Son teint clair et ses cheveux châtains la distinguaient au point où les autres enfants du village l'avaient surnommée «l'enfant de la côte», faisant allusion à ses origines de Lima. Les Romero n'avaient jamais revu Magda, mais, quatre fois par année, le père Roger Perron leur avait remis une somme d'argent qu'elle lui faisait parvenir pour subvenir aux besoins de Catalina. La première année, il avait écrit à Magda pour lui donner des nouvelles de la petite et de ses progrès scolaires. La réponse de Magda arrivait quelques mois plus tard, accompagnée d'une nouvelle somme. La deuxième année, Perron avait inversé les rôles : il attendait de recevoir l'argent pour remercier Magda et lui donner des nouvelles de Catalina. En cette fin de troisième année, il n'attendait plus d'argent. Quelques mois plus tôt, il lui avait laissé entendre qu'il avait pris Catalina à sa charge. C'était, pour lui, une manière d'affirmer l'importance de son rôle auprès de l'enfant. Un peu plus tard, il avait reçu un petit mot de Magda qui se disait heureuse de voir qu'il avait pris la relève auprès de Catalina. Il n'y avait pas d'argent dans l'enveloppe, et il ne reçut plus de nouvelles de Magda.

Perron avait pris l'habitude de rendre visite à la fillette avec laquelle il prenait plaisir à parler français. Elle était curieuse, enjouée, mais, selon M<sup>me</sup> Romero, secrète et encore sauvage. Elle ne refusait pas d'assumer sa part des travaux domestiques, mais parfois elle explosait, comme si elle accumulait les frustrations. Ces sautes d'humeur se manifestaient après de longues périodes de silence. Elle tolérait mal qu'on la touche, surtout s'il s'agissait d'un homme. Elle avait créé autour d'elle un mur invisible que ceux qui la connaissaient avaient appris à ne pas franchir.

Peu de temps après l'installation de l'électricité, le maire avait demandé à Ernesto, l'instituteur à la retraite, l'un des rares citoyens instruits du village, d'apprendre à lire, à écrire et à compter à ses concitoyens. Celui-ci réunissait chaque soir, dans la salle municipale éclairée, quelques adultes et un petit nombre d'enfants. Il n'y avait jamais eu d'école à Nampuquio et le besoin de main-d'œuvre avait incité de nombreux parents à ne pas envoyer leurs enfants à l'école d'un village voisin, à plus de vingt kilomètres. Catalina avait vite affirmé son intérêt pour l'écriture. Chaque soir, elle déclinait à sa mère imaginaire les lettres, les mots appris pendant le cours. Devant l'enthousiasme de cette élève douée, Ernesto lui imposait des devoirs et des leçons. Le père Perron lui avait fourni deux stylos et un cahier. Catalina voyait dans les mots et les chiffres une porte ouverte sur le rêve. En pénétrant dans la salle municipale, elle quittait le village pour voyager, franchir des frontières et tenter de voir au-delà des montagnes.

— Cent cinquante-six! cria-t-elle.

La trentaine d'hommes se retournèrent en bloc vers Catalina qui, triomphante, n'avait pu taire la réponse trouvée avant tout le monde. Deux paysans lui ordonnèrent de garder le silence.

— J'ai le droit de parler, je sais compter comme vous, répliqua-t-elle.

Indisposés, les hommes se tournèrent vers le maire Romero. Celui-ci se leva, prit sa fille adoptive par le bras et la reconduisit à la porte.

— Rentre tout de suite! Si tu interviens encore, je ne te permettrai plus d'assister aux réunions.

Humiliée, Catalina quitta la salle en renversant avec colère quelques chaises vides. La discussion sur le prix des pommes de terre reprit de plus belle.

Une partie de la nuit, les Romero cherchèrent Catalina. Le village s'ameuta. Avec leur chien, quatre soldats se joignirent aux citoyens. Il faisait à peine cinq degrés et le vent faisait claquer le drapeau déchiré du mât de la caserne. On fouilla la caverne des pommes de terre, les alentours du poste d'électricité et chacune des rues de Nampuquio. Rien. Avelina reprocha à son mari d'avoir mis l'enfant à la porte de la réunion. Il lui répliqua qu'elle devrait savoir la garder à la maison. La tension montait. Le chien des soldats éveillait les poules et les coqs qui, à leur tour, excitaient les ânes. Les autres chiens du village aboyaient aussi, ce qui excitait encore plus le chien des soldats. Torches électriques en main, une dizaine de personnes arpentaient les rues du village, se croisaient, repartaient dans l'autre sens, pour encore une fois se croiser et se dire qu'elles n'avaient pas trouvé la petite. Un homme apostropha le maire en lui reprochant de ne pas avoir fait installer des lampadaires dans chacune des douze rues du village. Une engueulade s'ensuivit, au point où un soldat dut intervenir pour calmer les esprits et re-centrer les énergies sur la recherche de l'enfant. Certains affirmaient l'avoir vue sortir du village ; d'autres avançaient qu'elle était sans doute montée aux champs. À deux heures du matin, le maire ordonna aux chercheurs de rentrer chez eux.

— Elle finira bien par revenir, conclut-il.

\* \* \*

Catalina grelottait. La tête exposée au vent, les pieds gelés dans ses sandales ouvertes, elle cachait ses mains sous son poncho de laine qui n'arrivait pas à retenir la chaleur de son corps. La terre nue n'offrait aucun arbre, aucune aspérité qui aurait pu lui fournir un peu de protection contre la morsure du vent glacial de la haute sierra. En quittant la salle municipale, elle avait fui le village. Mais, dans la noirceur totale, elle n'avait plus aucun repère. Immobile, elle ignorait s'il fallait aller à gauche ou à droite. Soudain, elle sentit de la chaleur près d'elle; quelque chose s'approchait. Paralysée par la peur, elle se figea. Un puissant reniflement la fit hurler. Elle trébucha, perdit une sandale, se releva et s'enfuit dans le vide, convaincue qu'une bête féroce la poursuivait.

– Maman, maman! criait-elle.

Elle trébucha de nouveau. Clouée au sol, elle attendit que la bête la dévore. Rien. Seul le murmure étouffé des lignes électriques effaçait le silence. Elle connaissait l'emplacement de ces gros fils. Elle était donc à une quinzaine de minutes de Nampuquio, où elle ne voulait surtout pas retourner. Il lui suffisait de suivre la pente naturelle de la vallée en se laissant guider par le bourdonnement des fils de la *luz* pour croiser le sentier millénaire des Incas. Elle marchait maintenant pieds nus, ayant aussi perdu l'autre sandale. Soudain, elle entendit des voix d'hommes. Elle s'arrêta de nouveau.

«Ça doit être papa Romero et les hommes du village, pensa-t-elle. Il ne faut pas qu'ils me trouvent.»

Elle aperçut un petit bivouac. Elle s'en approcha sans faire de bruit. Des hommes discutaient, assis autour du feu. Elle sursauta lorsqu'elle entendit des sabots piétiner le sol. Elle vit alors se profiler l'ombre de deux lamas. Elle comprit qu'elle avait croisé un petit troupeau de lamas sauvages et qu'aucune bête ne viendrait l'attaquer. La vue du bivouac la réconforta, mais elle ne pouvait se décider à s'avancer vers les hommes pour se réchauffer.

*  *  *

Au lever du jour, la portion d'œufs et de crêpes de Catalina fut laissée sur le toit de tôle ondulée du poulailler. À midi, lorsque Avelina partit porter le repas aux hommes, celui de Catalina cuisait toujours au soleil. Avelina n'avait pas fermé l'œil de la nuit. L'absence de cette enfant, qu'elle avait d'abord accueillie avec tiédeur, lui faisait mal. Catalina était peu à peu devenue sa fille et cette fugue, plus dramatique que les précédentes, la culpabilisait autant qu'elle l'inquiétait. Elle monta aux champs en pleurant.

Informé, le curé Perron s'amena au village. Il prit l'initiative de réunir quelques citoyens pour relancer les recherches. Lorsque Vidal Romero redescendit de son champ, il fit une colère. Comment ce prêtre pouvait-il prétendre réussir là où les gens du village avaient échoué? De quoi se mêlait donc ce curé qui se substituait à lui comme chef de famille et du village? Et si la petite savait si bien lire et compter, c'était bien à cause de lui, ce missionnaire qui l'avait privilégiée. Avait-il un parti pris pour les gens de la côte, contre les paysans des montagnes?

– Et, finalement, ajouta un ami de Romero, si Perron s'était mêlé de ses affaires, on n'aurait pas eu l'électricité et toutes ces réunions qui commencent à perturber la vie du village!

Perron essaya de calmer les esprits, s'excusa d'avoir froissé le maire et repartit vers Huancayo.

Au bout de trois jours, on n'avait pas encore retrouvé Catalina. À la suggestion de l'officier de la caserne militaire, Vidal Romero ne contacta pas les autorités policières de la région. La petite n'avait pas de papiers, ni de statut officiel. Comment allait-il expliquer aux autorités la présence de cette enfant dans sa maison depuis plus de trois ans? L'officier proposa que l'on consulte le père Perron, avec qui la petite semblait avoir développé une complicité.

Lorsque le camion du missionnaire s'arrêta près du petit barrage routier où les hommes remplissaient chaque jour les trous de la route, le religieux les informa de la disparition de Catalina. Il leur dit qu'il s'agissait d'une simple escapade et, s'ils la voyaient aux alentours, d'en prendre soin. Il remit un gros pourboire aux hommes et repartit vers Nampuquio.

* * *

— *Padre*, et si elle était tombée dans un ravin? dit Avelina.

— Avelina, pourquoi penser au pire? Catalina a survécu aux rues de Lima, elle survivra bien à quelques jours en montagne.

— Est-ce que M<sup>me</sup> Perez pourrait nous aider? suggéra le maire.

— Surtout pas, trancha Perron. Il ne s'agit que d'un incident et nous n'avons pas à faire intervenir des gens que nous n'avons pas vus depuis plus de trois ans. C'est nous qui nous sommes occupés d'elle depuis son arrivée ici, n'est-ce pas?

— Nous n'avons jamais eu d'ennuis avec elle, mais depuis quelque temps, elle était moins obéissante, précisa Avelina.

— Nous la retrouverons, conclut Perron. Et je la prendrai plus en charge si vous le voulez bien. Elle a du talent. Je pourrais la faire étudier à l'école de Huancayo.

Le maire sembla soulagé, mais sa femme restait angoissée. Catalina s'était assez bien insérée dans une société paysanne, mais elle demeurait une petite fille de la ville, pensa-t-elle.

Sur le chemin du retour, alors que la nuit drapait de violet le flanc des montagnes, Perron ralentit à l'approche du petit chantier des cantonniers. À cette heure-là, ils avaient eu le temps de creuser les trous; il fallait faire attention. En contournant un petit cratère, il aperçut un bivouac en bordure de la route. Il descendit de la camionnette et s'approcha pour saluer les hommes. Emmitouflés dans leur poncho, ils buvaient du maté de coca. Seules les flammes répandaient un peu de lumière sur la peau cuivrée de leurs visages tannés par le vent. Ils discutèrent de la générosité ou du mépris des conducteurs qui contournaient leurs trous.

— Tous les voyageurs ne peuvent pas savoir que vous gagnez ainsi votre vie, dit Perron.

— C'est vrai, répondit un homme. Mais certaines personnes de Nampuquio ne nous donnent plus rien. Même le maire Romero passe maintenant sans s'arrêter.

— Celui-là! dit un autre. Depuis qu'il a obtenu l'électricité pour son village...

— C'est ce qu'il dit? questionna Perron, frustré.

— Oui. La *luz*, c'est lui!

Perron changea de sujet, s'informa de leur santé et, avant de les quitter, fit de nouveau allusion à la petite fille de Nampuquio qui avait fugué. Personne ne réagit. Il remonta dans son véhicule et repartit en admirant la coulée de lait que la lune commençait à répandre dans la vallée du chemin des Incas.

En roulant vers Huancayo, il fredonnait *Le soleil a rendez-vous avec la lune*. Cet air de Charles Trenet lui revenait en tête chaque fois qu'il voyait apparaître l'œil de la nuit, comme l'appelait sa mère.

Il avait vécu la majeure partie de sa vie en dehors de son Québec natal. Il n'avait pas choisi la prêtrise, mais se l'était laissé imposer par ses parents à qui il n'avait pas su dire non. Il croyait à sa vocation, mais avait choisi d'en faire un métier. Son goût de l'aventure, conjugué à sa détermination de ne plus jamais se laisser imposer quoi que ce soit par sa famille, l'avait incité à devenir missionnaire. Après huit ans au Bangladesh, il s'était fait nommer au Pérou en expliquant à ses supérieurs que l'air des montagnes serait bénéfique à sa santé lourdement hypothéquée par la malaria en Asie. Depuis bientôt trente ans, il avait enseigné, dirigé et construit des écoles, agi comme aumônier auprès d'un groupe de religieuses et, plus récemment, s'était engagé dans la lutte contre la pauvreté des populations andines par le biais de l'électrification rurale. C'est ainsi qu'il avait défendu auprès de ses supérieurs cette idée folle d'électrifier Nampuquio. Il avait entendu parler de cette prouesse technique du fil de garde, développé au Québec pour alimenter les sous-stations électriques indispensables aux lignes à haute tension qu'Hydro-Québec avait plantées au cœur des forêts vierges. Acharné et convaincu qu'il s'agissait là de la solution pour les paysans des Andes, il avait réussi à faire cheminer l'idée jusqu'au bureau du ministre québécois de l'Énergie. Aujourd'hui, depuis maintenant trois ans, trois cents Péruviens, inconnus au palais présidentiel de Lima, faisaient sans doute la fierté de quelques ministres canadiens et québécois qui pouvaient se vanter d'avoir aidé «les gens du tiers-monde». Mais cette nuit, en revenant chez lui, il vivait une conséquence inattendue de cette électrification : une petite fille de onze ans avait disparu dans la sierra parce qu'on lui reprochait de savoir compter! Tout cela à cause de l'électricité et de lui, Roger Perron.

Des enfants, il en avait rencontré et connu des hordes dans sa vie. Mais celle-là l'avait touché comme aucune autre. Jeune prêtre, il avait rapidement bazardé l'idée qu'il n'aurait pas d'enfants à lui, mais il en avait eu des centaines, des milliers, comme il aimait le proclamer. À soixante-trois ans, voilà que cette Catalina lui était apparue comme l'enfant qu'il aurait peut-être souhaité avoir si, comme les autres hommes de sa génération, il s'était marié. Il admirait son intelligence, sa vivacité d'esprit, son sens de la vie et de la survie, et se laissait attendrir par la beauté de son regard. Il avait consacré sa vie à apprendre à des enfants à lire, à écrire et à compter, mais il n'allait jamais avoir le bonheur d'être un père.

Le lendemain matin, il remplaça la messe par une courte prière, avala du pain, des œufs et du café, puis partit vers Nampuquio. En traversant la place du marché de Huancayo, il s'arrêta pour faire le plein. Pendant que le garçon regardait fixement la pompe qui déroulait ses chiffres, Perron remarqua un petit groupe d'enfants qui entouraient les passants, les mains tendues.

— Je reviens, cria-t-il au pompiste qui le vit déguerpir.

Voyant cet homme arriver vers eux en courant, les enfants se dispersèrent. Une seule resta sur place, les yeux plantés dans la direction de l'inconnu.

– *Padre!*

Ce fut le seul mot que Catalina prononça avant de se laisser entraîner par Perron qui en avait les larmes aux yeux.

— Depuis combien de temps es-tu ici? Comment as-tu fait pour venir à Huancayo? As-tu faim? Quelqu'un t'a-t-il forcée à le suivre?

Il la mitraillait de questions sans lui laisser le temps de répondre. Euphorique, il lui passait la main dans les cheveux et lui caressait le visage tout crotté. En l'étreignant, il perçut que son poncho sentait la fumée.

— Tu as dormi près d'un brasero?

– Non, *padre*, dans ton camion!

Elle lui expliqua qu'elle s'était réfugiée chez les hommes qui quêtent «comme moi» le long de la route.

– Je n'ai pas eu peur des hommes, dit-elle avec fierté.

Elle leur avait dit que Vidal Romero était méchant avec elle. Ils l'avaient accueillie, nourrie et protégée du froid. Au moment du passage du missionnaire, elle s'était cachée, croyant que Romero était avec lui. Le voyant seul, elle s'était glissée à l'arrière de la camionnette, dont elle était descendue une fois rendue à Huancayo.

Perron était époustouflé.

– Mais pourquoi ne m'as-tu pas fait signe, une fois dans le camion? demanda-t-il.

– Parce que je croyais que tu serais fâché contre moi et que tu me ramènerais chez les Romero.

Perron remarqua ses pieds meurtris. Elle se laissa emmener au marché où il lui offrit des sandales et une paire d'espadrilles. Ils mangèrent de la pizza et burent des boissons gazeuses. Elle riait et se laissait approcher sans trop de réticence. Il lui acheta un chandail en laine d'alpaca.

– Tu seras la seule avec un chandail comme celui-là, lui dit-il avec un clin d'œil.

Perron eut le sentiment qu'il venait d'agir comme un père l'aurait fait avec sa fille.

\* \* \*

Le *padre* fit une entrée discrète à Nampuquio. Il promit à la petite que plus personne ne l'empêcherait d'assister aux réunions, même avec sa calculette. Les Romero l'accueillirent avec une certaine retenue. Seule Avelina la serra dans ses bras en épongeant quelques larmes de joie.

— Pourquoi pleures-tu? demanda Catalina.

— Parce que tu m'as fait peur, répondit Avelina.

Pendant quelques jours, les enfants de la famille ne lui adressèrent à peu près pas la parole. On lui fit sentir qu'on n'agit pas ainsi avec des gens qui avaient eu la générosité de l'accueillir. Mais le vieux professeur Ernesto la pressa dans ses bras lorsqu'il la revit dans la salle municipale. Perron, lui, revint plus fréquemment à Nampuquio.

Un mois plus tard, il fit inscrire Catalina dans une école de Huancayo, où elle se rendrait chaque jour par le car. Il vit à ce que rien ne lui manquât et s'assura que la famille Romero la traitait toujours convenablement. Catalina fut heureuse de retrouver les rues et l'activité d'une ville. Roger Perron sentait que le mot *padre* venait de prendre un autre sens. Cette enfant, il en ferait une femme.

# 10

Il faisait une chaleur exceptionnelle. À midi, lorsque
le soleil avait réussi à absorber la pellicule grise dont
s'enveloppe la capitale chaque matin, une coulée de
lave invisible semblait envahir la ville et pigmenter
l'épiderme de ses murs du talc ocre des déserts urbains.
Il n'avait pas plu depuis des mois. Lima avait soif.
Franco Perez avait eu la bonne idée de partir tôt pour
profiter au maximum de cette journée de plongée. Il
avait jeté sur la banquette avant de la voiture le journal
dont le titre, à la une, lui rappelait les affrontements
vécus avec sa fille Magda au cours des dernières
semaines. En primeur, on annonçait qu'une des trois
commissaires de la Commission nationale d'enquête
sur la situation des femmes allait révéler aujourd'hui
son rapport minoritaire qui recommandait au gouvernement la légalisation de l'avortement sans restriction.
Franco, que Magda avait beaucoup consulté, ne partageait pas son opinion et, sous la pression de ses amis
du gouvernement, avait tout fait pour la décourager de
rendre publiques ses recommandations. La femme du
président et l'évêque catholique de Lima lui avaient
même reproché d'avoir fait nommer Magda comme
membre de cette commission d'enquête. Les prises de
position de sa fille commençaient à faire diminuer son
prestige et son influence au sein de la classe politique.
Malgré son âge, près de soixante ans, il ne pouvait se
permettre de ralentir son rythme de travail comme

médecin dans les cliniques du gouvernement, où certaines tâches lui rapportaient encore beaucoup d'argent. Aujourd'hui, alors que ses collègues approchaient d'une retraite confortable, il devait encore travailler de longues heures pour arriver à payer ses dettes. Il secoua la tête comme pour se débarrasser de tous ces tracas, enfonça la cassette des *Bachianas brasileiras* et laissa son regard se perdre dans le bleu de la mer.

\* \* \*

La cour intérieure du bâtiment du Groupe de défense des femmes était trop petite pour un tel attroupement. En plus de tous les bénévoles et de leurs enfants, une vingtaine de journalistes, techniciens et caméramans s'agitaient en attendant le début de la conférence de presse. Souriante mais intimidée, Magda prit place à la table plantée de micros, pendant que deux assistantes distribuaient le communiqué de presse. À l'arrière de la foule, trois hommes en complet-cravate s'apprêtaient eux aussi à prendre des notes. On souligna leur présence à l'oreille de Magda, qui commença par souhaiter la bienvenue à tout le monde, «y compris aux trois fonctionnaires à qui le ministère de l'Intérieur a demandé de venir espionner une activité pourtant publique et ouverte à tout le monde». Un rire généralisé parcourut l'assemblée pendant que les journalistes, imperturbables, se retournaient pour voir de qui il s'agissait.

En moins d'une heure, tout était terminé. Magda avait d'abord expliqué pourquoi elle avait accepté de siéger au sein de cette commission d'enquête, puis, tout en se disant solidaire des recommandations générales de ses collègues, elle avait exposé les raisons de sa dissidence.

– Lorsque dans la seule ville de Lima, qui compte sept millions d'habitants, on dénombre, selon l'Unicef, environ deux cent mille enfants abandonnés, il faut remonter aux sources de la pauvreté et intervenir. Un des premiers gestes à faire est de donner aux femmes le droit de disposer de leur corps comme bon leur semble. J'ai tenté, sans succès, de convaincre mes collègues de la commission d'entériner la proposition sur l'avortement libre, gratuit et sans condition. Je sais que les forces conservatrices, religieuses et politiques du pays empêchent cette idée de se réaliser. On a tout fait pour me persuader de ne pas soutenir cette proposition. On a même tenté de m'influencer en utilisant des membres de ma famille. Mais j'ai des principes et des convictions. C'est pourquoi, aujourd'hui, je dépose ce rapport minoritaire qui recommande au gouvernement de modifier la loi afin que les Péruviennes aient accès à l'avortement libre, gratuit et sans restriction.

* * *

Furieux, Franco ferma la radio. Avant de plonger, il n'avait pu résister à la tentation d'écouter le bulletin de nouvelles. Il ne s'était pas douté que sa fille irait si loin et, surtout, ferait allusion aux pressions de ses amis du gouvernement.

«Elle n'a aucun sens politique», se dit-il.

Il osait à peine imaginer les conversations qu'il devrait avoir le lendemain avec ces gens qui lui reprocheraient les prises de position de sa fille.

* * *

– Attention! Dix secondes.

Le régisseur de plateau abaissa le bras et l'animateur présenta l'émission d'affaires publiques de la télévision nationale. Magda, nerveuse, se sentait d'attaque. Les opposants à sa recommandation n'attendaient que l'occasion de démolir sa thèse. Le débat était commencé depuis une quinzaine de minutes lorsque Estella, une assistante de Magda, s'agita autour du régisseur. Elle lui remit une note qu'il fit passer à Magda. En y jetant un œil, celle-ci fut décontenancée. La voyant déstabilisée, un des opposants en profita pour mener une charge virulente contre sa proposition. Lorsque l'animateur offrit un droit de réplique à Magda, elle perdit le fil de sa démonstration et s'embourba dans des explications confuses. Elle ne cessait de tripoter le bout de papier dont le message la troublait : « Ton père a eu un accident. Il est hospitalisé. »

Sitôt l'émission terminée, en compagnie d'Estella, elle se précipita vers Pucusana, à une soixantaine de kilomètres au sud de Lima, dans la région où Franco aimait aller plonger. Elle roula à fond de train, sans dire un mot.

En poussant la porte de la chambre, elle découvrit le corps d'un homme branché à un moniteur. Une mince ligne verte s'agitait sur un écran, témoignant de la régularité d'un cœur qui s'accrochait à la vie. Un masque couvrait la bouche et le nez. La poitrine se soulevait par à-coups comme celle d'un enfant qui a beaucoup pleuré. L'oxygène y faisait son travail. Magda caressa la main de son père qui, pressant ses doigts, lui fit comprendre que tout allait bien. Lorsqu'elle vit sur la table de chevet le journal qui annonçait sa dissidence et son opinion en faveur de l'avortement, elle devina que sa prise de position n'était pas étrangère à cet accident où son père avait failli mourir noyé.

Trois jours plus tard, au volant de la Mercedes, Magda ramenait Franco à Lima. Les soixante-douze dernières heures les avaient rapprochés comme seule la proximité de la mort peut le faire. Ils s'étaient doucement et longuement expliqués. Franco avait exposé à sa fille les risques politiques inutiles qu'elle avait pris tout en voulant défendre la cause des femmes. Magda avait reconnu qu'il s'agissait peut-être là d'une maladresse, mais que jamais elle ne pourrait sacrifier ses principes sur l'autel de l'opportunisme politique.

– Il n'y a pas de politique sans opportunisme, lui avait dit Franco.

– Il n'y a pas de victoire sans bataille, avait-elle répondu.

Au-delà de ces explications, Magda avait surtout retenu à quel point sa réussite était importante aux yeux de son père. Franco le lui avait clairement dit : elle saurait aller plus loin que lui.

Avant d'entrer dans Lima, Magda arrêta la voiture en bordure de la mer.

– As-tu eu peur de mourir? lui demanda-t-elle.

– Oui, soupira-t-il. J'étais en colère. Je ne me suis pas préoccupé du taux d'azote dans mon sang. Mais j'ai lutté pour vivre. Pour toi. Tu es ma seule raison de vivre.

Magda ferma les yeux et appuya sa tête sur la poitrine de Franco. Jamais un homme ne l'avait autant emprisonnée dans son amour.

\* \* \*

De retour dans la capitale, Magda se précipita chez sa mère.

– Pourquoi ne m'as-tu pas appelée? lui reprocha Clara.

– Je t'ai téléphoné le lendemain, mais tu étais absente.

– J'étais partie pour quelques heures seulement.

— Comme personne ne savait où tu te trouvais et que tout allait bien, je ne t'ai pas rappelée. J'en ai profité pour passer deux jours avec lui, seul à seule.

— Comme des amoureux, dit Clara avec le sourire.

— Si tu veux.

Clara servit deux verres de vin blanc. Magda lui raconta la mésaventure dans tous ses détails.

— Tu sais qu'il aurait pu devenir complètement légume après avoir manqué d'oxygène, ajouta Clara. Qu'aurions-nous fait?

— Je n'ose pas y penser. Je serais incapable de le voir cloué à l'hôpital pour le reste de ses jours. Je l'installerais chez moi.

— Chez toi! À trente-quatre ans, tu te cloîtrerais avec ton père pour le reste de ta vie!

Clara était volontairement provocante. Elle avait mal accepté le départ de Marc, dont elle savait sa fille amoureuse. Elle avait bien deviné le jeu de son ex-mari qui semblait profiter de toutes les occasions pour isoler sa fille et la garder près de lui.

Clara se servit du vin.

— Tu as des nouvelles de Marc? lança-t-elle.

— On s'écrit de temps à autre.

— Déjà quatre ans, soupira Clara.

— Dans sa dernière lettre, il me parle d'une femme qui semble l'intéresser.

— S'il était resté, ç'aurait pu être toi!

— Maman! C'est un choix que nous avons fait tous les deux.

— Vraiment?

— Tu me vois vivre au Canada, loin de…

— De ton père? interrompit Clara.

Magda ne répondit pas. Elle finit son verre, embrassa Clara et la quitta.

# 11

Rien n'avait changé. Entre la Plaza San Martín et la Plaza de Armas, des bandes d'enfants jouaient encore au chat et à la souris avec les policiers. Lorsque Catalina fut témoin de l'encerclement d'un homme par un groupe de jeunes *piranhitas*, elle eut le réflexe de le mettre en garde, de lui crier : «Attention!»

Après plus de quatre années dans les montagnes, Catalina avait accepté de suivre le curé Perron, que sa communauté avait transféré au Guatemala. Il y serait dorénavant aumônier dans un couvent de religieuses.

À treize ans, Catalina savait lire, écrire et compter; cueillir les pommes de terre; nettoyer une maison; et protéger sa relation secrète avec sa mère imaginaire. Elle avait aussi appris à parler un peu le français avec le *padre* Perron. Après sa fugue de trois jours dans les montagnes, près de Nampuquio, elle s'était montrée moins craintive face aux hommes. L'accueil des cantonniers et, surtout, la générosité du curé Perron l'avaient convaincue que tous les hommes n'étaient pas des prédateurs. Perron lui avait mis en tête qu'elle pourrait poursuivre ses études dans un grand collège si elle acceptait de venir avec lui à Quezaltenango.

Depuis une semaine, le curé et sa protégée étaient à Lima, où le prêtre avait réussi, par le biais de sa communauté, à lui obtenir des papiers officiels. La veille, au moment de remplir le formulaire, il avait eu à lui inventer une date de naissance et un nom de famille.

Elle avait refusé de se faire nommer « Romero », du nom de cette famille qui l'avait hébergée depuis son arrivée à Nampuquio.

— Je ne peux pas prendre le nom de maman Avelina parce qu'elle n'est pas ma vraie mère, avait-elle répondu à Perron.

Devant l'urgence de lui trouver un nom, Perron l'avait convaincue d'accepter « Portal ».

— C'est un nom espagnol et qui sonne un peu français, avait-il expliqué.

Elle avait dit oui, comme on dit oui à quelqu'un à qui l'on veut simplement faire plaisir.

En fin d'après-midi, Perron avait organisé une petite fête pour célébrer son nouvel anniversaire. Il y avait quelques prêtres et cinq religieuses, mais aucun enfant. Sauf Catalina.

— Aujourd'hui, 6 août, Catalina Portal a maintenant un nom et une date de naissance, déclara-t-il avec fierté.

Le groupe avait applaudi. Catalina avait eu le réflexe naturel de saluer.

« Un nom, une date de naissance, mais pas d'amis avec qui fêter », avait-elle songé.

Le soir venu, Catalina Portal avait fugué.

Elle habitait une petite chambre du bâtiment de la communauté du Saint-Esprit, réservée aux visiteurs. Elle n'avait pu résister à l'envie de revoir sa ville, seule, avant de quitter le Pérou. D'instinct, elle s'était dirigée vers le centre de Lima. Lorsqu'elle vit des fillettes de son âge habillées de guenilles, elle se regarda dans une vitrine qui lui renvoya l'image d'une Catalina qui n'avait plus rien à voir avec ces bandes d'enfants avec qui elle survivrait peut-être encore si Magda ne l'avait pas emmenée à Nampuquio. Elle avait changé. Elle était grande pour ses treize ans. Elle remarqua que les hommes la toisaient d'une manière différente. Ses longues jambes la classaient maintenant dans l'univers des femmes même si sa poitrine à peine développée ne lui permettait pas encore de se sentir intégrée au monde des adultes. Elle portait un chemisier et un pantalon que Perron lui avait procurés en débarquant à Lima. Ses pieds ne traînaient plus dans des sandales. Sa peau était propre et ses cheveux, lavés. Seul le foulard rouge autour du cou pouvait encore la relier à ces enfants de la rue.

Elle se dirigea vers le Rio Rimac.

– Tu veux dormir ici?

Un garçon de son âge lui montra l'entrée d'une caverne.

Elle recula. Le garçon lui prit le bras en la tirant vers lui. Pendant une seconde, elle revit le visage de Vidal, le jeune chef de sa caverne. Que voulait donc celui-ci? Coucher avec elle? Lui offrir de se réfugier avec d'autres jeunes? Elle se dégagea et partit en courant. Elle fuyait comme à l'époque où elle était poursuivie par les policiers. Sauf qu'il ne s'agissait plus d'un jeu. Personne ne cherchait à l'attraper. Elle eut l'impression que c'était la Catalina de huit ans qui poursuivait celle de treize ans. Pour la première fois, elle sentait que sa vie avait un passé, une histoire, des racines. Il y avait dans ces rues et ces bosquets des images qui la rejoignaient, qui dansaient dans sa tête et l'étourdissaient. Elle trébucha. Une jeune femme l'aida à se relever.

– Tu es blessée? lui demanda-t-elle.

Elle fit signe que non et s'éloigna avec l'étrange impression d'avoir déjà vécu un moment identique. Réfugiée derrière une haie bordant l'avenue, elle sentit un court instant la main de Magda dans la sienne, le soir où elle l'avait soustraite à la chasse des policiers. Elle se mit à pleurer. Toutes ces images, tous ces souvenirs se bousculaient dans sa tête. À moins que ce ne soit pour en sortir. Elle eut peur. Pourquoi avait-elle fugué? Que cherchait-elle? Qui cherchait-elle? Elle eut soudain le sentiment d'avoir quitté son personnage de petite fille abandonnée. Elle était aussi seule dans la ville qu'il y a cinq ans, mais n'était plus laissée à elle-même. Elle pouvait rentrer dans une maison, retrouver quelqu'un qui l'attendait, lui raconter ses découvertes, ses joies, ses peines. Lui confier qu'elle avait eu peur. Ou ne rien dire, sauf à sa mère dont elle gardait toujours l'image d'une jeune femme tendre et souriante.

Catalina rentra par la porte arrière du couvent au moment où, à l'autre bout de la ville, le soleil glissait un premier rayon dans les cavernes du Rio Rimac.

\* \* \*

— Catalina Portal, voici ton passeport!

Roger Perron triomphait. Il venait de mettre au monde un enfant.

— Dans deux jours, nous partons pour le Guatemala, dit-il.

Catalina ne réagissait pas. Elle ne connaissait qu'un pays : le Pérou. Elle essayait d'imaginer comment un pays pouvait être différent d'un autre. Le vieux professeur Ernesto lui en avait parlé, lui avait montré une carte géographique. Il lui avait suggéré d'accepter de partir avec le *padre*.

— Tu n'as plus rien à apprendre ici, crois-moi.

Dans sa tête d'enfant, elle ne quittait personne; elle suivait quelqu'un en qui elle avait confiance. Et, surtout, qui lui avait promis de la faire étudier. Apprendre, toujours découvrir : c'était sa passion. Sa curiosité boulimique l'avait parfois même rendue agaçante. À Nampuquio, les autres enfants Romero l'avaient boudée à quelques reprises parce qu'elle semblait toujours insatisfaite de ce qu'on lui enseignait. Elle commençait d'ailleurs à s'ennuyer dans ce village où la *luz* lui avait fait découvrir qu'il existait une autre vie au-delà des montagnes. De plus, l'intérêt que lui accordait le curé Perron avait créé des jalousies et des irritants qui, parvenus aux oreilles des supérieurs de sa communauté, avaient contribué à la décision de lui confier d'autres responsabilités en dehors du Pérou.

Perron, quoique respectueux de ses vœux d'obéissance, n'était pas heureux de ce déplacement vers le Guatemala. Il perdait son «royaume», où il espérait terminer sa carrière de missionnaire. N'avait-il pas été à l'origine de l'électrification de Nampuquio? N'était-il pas responsable de l'alphabétisation des citoyens d'un village? Il avait humblement accepté sa mutation, mais non sans avoir négocié, avec ses supérieurs, la venue de Catalina au couvent de Quezaltenango.

— Elle a ce qu'il faut pour développer une vocation religieuse, avait-il affirmé.

Il se promettait, surtout, de concentrer ses énergies à assurer la réussite scolaire et intellectuelle de Catalina, pour montrer à ses supérieurs ce qu'il aurait pu faire avec toute la population de Nampuquio. Après avoir été un bâtisseur, il ne voulait pas terminer sa carrière comme simple aumônier d'un groupe de religieuses. Catalina serait son trophée.

\* \* \*

Lorsque l'avion s'arracha du sol péruvien, Catalina se cramponna aux accoudoirs de son siège. Elle sentit son corps s'enfoncer dans le coussin du dossier, comme si une large main écrasait sa poitrine. En tournant la tête vers le hublot, elle s'écria :

— *Padre*, il n'y a plus de terre!

Elle découvrait que la mer qui frappait aux portes de Lima n'appartenait pas au Pérou. Elle cru deviner son fleuve, le Rio Rimac, disparaissant dans l'immensité du Pacifique. Fini les cavernes, les rues où il fallait s'enfuir, la violence des prédateurs, les charges de la police. Son enfance, ses souvenirs, Magda, les Romero : tous ces gens venaient d'être engloutis dans cette étrange masse d'eau bleue infinie. Une petite crampe lui pinça le ventre, comme si un animal invisible l'avait mordue. Elle se sentit seule et se mit à pleurer silencieusement.

L'avion se posa à Ciudad Guatemala, lessivée par un violent orage. Une panne de courant plongea l'aérogare dans une semi-obscurité. Il fallut à Perron et à sa protégée quatre heures pour réussir à sortir de l'édifice.

– Heureusement, le douanier était catholique, sinon vous seriez encore là à discuter, expliqua une jeune religieuse venue les chercher. Les protestants gagnent beaucoup de terrain depuis quelques années et leur prosélytisme nous cause de plus en plus de problèmes.

Sœur Maria accueillit Catalina avec un baiser sur le front.

– Sois la bienvenue, ma fille, dit-elle en lui caressant le visage.

– Je ne suis pas votre fille, répondit fermement Catalina en lui repoussant la main.

Le père Perron fit signe à la religieuse de ne pas insister.

– Elle est un peu sauvage, murmura-t-il à la religieuse. Mais je crois qu'elle a tout ce qu'il faut pour se joindre à votre communauté.

\* \* \*

Avant de se diriger vers Quezaltenango, Perron devait passer une semaine dans la capitale. On installa

Catalina dans une chambre dont la fenêtre donnait sur un parc. Épuisée par le voyage et le déracinement, elle refusa une collation et s'effondra dans son lit. Il était à peine cinq heures de l'après-midi. Au plus profond de son sommeil, elle rêva qu'elle entendait de la musique. L'orchestre la faisait danser comme lors de la fête de l'électricité à Nampuquio. Elle se crut revenue dans le village et s'éveilla hébétée.

« Où suis-je ? » se demanda-t-elle.

Elle ne se souvenait plus du lieu, du temps, dans lequel elle émergeait. Mais la musique se faisait toujours entendre. Peu à peu, elle replaça dans sa tête les morceaux du puzzle, se rappelant qu'elle était au Guatemala, et, dans la pénombre, elle reconnut la chambre. Elle s'approcha de la fenêtre. Elle fut émerveillée.

Dans le parc, sous un chapiteau ouvert de chaque côté, un musicien tirait de son marimba des sons veloutés comme elle n'en avait jamais entendu. Trois autres hommes l'accompagnaient avec tambours, flûte et tambourins. Sur la scène, devant eux, des acteurs chantaient, s'interpellaient, se frappaient dessus avec de faux bâtons de caoutchouc qui faisaient rire les centaines de spectateurs debout. La vedette du spectacle était une jeune femme.

Catalina descendit se mêler à la foule. Il faisait presque nuit. Elle eut l'étrange sensation de ne plus appartenir à personne. Ici, dans ce parc, nul ne la connaissait. Il lui suffisait de s'éloigner du couvent pour disparaître, couper les liens avec le monde et repartir de zéro. Elle laissa passer ce petit vertige avant de s'approcher de la scène.

La comédienne éblouissait les spectateurs. Vêtue d'un pantalon et d'un bustier couverts de paillettes argentées, elle portait un demi-diadème incrusté de minuscules ampoules qui clignotaient comme celles des arbres de Noël. Son visage hyper-maquillé accentuait l'efficacité du jeu de ses yeux et de ses grimaces qui faisaient crouler de rire la foule bon enfant. Catalina comprenait mal le sens de ce spectacle comique, mais était subjuguée par le magnétisme de l'actrice. Elle menait le jeu, asservissait le public à ses émotions, le laissait tomber, le reprenait, le faisait rire et se taire. On applaudissait ses gestes, réagissait à ses paroles, bref, on l'aimait. Catalina ressentit tout à coup une autre crampe lui traverser le ventre. Elle retint son souffle, comme pour chasser la petite douleur qui s'atténua et disparut juste au moment où les spectateurs applaudirent bruyamment la fin de la saynète.

Les comédiens et les musiciens en étaient encore à saluer le public lorsqu'un orage soudain vint inonder le parc. Pendant que la foule fuyait, Catalina demeura figée devant la scène vide. La foudre planta quelques éclairs sur la ville qui fut alors plongée dans l'obscurité complète par une autre panne de courant. Catalina sentit un nouveau petit courant électrique lui traverser le ventre. Elle se réfugia sous le chapiteau que les éclairs s'amusaient à illuminer tel un stroboscope. Elle vit alors s'avancer sur scène un fantôme qui s'arrêta droit devant elle, pencha le torse bien bas et repartit vers les ténèbres des coulisses. L'actrice, la vedette, venait de la saluer. Stupéfaite, Catalina salua à son tour la scène vide, fit demi-tour et, sous le ciel déchaîné, rentra au couvent toujours privé d'éclairage.

Malgré le tonnerre qui pétaradait toujours avec arrogance et fracas, elle n'entendait que la pluie frapper à sa fenêtre. Elle imagina le ciel applaudissant son arrivée au Guatemala. Le sommeil l'aspira vers le silence de la solitude. Quelques heures plus tard, l'électricité reprit du service. Catalina, qui n'avait pas pensé à fermer le commutateur avant de se mettre au lit, fut éveillée en pleine nuit par la lumière. En se levant pour éteindre, elle remarqua une tache brunâtre sur le drap. Elle y passa un doigt qu'elle retira brusquement lorsqu'elle sentit que le tissu était humide. Lentement, elle écarta les cuisses. Inquiète, elle repéra quelques rougeurs qui maculaient son sexe. Elle y glissa un doigt. Effrayée, elle courut, nue, vers les toilettes.

— Catalina? chuchota une voix de femme. C'est toi?

Assise sur la cuvette, elle n'osait répondre. Les pas s'éloignèrent. Catalina écarta de nouveau les cuisses, glissa son doigt. Cette fois, rien. La phrase de Vidal, le chef de la caverne, lui revint en tête :

— Si tu ne saignes pas, il n'y a pas de danger.

Elle se mit à frissonner. Était-elle en danger?

En pénétrant dans sa chambre, elle sursauta en voyant la sœur Maria assise sur son lit, une main appuyée sur le drap.

— Je peux t'aider? lui demanda-t-elle.

— Non. Ça va. Il fallait que j'aille aux toilettes, répondit Catalina, gênée, en s'enfouissant sous les couvertures.

— Dors bien. Si tu as besoin de moi, je suis tout près, dit la religieuse en souriant.

Avant d'éteindre l'ampoule du plafond, sœur Maria se palpa les doigts. Ils étaient humides et légèrement tachés.

# 12

Dans la semaine qui précéda son départ pour Quezaltenango, Catalina s'évada chaque soir vers le parc. Elle se glissait au premier rang et, discrètement, imitait les gestes de Stella, la vedette du spectacle. Lorsque la foule applaudissait, Catalina s'imaginait que c'était pour elle. Un soir, elle ne put s'empêcher de se retourner vers la foule et de saluer en même temps que Stella. Personne ne la remarqua, sauf l'actrice qui, après la représentation, lui fit signe de venir la voir derrière la scène.

— Tu veux devenir actrice? lui demanda-t-elle.

D'abord intimidée, Catalina rompit le silence par une réponse qui la surprit elle-même.

— Je suis une actrice, affirma-t-elle avec assurance.

— Ah oui? Où peut-on te voir jouer?

— Mon nom est Catalina. Catalina Portal, répondit-elle, décontenancée.

Catalina sortit de la loge en reculant, les yeux fixés sur Stella qui lui souriait.

— Reviens me voir si tu veux, lui dit la comédienne en effaçant son maquillage.

— Je suis une actrice.

Encore estomaquée par sa phrase, Catalina la répétait tout bas. Une étrange réalité l'envahissait. Une autre Catalina, comme un double d'elle-même qui, endormi, venait de se réveiller. Elle traversait la foule des trottoirs avec la certitude que les passants la remarquaient et l'admiraient. N'était-elle pas belle et différente et attirante?

– Je suis une actrice.

Elle marchait en dansant avec l'insouciance de l'enfant qui explore un nouveau bonheur : la liberté. La rue était son théâtre.

– Je suis une actrice, répétait-elle.

Dans une rue commerçante, les marchands s'affairaient à vider les étals sur le trottoir et à rentrer le stock pour la nuit. Elle profita de la distraction d'une vendeuse de produits de beauté pour voler une petite trousse de maquillage. Lorsqu'une voiture de police ralentit à sa hauteur, elle paniqua. Convaincue qu'elle allait être arrêtée pour vol, elle fit semblant de chercher son chemin. Les policiers poursuivirent leur patrouille. Elle bifurqua vers une autre avenue. Soudain, elle se rendit compte qu'elle était perdue. Elle n'avait pas retenu le nom du couvent qui l'hébergeait, ni celui de la rue qui menait au parc. Il faisait nuit. Elle n'avait rien d'autre dans les mains que la trousse de maquillage. Et elle avait faim. Elle ne pouvait que quêter pour acheter une galette ou une brochette de viande. Le long des avenues, des familles entières, agglutinées sur les trottoirs, semblaient avoir établi leurs quartiers pour la nuit. Mais elle n'était pas aussi mal vêtue que ces gens qui tendaient la main aux rares passants. Même si elle l'avait fait des centaines de fois, elle fut incapable de quêter.

– Je suis une actrice.

La phrase lui inspira une solution. Sous un lampadaire, elle sortit le maquillage et, grossièrement, l'œil fixé dans le petit miroir, elle se dessina un visage d'actrice.

«Comme Stella», pensa-t-elle.

Rimmel, rouge à lèvres, fard à joues : tout y passa, y compris une poudre brillante qu'elle appliqua sur ses cheveux. À un carrefour plutôt animé, elle étala son foulard rouge par terre et se mit à chanter. Elle enchaîna la demi-douzaine de chansons apprises à Nampuquio, marquant le rythme de ses mains. Une heure plus tard, elle ramassa les quelques pièces offertes par des piétons et, sans même connaître la valeur de la somme amassée, se paya une galette de maïs et un verre de jus d'ananas. Son premier spectacle avait réussi à la nourrir. Toujours incapable de retrouver son chemin, elle se réfugia dans un parc.

— Tu demandes combien pour sucer?

L'homme la dévisageait, les mains dans les poches. Elle venait à peine de s'assoupir. Lorsqu'il s'approcha d'elle, elle se revit, au cœur de Lima, mordant le pénis du soldat qui l'avait emmenée dans un buisson. Elle s'enfuit à toutes jambes sans s'apercevoir que l'homme ne la poursuivait pas. Elle erra toute la nuit, à la recherche du chemin du retour vers le couvent. Lorsque le soleil jeta un peu de lumière sur la ville, elle repéra l'immeuble au bout d'un parc. En passant devant la vitrine d'un vendeur de cosmétiques, elle vit son visage affreusement maquillé dans un miroir.

«Je ne peux pas rentrer comme cela», réfléchit-elle. Elle s'arrêta à la fontaine du parc. Avec l'eau du bassin, elle réussit avec peine à effacer les traces de son premier spectacle.

* * *

— Où étais-tu?

Il était onze heures lorsque Roger Perron l'accueillit avec colère.

— Nous t'avons cherchée toute la nuit. D'où viens-tu?

Catalina baissa les yeux, puis releva la tête en mimant la détresse, comme elle avait appris à le faire lorsque, toute jeune, elle quêtait dans les rues de Lima.

– Je me suis perdue, dit-elle, en forçant quelques larmes. J'ai eu peur.

– Qu'est-ce qui t'est passé par la tête? demanda Perron en adoucissant le ton.

– Je suis sortie voir le spectacle dans le parc. J'ai marché. Je me suis égarée.

Perron s'approcha d'elle et lui passa la main dans ses cheveux encore saupoudrés de minuscules perles brillantes. Elle eut un brusque mouvement de recul.

– Qu'est-ce que tu as dans les cheveux? demanda-t-il.

– Oh! Rien. À la fin du spectacle, l'actrice a lancé de la poudre brillante sur le public. J'en avais partout.

– Bon. Je pense que tu devrais me demander la permission avant d'aller te perdre en ville, conclut Perron avec un sourire compréhensif.

Le changement de ton du *padre* convainquit Catalina qu'elle avait bien joué son rôle. Son mensonge avait les allures d'une vérité. Elle monta prendre une douche et se retira dans sa chambre où la sœur Maria vint la chercher pour manger.

– Tu es une grande fille maintenant, lui dit la religieuse.

Catalina comprit qu'elle approuvait son comportement.

– As-tu eu peur? demanda la religieuse.

– Juste un peu, au début.

– Tu verras, c'est normal. Ça recommencera chaque mois.

– Quoi? Chaque mois!

– Mais oui, tu es une grande fille maintenant.

– Mais, je ne vais pas me perdre dans la ville chaque mois.

La sœur Maria devina le quiproquo.

– Non, Catalina. Je ne te parle pas de ton aventure de la nuit dernière.

À la fin de la conversation, Catalina avait appris qu'elle ne courait aucun danger. En plus d'être une actrice, elle était maintenant femme. Et fertile.

* * *

Le chauffeur avait mis deux heures à sortir de la capitale. En passant par Antigua Guatemala, Perron avait été saluer Antoine Léger, un autre missionnaire québécois dont on lui avait parlé. Sans contact dans ce nouveau pays, il lui paraissait important d'établir des liens avec quelqu'un dont il partageait au moins les origines. La rencontre fut brève mais chaleureuse, les deux hommes promettant de se revoir.

Les puissantes averses de septembre avaient vidé le ciel de ses nuages lourds et gris.

– Des cumulonimbus, avait indiqué le prêtre à sa protégée.

Le soleil était régulièrement masqué par d'autres nuages qui assaillaient les flancs des montagnes mis à nu par l'érosion. Perron était monté devant et Catalina avait choisi de s'isoler à l'arrière de la camionnette remplie de bagages et de cartons. La route de Quezaltenango partait vers le nord-ouest, en franchissant des faubourgs et des villages aux rues boueuses et encombrées d'animaux et d'enfants. Catalina aurait bien voulu demeurer à Ciudad Guatemala, mais elle était captive de Perron et de ses nouvelles obligations. La nuit précédente, avant de s'endormir, elle avait raconté à sa mère imaginaire qu'elle allait étudier et vivre comme une actrice. Le monologue fut de courte durée. Ces contacts magiques avec cette mère absente n'étaient plus aussi fréquents que par le passé et Catalina n'y avait recours qu'à l'occasion d'événements importants. Pour le voyage, elle avait toutefois noué le foulard à son cou et, nonchalamment, y laissait un doigt accroché.

Le chauffeur ralentit et s'immobilisa. Une longue file de voitures et de camions formaient un interminable bouchon. Perron alla s'informer. Les pluies d'automne avaient provoqué un glissement de terrain. Antoine Léger l'en avait averti. La route était coupée par six mètres de terre et, depuis plus de dix heures, on attendait des pelles mécaniques pour dégager le chemin. Partout, dans les champs voisins, des chauffeurs, des voyageurs, des familles entières avaient allumé des feux de bivouac sur lesquels on faisait cuire des brochettes et chauffer l'eau pour le thé. L'attente serait longue. Impatient, Perron consulta la carte. Une petite route permettait de contourner le lac Atitlán et de revenir vers la route nationale de l'autre côté du glissement de terrain. Il ordonna au chauffeur de faire demi-tour.

Le rideau de pluie s'épaississait au fur et à mesure que la camionnette montait vers le sommet des montagnes qui ceinturaient le lac. La route de terre battue résistait mal aux assauts des trombes d'eau. On voyait à peine à cinquante mètres. Perron fulminait. Selon la carte routière, le détour aurait dû prendre une heure. Il y avait maintenant plus de deux heures qu'ils roulaient à petite vitesse et le chauffeur ne semblait pas assuré qu'ils sortiraient de ces lacets de montagne avant que la noirceur n'envahisse le pays. À certains endroits, la pluie avait mangé une portion de la route. Il ne restait parfois que l'espace d'un véhicule pour passer. La boue forçait le chauffeur à zigzaguer pour ne pas bloquer, et, à chaque coup de volant vers la gauche, la camionnette s'approchait d'un précipice d'au moins trois cents mètres. En bas, tout au fond du trou, le lac Atitlán laissait deviner sa présence lorsque les averses diminuaient d'intensité.

– *Dios mío!* Mon Dieu! s'exclama le chauffeur.

Au milieu d'une côte, un énorme camion était embourbé jusqu'aux essieux. Huit bœufs erraient sur la route. La porte de la clôture arrière du camion était ouverte; le poids des animaux avait sans doute fait céder le panneau qui n'avait pu résister dans cette côte abrupte. La camionnette avançait lentement et le chauffeur savait que, s'il devait s'arrêter, il aurait de grandes difficultés à repartir dans cette boue visqueuse.

– *Padre*, je ne peux pas doubler le gros camion. Les bœufs bloquent la route!

– Fonce, dit Perron, énervé.

Le chauffeur klaxonna sans interruption. Un bœuf s'écarta du côté du ravin où il bascula dans le vide en beuglant. Les autres animaux, affolés, essayaient de courir pour éviter le véhicule de Perron. Un deuxième bœuf plongea vers le lac Atitlán. Catalina hurla en voyant l'animal rebondir comme un gros ballon avant de disparaître. Deux autres bœufs, étourdis, foncèrent alors vers la camionnette. Le chauffeur les évita, mais dut bloquer les roues pour ne pas glisser vers l'abîme. Pendant quelques secondes, le silence absolu paralysa le trio abasourdi. Puis, enragé, le curé Perron ordonna qu'ils sortent tous au plus vite du véhicule avant qu'il ne plonge dans le vide. Le conducteur du camion de bestiaux surgit alors, un fusil à la main.

– Imbécile! Tu as tué deux de mes bœufs.

Perron s'interposa entre les deux chauffeurs. Se croyant menacé, l'homme armé tira. La décharge atteint le curé à la jambe. Il s'écroula. Stupéfait, le tireur lâcha son arme et se porta au secours de sa victime. Enragée, Catalina fonça en hurlant. Elle le mordit au bras avant qu'il ne la fasse basculer dans la boue. Un coup de feu retentit. Hébétés, ils se tournèrent vers le flanc de la montagne d'où trois hommes à demi masqués s'approchaient d'un pas assuré. Ceux-ci ordonnèrent au chauffeur du gros camion de retourner dans son véhicule et à Catalina et au chauffeur de la camionnette de se ranger près de la paroi de la montagne.

– Vous avez des bandages, des médicaments? demanda le chef du trio masqué.

L'homme parlait le dialecte des Indiens Mam qui appuient les guérilleros dans leur lutte contre le gouvernement militaire.

Les deux chauffeurs firent signe que oui pendant que deux des hommes masqués allaient fouiller dans les véhicules. Ils revinrent avec les trousses de premiers soins. Le curé Perron fut soigné. Ses blessures n'étaient que superficielles, bien que douloureuses.

– Merci, fit-il en serrant la main de celui qui lui avait bandé la jambe. Que puis-je faire pour vous remercier?

Le chauffeur traduisit. Il s'ensuivit un dialogue animé entre les Indiens et les deux chauffeurs. Pendant ce temps, Catalina s'était approchée du curé et lui serrait fort le bras. Perron se retourna vers l'enfant et lui sourit en glissant la main dans ses cheveux. Elle ne réagit pas comme à l'habitude et lui sourit. Cette enfant s'était jetée sur son assaillant. Il était ému. Catalina avait réagi comme une fille le ferait pour défendre son père, songea-t-il.

Le chauffeur s'approcha.

– Les guérilleros acceptent de nous aider à repartir à la condition de pouvoir garder pour eux nos trousses de médicaments et un bœuf. Nous n'avons pas le choix.

Une heure plus tard, cinq bœufs avaient été remis dans leur enclos mobile, les deux chauffeurs s'étaient serré la main et les deux véhicules repartaient dans une averse torrentielle qui laverait rapidement toute trace de la mésaventure. Perron s'était péniblement installé sur la deuxième banquette où Catalina l'avait rejoint. Le trio arriva dans la nuit à Quezaltenango. Troublée, fatiguée, Catalina laissa Perron l'embrasser sur le front avant d'aller s'effondrer dans la petite chambre qu'une religieuse lui assigna. Elle était tellement épuisée qu'elle ne sentit même pas le petit tremblement de terre qui secoua la région au milieu de la nuit.

# 13

Lorsqu'il ventait du sud, les odeurs d'excréments des animaux du jardin zoologique remontaient dans le quartier de la zone 3 où le collège de jeunes filles jouxtait le couvent des religieuses dont Roger Perron était l'aumônier depuis six mois. Catalina n'arrivait pas à s'habituer à ces bouffées d'air fétide. Elle tolérait mal également de se voir confinée à vivre entre les murs de ce collège d'où les autres étudiantes partaient dans leur famille le week-end, alors qu'elle, la Péruvienne, n'avait personne à visiter, ni de destination pour s'évader. Elle avait pris ce jardin zoologique en aversion depuis le jour où Flora, une compagne de classe, l'avait invitée à l'accompagner chez ses parents pendant un congé. Avant de rentrer à la maison, les parents s'étaient arrêtés au centre-ville pour y faire des courses. Excitée de retrouver l'animation de la cité, Catalina avait essayé de retenir le nom de la grande avenue où elle avait aperçu un chapiteau. Les deux copines avaient parlé une partie de la nuit, au point où la mère leur avait demandé de se taire. Le lendemain après-midi, elles avaient obtenu la permission de se rendre au centre-ville en bus. Catalina avait vite repéré l'avenue centrale. Au moment où elles allaient s'approcher du chapiteau et de son animation, le père, les ayant suivies, les avait fait monter dans la voiture pour les ramener à la maison.

– Tu vois pourquoi j'aime mieux être pensionnaire ? avait dit Flora. Mes parents ne me laissent jamais rien faire. Au collège, je suis plus libre qu'à la maison.

– Au moins, tu as le choix, avait répondu Catalina. Moi, je suis obligée de vivre au collège.

Le lendemain matin, à l'initiative de Catalina, les deux copines s'étaient levées à l'aube. Elles avaient laissé un mot expliquant aux parents qu'elles étaient à l'église. Il n'était pas onze heures lorsque le père les avait interceptées de nouveau au centre-ville, aux alentours du parc Centroamérica. Après les avoir engueulées, il les avait emmenées visiter le zoo.

Aujourd'hui, l'odeur des bêtes rappelait à Catalina le rejet dont elle s'était sentie victime ce week-end-là. Elle se voyait elle-même en cage ; logée, nourrie, mais objet de regards et de commentaires qu'elle devinait plutôt froids. La rumeur qu'elle était la protégée de l'aumônier avait même alimenté l'hypothèse qu'elle était sa fille naturelle.

Certaines en furent convaincues lorsqu'une nuit un tremblement de terre secoua la ville pendant quelques secondes, qui parurent des minutes interminables à la centaine de pensionnaires du collège. La première secousse fit d'abord vibrer les carreaux des fenêtres du dortoir. Un grondement sourd monta du ventre de la terre, comme si un monstre invisible avait été tiré d'un sommeil millénaire. Les lampes suspendues valsèrent pendant que les verres et les carafes d'eau posées sur les crédences se fracassaient sur le plancher. Les jeunes filles se réveillèrent en hurlant. Certaines couraient nues vers les fenêtres alors que d'autres se réfugiaient sous leur lit. Les surveillantes accoururent avec des torches électriques.

– Sortez, sortez ! criaient-elles en balayant leurs visages de jets lumineux qui peignaient à traits vifs le teint crayeux de la frayeur.

Assise dans son lit, stoïque, Catalina regardait courir et trébucher ses copines comme s'il s'agissait d'un grand spectacle. Les fantômes s'entrecroisaient dans un tumulte hallucinant où les pleurs et les cris enterraient le grognement déjà assoupi des entrailles de la terre. Elle ne put s'empêcher d'applaudir lorsque la dernière pensionnaire franchit la porte du dortoir.

Elle entendit les religieuses rassembler les élèves dans le jardin et les dénombrer. Peu à peu, le silence se déposa sur la meute apeurée. Plus personne ne bougeait, comme s'il fallait éviter de réveiller le monstre dans sa caverne. Catalina n'avait pas peur. Les cavernes l'avaient plutôt protégée qu'intimidée. Seule dans le dortoir, elle se sentait heureuse, détendue. Soudain, elle entendit une voix d'homme.

– Catalina! Catalina! Où es-tu?

Le *padre* hurlait dans les corridors. La voix se rapprochait. Catalina décida de se laisser découvrir. Accompagné d'une surveillante, le père Perron entra en trombe dans le dortoir où il vit sa protégée assise dans son lit, figée sous l'éclairage brutal de la torche électrique.

– Ma petite Catalina. N'aie pas peur. C'est moi, ton *padre*. Viens, il faut sortir.

– Je n'ai pas peur, répondit-elle. C'était un beau spectacle.

Décontenancé, Perron lui tendit la main et l'emmena à l'extérieur, un peu à l'écart des autres élèves que les religieuses faisaient rentrer dans la salle de jeux où elles allaient passer la nuit.

– Je sais que tu as eu peur, lui dit Perron. C'est normal. Viens. Tu dormiras dans mon bureau, juste à côté de ma chambre.

Il entraîna la jeune fille, ignorant le regard désapprobateur de la surveillante.

Il y eut d'autres secousses secondaires pendant la nuit. Perron resta éveillé alors que Catalina dormait. Il avait peur. Il tenta de prier, mais chaque coup de vent, chaque vibration coupait le contact avec ce Dieu en qui il essayait de se réfugier. Il s'agenouilla, les coudes appuyés sur son lit, ferma les yeux et, les mains jointes, implora le ciel de calmer la fureur de la terre. La tête engoncée entre ses bras, il s'assoupit finalement.

Il rêva. Le sol s'ouvrait sous ses pieds. Les parois lisses de la crevasse ne lui permettaient pas d'arrêter sa chute vertigineuse. Il s'enfonçait dans un lac de feu lorsqu'une main de femme agrippa la sienne pour l'aider à remonter vers la surface. Il allait découvrir le visage de celle qui le sauvait, lorsqu'une autre vibration le secoua. Il était en sueur. La terre tremblait de nouveau. Il eut l'impression qu'on le regardait. Il tourna la tête et, dans la pénombre, vit s'éclipser Catalina. Était-ce un rêve ou l'avait-elle vu agenouillé, apeuré, écrasé d'angoisse? Cette main de femme était sans doute celle de la jeune fille. Il avait rêvé à Catalina. Elle s'était introduite en lui pendant son sommeil pour le sauver, lui redonner la vie. Était-elle son enfant ou la source d'une passion insoupçonnée? Ce tremblement de terre avait-il aussi éveillé ses pulsions et enflammé son cœur? Pourquoi était-il en sueur? Quel était cet étrange flux sanguin qui parcourait son corps en lui dévorant les entrailles?

Il se releva et se dirigea vers le bureau qui jouxtait sa chambre. Il poussa la porte déjà entrouverte. Ses yeux fouillèrent la noirceur de la pièce pour tenter d'y repérer le corps de l'enfant étendue sur le divan. Rien. Pas un souffle. Il murmura :

– Catalina. Catalina.

«Elle dort sans doute», se dit-il.

Il ne put résister à l'idée de la voir. Il alluma son briquet. La petite flamme lui révéla une forme humaine, immobile sous une couverture de laine d'alpaca. Il s'approcha, se pencha et passa sa main au-dessus du visage qu'il se retint de toucher. Catalina dormait puisqu'elle n'avait pas réagi. Il éteignit la flamme du briquet et, de nouveau, laissa sa main s'approcher de son corps. Il tremblait. Dans le noir, il sentit les fibres de la laine au bout de ses doigts. Il déposa doucement sa main sur la couverture où la chaleur et la forme d'un corps le magnétisaient. Il ne put résister. Il laissa sa main monter et descendre au rythme de la respiration de Catalina. Il eut envie de retirer la couverture, de glisser sa main sous la chemise de nuit, de toucher la chair de cette enfant devenue femme. Il frôlait les fibres du tissu en remontant vers la tête de la jeune fille, mais, lorsqu'il voulut caresser son visage, elle remua sous la couverture. Il retira vivement sa main et retourna dans sa chambre, sans réaliser que Catalina l'observait. Troublé et en sueur, il s'agenouilla pour convaincre Dieu qu'il n'avait cherché qu'à apaiser le sommeil d'une jeune fille effrayée. Il le pria de l'aider à développer sa vocation religieuse.

*  *  *

Dans la semaine qui suivit, de nombreuses secousses telluriques lézardèrent les murs de la chapelle du collège. Des ingénieurs en interdirent l'accès par mesure de sécurité. Les religieuses furent obligées de transférer les offices religieux dans une chapelle située près du parc Centroamérica, au centre-ville. Tous les dimanches matin, un autobus venait chercher les religieuses et les élèves pensionnées pour les emmener à la messe célébrée par le père Perron. Pour Catalina, ce fut une libération.

Autour du grand parc, des ateliers, des boutiques d'artisans, des restaurants et des spectacles attiraient les foules. Elle y sentit la même fébrilité qu'elle avait connue Plaza de Armas, à Lima. Elle mémorisa le chemin pour y parvenir. Pendant les mois suivants, elle profita de toutes les occasions pour accompagner les religieuses qui se rendaient prier dans la nouvelle chapelle. À la sortie de l'office, on lui permettait de flâner quelques minutes dans le parc Centroamérica où elle faisait le plein des images et des sons qui la stimulaient et lui nourrissaient l'imagination pour le reste de la semaine. Les religieuses et Perron admiraient le sens de la prière qui semblait animer cette enfant dont on était de plus en plus convaincu de la vocation religieuse. En classe, elle semblait tout comprendre avant les autres. Ses résultats scolaires imposaient le respect et lui donnèrent un certain leadership auprès des autres élèves.

Un samedi soir, elle s'évada vers le parc Centroamérica. En une demi-heure de marche, elle atteignit le centre de la ville qui croulait sous les arcades lumineuses et les banderoles colorées. Des avaleurs de feu et des acrobates attiraient le public vers une scène extérieure où des comédiens se préparaient à offrir leur spectacle. Elle resta debout, près des planches, pendant plus d'une heure, éblouie par le jeu des comédiens, chanteurs et musiciens. Elle se perdit ensuite dans la foule en s'arrêtant à tous les stands de jeux d'adresse, en écoutant des groupes de chanteurs et en respirant l'odeur des brochettes de viande grillée qu'elle ne pouvait s'offrir, n'ayant pour toute richesse que les cinq quetzals dont elle aurait besoin pour rentrer en autobus. Il était près de minuit lorsqu'elle découvrit que le dernier bus était déjà parti vers la zone 3. Les rues mal éclairées qui menaient au collège ne lui inspiraient pas confiance. Son instinct de petite fille des cavernes refit surface. Elle se dirigea vers la chapelle et alla s'allonger sur un banc pour y passer la nuit. Le lendemain matin, à l'arrivée des religieuses, elle expliqua le plus naturellement du monde qu'elle s'était levée très tôt et avait décidé de se rendre à pied à la chapelle. Pendant la messe, elle s'endormit sur le banc.

\* \* \*

– Laissez-moi! Je n'ai rien fait de mal.

Catalina hurlait en titubant tellement elle avait peine à suivre le pas rapide de la surveillante qui lui tenait le bras gauche comme avec des tenailles.

– Et tu croyais que ton manège allait durer indéfiniment? dit la femme. Je te surveille depuis quelques semaines. Cette fois-ci, ça ne marchera plus.

La costaude prit à peine le temps de frapper à la porte de la directrice. Elle poussa Catalina devant elle sous le regard sec de la religieuse.

– Je l'ai attrapée au moment où elle tentait de nouveau de se sauver vers le centre-ville.

– Laissez-nous, fit la directrice.

Catalina baissa d'abord les yeux, puis, dans un élan d'orgueil, releva la tête pour affronter la religieuse.

– Tu te rendais encore à l'église?

Catalina fit signe que oui.

– Il y a quelques semaines, lorsque nous t'avons trouvée endormie sur le banc de la chapelle, j'ai cru à ta dévotion. Mais, ce soir, j'ai l'impression que tu avais autre chose en tête.

Catalina battit rapidement des paupières et esquissa un demi-sourire.

– Mère, dit-elle, je prenais le chemin de l'église, mais c'était pour observer le ciel. Le *padre* m'enseigne le nom des étoiles et des planètes. Et la seule façon de les voir, c'est en sortant du collège.

111

La directrice connaissait l'intérêt, voire la passion de l'aumônier pour cette enfant. Il était possible que Catalina dise vrai.

* * *

Les succès scolaires et la forte personnalité de sa protégée réconfortaient Perron. Si Magda avait sauvé cette enfant de la mort, il lui avait donné la vie en la transplantant dans un univers où elle saurait s'épanouir tout en ayant encore besoin de lui. Chaque fois qu'elle contrevenait aux règlements, il intervenait auprès de la direction.

– Si vous saviez d'où elle sort, répétait-il.

Puis, l'ayant protégée de toute punition, il se permettait alors de la gronder, parfois avec plus d'autorité et de virulence que n'aurait utilisées la directrice. Par la suite, il savait se faire pardonner en l'emmenant se balader au centre-ville ou dans les hauts plateaux des environs où il l'éblouissait par ses leçons de géographie, d'astronomie et de géologie dont les héros étaient ces volcans toujours menaçants. Catalina avait appris à supporter les interventions de plus en plus nombreuses de Perron, sachant qu'elles seraient suivies de récompenses. C'était le prix à payer pour sortir du collège, garder contact avec la ville et nourrir sa soif de connaissances.

La première année scolaire s'acheva en même temps que la restauration des murs de la chapelle du collège. Le jour du départ des élèves pour les vacances d'été, pendant la célébration de la messe, un léger tremblement de terre vint secouer les prières de la pieuse assemblée. Catalina supplia le ciel de faire s'écrouler la chapelle. Mais les murs résistèrent. Elle devrait trouver un autre subterfuge pour s'évader vers le centre-ville.

# 14

Catalina levait les yeux vers les étoiles au moment où elle sentit un grondement. Elle éclata de joie.

– *Padre*, ça y est!

Roger Perron sortit en vitesse de la tente et fixa ses jumelles en direction du Santiaguito. Les tisons de la fournaise souterraine auréolaient la cime de la montagne. Comme tous les autres volcans, le Santiaguito ressemblait au cou musclé d'une bête dont on aurait tranché la tête. Le sol frissonna. Une colonne de pierre et de fumée jaillit de l'orifice, suivie d'un jet de lave. Les entrailles de la terre éructaient des gaz érubescents qui striaient le tableau noir du ciel. Puis, la nuit apaisa la colère de la terre.

La vieille Jeep portait les cicatrices de nombreuses excursions sur les flancs des volcans. Roger Perron trônait derrière le volant de ce jouet dont il rêvait depuis toujours. La peau cuivrée par le soleil des sommets, Catalina vivait un été de rêve. Depuis le début des vacances, le *padre* l'emmenait dans les montagnes découvrir «la rencontre du ciel et de l'enfer», c'est-à-dire le pourtour des cratères volcaniques. Ils partaient pour quelques jours, dormaient sous la tente, discutaient tard dans la nuit autour d'un feu de bivouac, exploraient la faune et la flore qui, depuis des siècles, avaient appris à déjouer les coulées de lave pour se forger un territoire. Perron avait une passion pour la nature qui n'avait d'égale que la soif d'apprendre de sa protégée.

Le *padre* profita aussi de ces longues excursions pour converser en français avec Catalina. Elle noircissait les pages d'un cahier où voisinaient, sur deux colonnes, les mots espagnols et français. Elle s'amusa à apprendre quelques refrains de vieilles chansons tirées du folklore, tant français que québécois.

— Avec un nom comme Portal, il est normal que tu saches parler français, lui dit-il. Parler et écrire, aussi.

Il lui proposa d'écrire une lettre à Magda dont ils n'avaient pas eu de nouvelles depuis longtemps. Catalina rédigea quelques phrases en espagnol qu'elle s'amusa à traduire avec l'aide de Perron.

— Tu verras, lui dit-il. Magda te répondra en français, car elle a vécu en France.

— Mais, la France, ce n'est pas le Québec. C'est la même langue française?

Perron en profita pour lui expliquer avec fierté les origines communes du Québec et de la France.

Catalina était insatiable. Et épuisante. Elle voulait tout voir, tout apprendre, tout comprendre. Perron avait ouvert une porte qu'il ne pouvait plus refermer. Elle l'inondait de questions. Il la noyait de réponses. Et lorsqu'il ne savait pas, il prenait plaisir à chercher avec elle. Le maître et son élève vivaient dans une bulle et leur complicité commençait à inquiéter la directrice du collège, qui s'en ouvrit à l'évêque de Quezaltenango.

\* \* \*

— Des rumeurs, je dirais «inquiétantes», courent à votre sujet. Pourriez-vous m'éclairer?

La chaleur et l'humidité forcèrent l'évêque à déboutonner le haut de sa soutane. Il invita le père Perron à se mettre à son aise.

— Vous buvez quelque chose? demanda le prélat.

— Une bière, bien froide, répondit Perron.

– On vous a vu souvent en compagnie d'une jeune pensionnaire du collège. Vous lui portez beaucoup d'attention, paraît-il.

Perron avala une grande gorgée de bière et déposa le verre sur une table basse. Pour masquer sa nervosité, il croisa les bras et regarda l'évêque droit dans les yeux.

– Si vous saviez d'où vient cette enfant, commença-t-il.

– Je sais, je sais. On m'a tout raconté. Lima, la rue, le village dans les montagnes. Mais elle vit maintenant ici, à Quezaltenango, grâce à vous d'ailleurs.

Perron bomba légèrement le torse.

– Monseigneur, dit-il, cette enfant n'a personne d'autre au monde que moi. Elle fut sauvée de la mort par une jeune femme de Lima. Moi, je lui ai ouvert les portes de la vie. Elle est intelligente. Une survivante extraordinaire. Les autres enfants ont une famille qui les encadre et les soutient. Catalina, elle, ne pourra compter que sur elle-même et sur la famille que je veux lui donner.

– Je ne comprends pas très bien où vous voulez en venir.

Perron prit une autre gorgée de bière.

– Monseigneur, cette enfant fut mise sur ma route par la volonté de Dieu. J'ai la responsabilité de la mettre au service de Dieu et des Hommes. Elle ne le sait pas encore, mais elle a la vocation. Elle est faite pour servir le Seigneur. Elle fera une religieuse exceptionnelle.

– Exceptionnelle! Pourquoi donc?

Perron parlait avec son cœur, mais n'avait pas vraiment réfléchi aux explications objectives qui devaient soutenir son affirmation. Depuis longtemps, ses missions l'avaient tenu éloigné de la vie communautaire, où chacun doit rendre des comptes et savoir motiver son action. La nature même de ses projets, comme celui de l'électrification de Nampuquio, avait favorisé une vie plus isolée et il n'avait plus l'habitude de justifier ou d'expliquer ses actions. Le poste d'aumônier de ce collège de religieuses avait d'ailleurs renforcé ce caractère autarcique de sa mission. Il répondit donc à l'évêque avec une certaine candeur.

— Monseigneur, elle sera une religieuse exceptionnelle pour deux raisons. D'abord, elle a un sens de la spiritualité que j'ai pu constater à plusieurs reprises. De plus, elle n'aura pas à s'arracher à sa famille pour rejoindre celle de Dieu. Sa communauté sera sa première véritable famille. C'est là qu'elle pourra se développer sans entraves et s'offrir à ceux qu'elle servira avec une générosité illimitée.

L'évêque se racla la gorge comme quelqu'un qui a mal avalé.

— Je veux bien vous croire, *padre* Perron, mais votre dévouement envers Catalina semble dépasser, comment dire…, les limites de l'acceptable pour un prêtre.

Perron ne répondit pas. Il baissa la tête. Qu'avait-il donc fait de si répréhensible? Il stimulait intellectuellement cette enfant. Il lui faisait franchir des étapes de vie enrichissantes en lui fournissant des valeurs morales qui en feraient une femme, une religieuse supérieure aux autres. Comment pouvait-on lui reprocher de trop donner à une enfant qui n'avait jamais rien reçu de la vie? Il se ressaisit et porta de nouveau son regard sur l'évêque.

— Monseigneur, dit-il, Catalina sera sans doute le seul héritage que je pourrai laisser à ceux qui, depuis trente ans, m'ont accueilli comme un des leurs, ici, en Amérique latine. J'ai sans doute mal mesuré mon enthousiasme. Je m'en excuse. Mais, croyez-moi, un jour votre pays aura oublié mon nom, mais celui de

Catalina Portal, *sœur* Catalina, insista-t-il, fera partie de la mémoire de votre peuple.

Avant de partir, Perron s'agenouilla et demanda à l'évêque de le bénir.

\* \* \*

Perron avait évité le pire. Il lui fallait maintenant liquider les soupçons et protéger sa relation avec Catalina. Les remarques de l'évêque ne pouvaient avoir été inspirées que par la directrice du collège. Il lui fallait donc soustraire sa relation avec la jeune fille au regard des religieuses.

— Tu aimerais sortir du collège pour le reste des vacances? demanda-t-il.

La réponse enthousiaste de Catalina ne se fit pas attendre.

Deux jours plus tard, accompagnée d'une religieuse en route vers la capitale, la jeune orpheline montait dans un car à destination d'Antigua Guatemala où le père Antoine Léger avait accepté de l'accueillir pour quelques semaines. Avec lui, elle parlerait français, et elle l'aiderait dans son travail de recensement. Léger l'attendait à la gare des cars en compagnie de deux jeunes religieuses novices, ce qui sembla rassurer la religieuse accompagnatrice.

\* \* \*

— On va voir le Pacaya?

Catalina avait à peine salué le père Léger qu'elle le confrontait à la promesse que lui avait faite Perron.

— Le *padre* m'a dit que si je vous aidais vous m'em-mèneriez voir ce beau volcan.

Décontenancé, Léger lui répondit, en riant, que c'était plutôt elle qui l'y emmènerait, car il ne s'était jamais approché d'un volcan. Elle en tira une certaine fierté.

La petite chambre avait la taille d'une cellule, mais la fenêtre s'ouvrait justement sur le Pacaya dont les deux mille cinq cents mètres culminaient au milieu d'un amas de nuages vaporeux. Catalina s'endormit en espérant être réveillée par le petit tremblement de terre qui, d'habitude, annonce une éruption.

Dès le surlendemain, elle accompagna Antoine Léger et les deux jeunes religieuses vers le village de San Juan où le missionnaire avait convoqué un petit groupe d'Indiens Mayas des environs.

— Comme je vous l'ai expliqué lors des dernières réunions, leur dit-il, au cours de la prochaine semaine vous allez dresser la liste de toutes les maisons de San Juan et des alentours. Vous notez le nombre de pièces et le nombre de personnes qui y vivent.

— Y compris les haciendas? demanda un homme.

— Oui, toutes les maisons. Celles des Mayas et celles des propriétaires terriens. Pour ces derniers, vous n'aurez qu'à demander discrètement les informations à vos amis qui travaillent pour les propriétaires.

Catalina et les religieuses distribuèrent des cahiers et des crayons à tout le monde.

— Il y a l'électricité ici? demanda Catalina.

— Dans les haciendas, oui, répondit Léger.

— À Nampuquio, il a fallu attendre la *luz* pour apprendre à lire et à écrire.

— Mais à Nampuquio il n'y avait pas de religieuses pour enseigner comme c'est le cas ici.

Dans les jours qui suivirent, Léger et ses assistantes visitèrent cinq autres villages où il avait organisé un recensement avec l'aide des Indiens qui savaient écrire et compter. Chaque fois, au retour, Catalina demandait à quel moment il pourrait l'emmener voir le volcan.

* * *

L'ascension du Pacaya exténua Catalina. Sur plus de deux mille mètres, le sentier s'accrochait aux flancs du volcan reconnu pour la générosité de ses spectaculaires éruptions. Près du sommet, ils furent témoins d'un puissant jet de lave qui les força à redescendre sans prendre de repos. Léger, plus costaud et plus jeune que Perron, eut souvent à retenir Catalina qui arrivait mal à contrôler la descente sur les talons. Elle ressentit une crampe dans une cuisse, ce qui obligea le missionnaire à la porter sur son dos pour franchir le dernier kilomètre. Humiliée, Catalina se confondait en excuses auprès de celui qu'elle avait forcé à tenir la promesse de Perron. Le soleil était déjà sous l'horizon lorsqu'ils parvinrent à la camionnette.

— Tiens, dit Léger, je croyais bien avoir fermé la portière.

Il découvrit qu'on lui avait volé la radio, une banquette et le pneu de secours.

— C'est ma faute, dit Catalina. Si je ne vous avais pas demandé de venir ici, ce ne serait pas arrivé.

Léger lui sourit.

— Des voleurs, il y en a partout. Ne t'en fais pas. Mais, aujourd'hui, tu m'as fait découvrir un beau volcan.

* * *

Chaque jour, Léger s'appliqua à intégrer Catalina à ses activités. Il visitait des familles, recevait des chefs mayas de la région, consolait des enfants de la mort de leur mère. Souvent, sur certains détails, il lui demandait son avis, ce qui la faisait se sentir importante. Il répondait sans détour à toutes ses questions et, avec délicatesse et intelligence, lui demandait parfois de répondre elle-même aux questions qu'elle soulevait.

— Pourquoi les *padres* comme toi n'ont jamais de femme? lui demanda-t-elle un soir.

Léger déposa sa tasse de thé et lui relança la question.

— Parce que tu ne veux pas d'enfant, peut-être, suggéra Catalina.

— Plus jeune, j'avais pensé avoir une femme et des enfants, comme tout le monde, dit Léger. Mais j'ai toujours eu envie d'aider les gens, surtout ceux qui sont démunis. La vie de missionnaire me permettait de réaliser ce rêve. Et pour être prêtre missionnaire, il faut accepter les règles.

— Et c'est interdit d'avoir une femme et des enfants?

Le prêtre mit quelques secondes avant de répondre. Les questions de Catalina le ramenaient à une époque de sa jeunesse où il avait dû trouver des réponses à ces mêmes questions.

— L'Église catholique a demandé à ses prêtres de se consacrer à la vie religieuse. Avoir une famille, c'est une responsabilité importante. Il faut gagner sa vie, travailler. Au fond, l'Église me fait vivre et me permet d'avoir une plus grande famille et de prendre des risques qu'un père de famille ne pourrait prendre.

— Des risques? demanda Catalina. Est-ce dangereux de faire ce que tu fais?

— C'est toujours dangereux de combattre les injustices, répondit Léger en réprimant un bâillement. Je suis un peu fatigué. Je t'expliquerai tout cela une autre fois.

Léger suggéra à Catalina d'aller dormir.

* * *

Le reste des vacances acheva de transformer Catalina. Elle avait toujours hâte au lendemain pour discuter avec Antoine Léger. Cet homme ne lui parlait jamais de Dieu ou de performances scolaires. Il lui avait ouvert les yeux sur le monde des adultes, sur la société, sur les relations de pouvoir entre les riches et les pauvres. Parfois, elle ne comprenait pas tout ce qu'il racontait, mais il s'était mis au service de son intelligence.

En l'accompagnant pour recueillir les données du recensement, elle entendit une des jeunes religieuses dire au missionnaire de se méfier car son geste était révolutionnaire.

– Qu'est-ce que ça veut dire « révolutionnaire »? demanda-t-elle.

Il lui sourit.

– Un révolutionnaire, c'est quelqu'un qui n'est pas d'accord avec un système et qui fait des gestes pour le changer.

– Et qu'est-ce que tu veux changer?

– Moi, je ne veux rien changer. J'essaie d'aider les Mayas qui veulent améliorer leur vie.

– Pourquoi la religieuse dit-elle que c'est dangereux?

– Parce qu'elle sait que pour améliorer la qualité de la vie des Indiens il va falloir bousculer le système injuste établi par les propriétaires terriens.

– Quel système?

Léger était essoufflé par tant de questions en rafale.

– Si tu veux bien, Catalina, on prendra un peu de temps chaque jour pour parler de tout cela. Ce soir, je suis très fatigué.

Catalina s'endormit en essayant de comprendre ce que les Mayas pouvaient faire de révolutionnaire en participant à un recensement.

# 15

Au retour d'Antigua Guatemala, le *padre* Perron accueillit Catalina avec enthousiasme. Il lui remit une lettre.

— Quelques semaines après ton départ, tu as reçu cette lettre. Devine qui t'écrit ?

— C'est la première fois de ma vie que je reçois une lettre, dit-elle, émue.

Au déplaisir de Perron, elle se réfugia dans sa chambre pour la lire. Au bout d'une demi-heure, triomphante, elle alla frapper à la porte de l'aumônier.

— *Padre*, j'ai tout compris ce que m'écrit Magda.

— Puis-je la lire ?

— Non ! Cette lettre, elle est à moi.

— Tu as raison. Excuse-moi. Mais donne-moi des nouvelles de Magda.

Catalina lui raconta que Magda la félicitait pour la qualité de son français. Elle travaillait toujours pour le Groupe de défense des femmes et son travail l'amenait à discuter avec des politiciens.

— Enfin, dit Catalina en rougissant un peu, elle me dit qu'elle a un amoureux ! Il s'appelle Roberto. C'est un artiste. C'est tout.

\* \* \*

Au cours des semaines qui suivirent, Catalina refusa les offres de balades de week-end du *padre* Perron. Elle consacrait ses heures libres à lire les romans que lui avait donnés Antoine Léger pour la remercier de son aide. À la reprise des classes, elle qui, d'habitude, ne se mêlait pas beaucoup aux autres jeunes filles du collège s'amusa à leur demander combien de pièces contenait la maison de leurs parents et combien de personnes y habitaient. Ces informations anodines provoquèrent des discussions qui, parfois, tournèrent à l'affrontement entre celles qui cachaient leurs conditions de vie et celles qui s'en vantaient. Lorsqu'une des élèves retourna la question à Catalina, elle répondit qu'elle avait habité une caverne où vivaient une douzaine d'enfants, sans adulte. Estomaquées, les filles crurent à une blague.

— Tu es une sorcière, lui dit l'une d'elles.

— Peut-être, répliqua Catalina, heureuse de la confusion semée autour de ses origines.

Quelques semaines plus tard, les élèves choisissaient Catalina comme présidente de sa classe. Elle intriguait autant qu'elle influençait le groupe. Elle transposa à l'ensemble du collège le petit recensement qu'elle avait improvisé auprès de ses camarades. Elle revendiqua pour les élèves les plus jeunes, dont elle faisait partie, le droit aux mêmes privilèges qu'on accordait aux aînées. Le refus de la direction de permettre aux plus jeunes d'aller au lit aussi tard que les plus vieilles provoqua une petite rébellion qui fut vite étouffée par la directrice, qui élimina d'office le conseil de classe.

— Vous aurez droit à un conseil lorsque vous vous serez recentrées sur vos activités scolaires, expliquat-elle.

Cette décision convainquit Catalina d'avoir été victime d'une injustice. Elle s'en ouvrit au *padre* Perron. Il profita de l'occasion pour reprendre contact avec sa protégée.

* * *

Le reste de l'année scolaire ne fut troublé que par quelques secousses telluriques. Chaque fois, Catalina réagissait avec calme et une autorité naturelle qui entraîna sa réélection à la présidence de sa classe, lorsque la direction ressuscita la démocratie scolaire. Perron avait subtilement conseillé Catalina afin de lui apprendre à faire des compromis dans ses revendications. Quelques succès lui confirmèrent la sagesse de son mentor qui, d'autre part, ne cessait de l'orienter vers une vie spirituelle et religieuse toujours plus affirmée. Catalina utilisa la technique du compromis dans ses relations avec Perron. Elle avait compris que, pour conserver l'appui du prêtre dans ses démarches de présidente, elle devait jouer le jeu de la vocation religieuse. Elle obtenait de bons résultats dans ses études, parlait de mieux en mieux le français, mais, à quinze ans, commençait à trouver lourde l'obligation de tenir compte de l'aumônier pour avancer dans la vie. Elle fut troublée par la lecture du *Journal d'Anne Frank* dont Léger lui avait expédié deux versions, l'une en espagnol, l'autre en français. Pendant qu'Antoine Léger continuait de lui faire parvenir des romans ou des livres à caractère social, Perron, lui, insistait pour qu'elle s'intéresse à la vie de Thérèse d'Avila. Léger lui écrivait des lettres où il racontait son travail auprès des jeunes Mayas. Perron l'incitait à l'accompagner dans ses visites à un couvent où des jeunes Latino-Américaines se préparaient à prendre le voile. Elle écrivit à Léger pour lui demander de l'accueillir de nouveau pendant les vacances, mais ne reçut aucune réponse. Elle voyait venir ce congé avec appréhension. Il n'était plus question d'accompagner Perron dans ses excursions en montagne et elle ne voulait pas mourir d'ennui dans un collège déserté où on lui confierait des tâches ménagères pour l'occuper et la distraire de sa solitude.

\* \* \*

La rutilante voiture climatisée approchait de Ciudad Guatemala. Catalina avait convaincu une de ses amies de l'inviter pour quelques jours dans sa famille. En franchissant la route qui mène à Antigua Guatemala, elle sourit.

À la fin de la semaine, la famille Ramirez autorisa les deux copines à se rendre en car visiter les abords du volcan Pacaya. Une fois rendue à Antigua Guatemala, Catalina entraîna son amie vers la maison du père Léger. Elles découvrirent avec stupéfaction un bâtiment calciné. Un voisin expliqua qu'un incendie avait éclaté en l'absence du prêtre. Il ne savait pas où le religieux avait déménagé. L'excursion au Pacaya tourna court et les deux jeunes filles rentrèrent à la maison.

Catalina passa le reste de l'été à s'ennuyer. Pour sortir du collège, elle acceptait les invitations de Perron. Elle en avait assez de ses radotages sur la nature qui, pourtant, il y a un an, l'avaient tellement stimulée. Et puis, le discours aboutissait toujours à la nécessité de confier sa vie au Seigneur qui, dans sa grandeur, savait récompenser celles qui consacraient leur vie à sauver les âmes. Mais c'était pour elle le seul moyen d'échapper à la tristesse désespérante des murs d'un collège déserté.

Tout s'effondrait autour d'elle. Les parents de sa copine Ramirez avaient retiré leur fille du collège. Les pressions de Roger Perron devenaient de plus en plus insupportables. Ses consœurs de classe avaient choisi une autre fille comme présidente. Elle ne recevait plus de nouvelles du père Léger. Et ses résultats scolaires étaient désastreux. À quelques reprises, elle s'était évadée vers le parc Centroamérica où elle avait erré la nuit entière à essayer de trouver un événement, des personnages ou un spectacle qui la stimuleraient et lui redonneraient l'énergie nécessaire à relancer sa vie. Elle n'y avait trouvé que des bandes de voyous et des policiers aussi peu rassurants, qui l'avaient fait se réfugier à nouveau dans l'église. Lorsqu'elle rentrait au collège, elle n'essayait même plus de déjouer la surveillante. Au contraire, par bravade, elle franchissait la porte centrale. Aussitôt interceptée, elle était accablée, grondée et punie.

— Pourquoi ne me mettez-vous pas à la porte? lançait-elle pour défier les religieuses, sachant fort bien que les autorités étaient coincées avec elle.

Où donc pourrait-on la renvoyer, elle qui n'avait pas de famille et dont le seul adulte responsable était nul autre que l'aumônier Perron?

— Que se passe-t-il, Catalina? lui demanda un soir la directrice des études. Tu as tellement changé.

Catalina haussa à peine les épaules. La religieuse remarqua ses ongles rongés et la peau tuméfiée de ses doigts.

— Tu peux tout me dire, ajouta la religieuse. Cela restera entre nous.

Les paupières de la jeune fille ne purent retenir ses larmes. Elle passa machinalement un doigt autour de son cou où, plus jeune, elle aurait trouvé le foulard rouge qu'elle ne portait plus. Elle inclina la tête et ne put réprimer les hoquets et les reniflements d'une adolescente qui ne voulait pas pleurer. Elle sentit monter en elle un tremblement semblable à ceux qui annoncent une éruption volcanique. Finalement, elle explosa.

— Je ne veux pas devenir religieuse. Je ne peux pas. Je ne sais pas comment le dire au *padre*. Il a été bon pour moi, mais…

– Mais quoi? murmura la religieuse, inquiète.

– Il s'est occupé de moi. Il m'a emmenée ici. Il m'a permis d'étudier, d'apprendre plein de choses. Je lui dois tout. Sans lui je serais encore là-bas, dans la rue peut-être. Mais, non, je ne veux plus...

Catalina s'interrompit pour éponger ses larmes.

– Dis-moi tout, Catalina, reprit la religieuse. Je suis une femme, comme toi. Je peux comprendre.

– Je ne veux pas devenir religieuse. Je ne veux pas.

La religieuse ne put tirer rien d'autre du témoignage de cette adolescente bouleversée. Elle recommanda à la directrice qu'on la laisse en paix pour lui permettre de terminer correctement l'année scolaire qui tirait à sa fin. La religieuse et sa supérieure rencontrèrent finalement l'aumônier Perron pour le mettre au courant de la situation. Il fallait trouver une solution. Catalina était en classe terminale. Où donc allait-elle se retrouver l'année suivante?

* * *

– *Ite, missa est.*

– *Deo gratias*, répondit l'assemblée.

Pendant que les religieuses et les élèves quittaient leur banc pour sortir de la chapelle, le curé Perron regarda Catalina dans les yeux et lui fit signe de l'attendre. Elle le rejoignit dans son bureau. Il semblait étrange, ses mains tremblaient et il avait le regard d'un homme qui vient d'apprendre qu'il souffre d'une maladie incurable. La chaleur de juin avait envahi le collège, mais il n'en ferma pas moins la fenêtre et tira les rideaux.

– Il fera moins chaud, dit-il.

Catalina le regardait comme on fixe un animal blessé dont on ne sait s'il va vous sauter à la gorge ou s'écraser.

— Ma petite Catalina – tu permets que je t'appelle «ma petite», même si tu es aussi grande que moi, maintenant? –, je veux te parler de ton avenir.

Catalina ne broncha pas. Elle coinça ses mains entre le coussin de la chaise et ses cuisses. Comme un faucon observe sa proie, Perron commença à marcher en faisant le tour de la chaise. Ses lèvres semblaient murmurer des mots qui ne sortaient pas de sa bouche. Il se massait les mains.

— Pourquoi m'as-tu fait cela? explosa-t-il.

Catalina sursauta.

— Huit ans que je te connais. Huit ans que je m'occupe de toi. Huit ans que je t'apprends comment survivre. Huit ans que tu me laisses croire que tu seras ce que j'ai toujours souhaité que tu deviennes : une femme dévouée à la cause de Dieu. Et voilà que tu vas te plaindre à la directrice que je t'étouffe. Que je t'impose une vie que tu ne veux pas mener.

Roger Perron avait le visage de quelqu'un qu'on égorge. Ses yeux exorbités terrifiaient Catalina.

— Tu vivais dans la rue. Je t'ai donné une famille. Tu étais condamnée à nourrir les poules. Je t'ai fait instruire. Tu n'avais qu'un prénom. Je t'ai donné un nom.

— Vous ne me faites pas peur, lança Catalina.

Il s'arrêta net et reprit, doucement :

— Je ne veux pas te faire peur, Catalina, je veux simplement te dire que je suis déçu. Déçu comme…

Il hésita.

… comme un amoureux, avoua-t-il avec rage. J'avais mis tous mes espoirs en toi et voilà… Tu es une ingrate, Catalina! Une ingrate!

Catalina n'écoutait plus. L'homme avait prononcé le mot le plus dangereux qu'elle connaissait : «amoureux». Perron était amoureux d'elle. Elle n'y avait jamais pensé. Il la désirait. Il voulait la soumettre à ses volontés. Il allait s'emparer d'elle. La tête lui tournait alors qu'elle le voyait rôder autour d'elle. Elle se revit au restaurant, à Lima, le soir où elle avait mordu le mollet de Magda. Le gardien s'emparait d'elle, la tenait par une jambe et allait la frapper lorsque…

La porte du bureau de l'aumônier s'ouvrit comme si une bombe avait explosé. Les religieuses virent sortir en pleurant la jeune fille. Perron voulut la suivre, mais s'arrêta devant les regards des religieuses tournés vers lui.

– Catalina, reviens ici immédiatement, ordonna-t-il à celle qui ne semblait plus l'entendre.

Elle se réfugia dans la chapelle où une religieuse lui offrit de l'accompagner chez la directrice.

– Que se passe-t-il, mon enfant?

– Mère, j'ai peur.

Elle se jeta sur la femme qui, d'un geste maternel, la berça naturellement entre ses bras.

– Le *padre* est amoureux de moi, sanglota-t-elle.

La rencontre dura deux heures. Lorsque la directrice entendit le récit détaillé de cette nuit du tremblement de terre où Perron l'avait caressée, elle demanda à Catalina de n'en dire mot à personne.

– C'est une accusation grave et je te crois. Donne-moi simplement le temps de vérifier. Je te jure que tu n'auras plus jamais peur de cet homme, chère Catalina.

* * *

Quelques semaines plus tard, dans l'avion qui l'emmenait au Canada, une jeune femme de seize ans prit machinalement le journal de la capitale guatémaltèque que l'hôtesse lui offrait. En page cinq, un titre attira son attention : «Prêtre assassiné». Effrayée, elle amorça la lecture de l'article. «Le procureur général confirme que le père Antoine Léger, un missionnaire canadien, qui travaillait auprès des populations mayas de la région d'Antigua Guatemala, a été assassiné. Des paysans ont affirmé que le prêtre avait reçu des menaces après avoir organisé un recensement dans une douzaine de villages. À la suite du recensement, les paysans avaient pu comparer leurs conditions de vie avec celles des propriétaires terriens et il en était résulté des protestations et des revendications qui avaient provoqué des violences dans la région. Aucun suspect n'a encore été arrêté, mais la communauté du père Léger soupçonne des factions armées de l'extrême droite pour qui les gestes des missionnaires sont trop sympathiques aux objectifs de la gauche socialiste.»

Catalina était tétanisée. L'homme par qui elle avait été conçue n'existait pas. Celui qui voulait la mettre au monde avait été écarté de sa vie. Et celui qui lui avait ouvert les yeux sur le monde était mort.

C'étaient des femmes, les religieuses de son collège, qui avaient décidé de lui faire poursuivre ses études à l'étranger. Elles lui avaient proposé d'être hébergée par la même communauté, qui dirigeait quelques couvents en Amérique du Nord. Spontanément, elle avait opté pour Montréal dont elle avait entendu parler par Marc Provost, l'ingénieur qui avait apporté l'électricité à Nampuquio.

\* \* \*

Roger Perron était un homme démoli. Il sortait à peine de son bureau, se soustrayait au regard des religieuses et évitait de se retrouver seul en présence d'une élève. Depuis le départ de Catalina, il avait beaucoup maigri. Il refusait souvent de manger ses trois repas par jour et on le voyait arpenter les allées du jardin, les yeux à demi fermés, comme s'il tentait de retrouver une image perdue. Il souffrait comme un homme au lendemain d'une peine d'amour : seul, humilié, se sentant coupable de n'avoir pas réussi à contrôler son bonheur. Il avait le regard vide de ceux que le deuil surprend en pleine jeunesse. Pourtant, il avait soixante-huit ans.

Dans l'année qui suivit, Roger Perron obtint d'être transféré au Pérou comme aumônier dans un centre de détention pour adolescents.

# 16

– Vous pouvez vous rhabiller. Je vous attends dans mon bureau.

La gynécologue avait lancé sa phrase tout en retirant les gants qu'elle jeta à la poubelle en secouant la tête. Magda laissa pendre ses jambes dans le vide quelques instants avant de poser les pieds au sol. Elle caressa son ventre en se regardant de profil dans le miroir. Elle se sourit. Sa mère avait raison. «À trente-huit ans, une grossesse, ça aide à cacher quelques rides», lui avait-elle dit. Mais, dans son entourage politique, ce n'est pas tant pour masquer les rides que pour bétonner sa crédibilité que ses amis et conseillers l'avaient encouragée à avoir un enfant.

– Comment veux-tu convaincre les femmes de voter pour toi si tu ne sembles pas mener la même vie qu'elles? lui avait lancé directement une collègue.

– Et, avait ajouté un homme, si tu prônes l'avortement, personne ne pourra te reprocher de soutenir une politique dont tu pourrais ne pas avoir besoin. Une mère de famille favorable à l'avortement, c'est plus convainquant qu'une célibataire!

Depuis cinq ans, Magda avait fait place dans sa vie à Roberto, un peintre d'origine italienne venue visiter le Pérou et qui n'en était jamais reparti. De dix ans son aîné, Roberto séduisait autant par son imagination et son talent que par son je-m'en-foutisme dont il savait user avec intelligence pour échapper aux lois et aux conventions, tout en évitant de faire trop de vagues. Il avait le don de se faire connaître suffisamment pour vivre de son art, mais parvenait à se faire oublier du gouvernement pour ne pas payer d'impôts. Cuisinier raffiné, séducteur impénitent, éternel adolescent, il réussissait à isoler Magda de ses préoccupations professionnelles, à la distraire par ses idées saugrenues et à lui faire partager les plaisirs de la table qu'il savait prolonger dans le lit.

L'idée d'avoir un enfant était apparue chez Magda lorsqu'elle avait fêté ses trente-cinq ans.

— Il se fait tard, avait-elle dit à son amoureux. J'en ai envie.

Roberto avait réussi à ne pas lui dire oui ou non. Il ne voulait pas empêcher Magda de réaliser son rêve, mais espérait ne pas avoir à assumer la responsabilité d'être le père. Comme d'habitude, il s'était défilé. Au retour d'un voyage où il avait accompagné Magda au Brésil, elle lui avait appris la nouvelle : elle était enceinte.

— Ne t'en fais pas, lui avait-elle dit. Je ne te demande pas de jouer au père. Je veux simplement que tu continues d'être mon amant, mon amoureux. Je t'aime comme tu es.

Pendant les semaines qui suivirent, il s'isola dans son atelier. Il passait des nuits à peindre et dormait le jour. Comme ils ne vivaient pas ensemble, Magda ne le vit pas beaucoup.

— Ne crains-tu pas qu'il ne te quitte? lui avait demandé Clara.

— Non. Je me suis habituée à sa manière d'être présent. C'est peut-être pour cela que nous sommes encore ensemble.

— Mais, tu ne peux décider à l'avance de priver ton enfant de la présence de son père, avait répondu Clara.

– Non, mais je ne peux imposer au père un enfant qu'il voulait moins que moi.

– Tu en as parlé à Franco?

– Je préfère attendre la confirmation de ma grossesse avant de lui en parler.

Sa mère n'avait pas insisté.

– Madame Perez, je n'irai pas par quatre chemins, dit la femme médecin. Je ne suis pas certaine que l'enfant soit bien accroché, comme on dit. Vous êtes enceinte de trois mois. Si vous ne cessez pas vos activités professionnelles, il est fort possible que la prochaine fois que nous nous verrons, ce soit pour un curetage.

Magda recouvrit son annulaire gauche avec sa main droite, comme pour cacher qu'elle ne portait pas d'alliance. Un soir de cuite, Roberto avait proposé de l'épouser, mais elle l'avait convaincu qu'on pouvait fort bien être amoureux et avoir un enfant sans se marier. Cela avait d'ailleurs fait l'affaire de Roberto. Il avait soulevé l'hypothèse en soulignant qu'une femme du monde politique se devait peut-être de respecter certaines conventions si elle souhaitait être élue. Mais lui, bohème et, surtout, immigré sans permis de séjour officiel, ne croyait pas plus que Magda à la nécessité du mariage. Il le lui avait proposé parce qu'il était sûr qu'elle allait refuser.

Elle regarda sa montre. Midi moins cinq.

– J'ai rendez-vous. Je dois partir, dit Magda à la gynécologue.

– Attendez. Vous ne m'avez pas répondu. Allez-vous cesser vos activités politiques?

– Docteur, répondit Magda, j'ai envie, j'ai besoin de cet enfant.

– Oui. Et le pays a aussi besoin de vous, me direz-vous.

– Vous avez des enfants? demanda Magda.

– Oui. Trois.

– Moi, j'en ai deux cent mille sans en avoir un seul à moi.

À la sortie de la clinique, Magda ne trouva pas Roberto au café *Miraflores* où ils avaient rendez-vous. «Comme d'habitude, dans les moments de stress, il fout le camp», se dit-elle, résignée.

\* \* \*

Les murs de Lima étaient barbouillés de slogans et d'affiches électorales. Magda se dirigea vers le local de son comité politique. En descendant du taxi, elle fut prise d'un fou rire. Des affichistes achevaient de coller son visage souriant sur un immense panneau de bois. En dessous, il était écrit : «Voter Magda Perez, c'est voter pour vous et vos enfants.» Après quelques années de luttes pour le sort des femmes et des enfants, elle avait accepté de porter son action au niveau politique. Elle avait obtenu l'investiture du Parti du peuple dans une circonscription ouvrière.

Le soir même, elle prononçait son premier discours électoral. Sur les conseils de son père, elle choisit non pas d'attaquer le gouvernement, mais plutôt le député en place qui, «après douze ans, n'avait même pas réussi à faire installer un éclairage adéquat autour du terrain de football où les jeunes pourraient jouer le soir plutôt que de traîner dans les rues». Aux applaudissements recueillis, elle sentit qu'elle avait le vent dans les voiles. Du fond de la salle, Franco Perez sourit.

La campagne électorale dura quatre longues semaines. Mais Magda n'avait pas prévu la popularité qui la forcerait à passer beaucoup de temps à l'extérieur de sa circonscription. La direction du parti ne tarda pas à comprendre que son charme naturel, sa simplicité et l'efficacité de son discours étaient des atouts précieux pour ce vieux parti de gauche auquel on reprochait son ronronnement et son programme figé dans le vocabulaire des années soixante-dix. Certains journalistes l'avaient surnommée «la passionaria des enfants», tellement elle avait à cœur le sort des jeunes. De plus, le jour où elle dénonça, preuves à l'appui, l'existence d'un réseau de pédophilie au sein des forces policières de Lima, l'intérêt pour les politiques de son parti n'en fut que gonflé. Des journalistes étaient assignés à suivre sa campagne. Elle apparaissait de plus en plus comme le symbole de la relève politique du Pérou. Elle consacrait deux jours par semaine à parcourir sa circonscription et passait le reste du temps à sillonner le pays pour soutenir la candidature d'autres hommes et femmes que le Parti du peuple comptait bien faire élire à la législature.

Pour la forcer à concentrer ses efforts dans sa circonscription et l'effacer de la scène nationale, ses adversaires firent courir des rumeurs comme quoi son élection était loin d'être assurée. La tactique fit long feu. On tenta alors de la discréditer en publiant des photos de son amant, Roberto, dont on révéla la situation irrégulière. Par bonheur, Franco avait vu venir le coup et avait convaincu l'amant de sa fille de s'absenter pendant la période électorale. Magda répliqua publiquement qu'elle avait beaucoup d'amis étrangers et que Roberto ne séjournait au Pérou que quelques mois par année.

– Lorsqu'on est rendu à s'attaquer aux étrangers pour gagner une élection, c'est un signe de faiblesse et de panique, répondit-elle dans une entrevue radiophonique.

On ne parla plus de Roberto.

Les électeurs reportèrent au pouvoir le président de droite mais élirent un gouvernement minoritaire.

Contre toute attente, le Parti du peuple se retrouva principal parti d'opposition avec, en prime, la balance du pouvoir. Le chef du Parti du peuple ayant été battu, tous les regards se tournèrent alors vers Magda pour lui succéder.

* * *

Clouée au lit d'une clinique, Magda apprit la bonne nouvelle de son élection comme député. Ses larmes de joie se transformèrent en sanglots lorsque la gynécologue lui annonça une fausse couche.

– C'était une fille, dit Magda à sa mère. Je l'aurais appelée «Catalina».

– Ton destin est peut-être d'avoir à t'occuper de cent mille petites Catalina plutôt que d'une seule, dit Clara en serrant sa fille dans ses bras.

## 17

– Quel est ton nom? demanda le régisseur.

– Catalina.

– Alors, Catalina, à la pause publicitaire, tu vas vite occuper le siège numéro sept de la rangée H. Un garçon t'accompagnera. Vous resterez là jusqu'à la prochaine pause. Lorsque les stars reprendront leur place, vous venez me rejoindre ici. Vous avez deux minutes pour bouger.

Depuis son arrivée à Montréal, il y a quatre ans, Catalina avait poursuivi ses études et, depuis un an, travaillait comme guichetière au Théâtre de Maisonneuve. Sa passion pour les acteurs lui avait fait découvrir la beauté et les nuances de la langue française, qu'elle maniait maintenant avec beaucoup d'aisance, tout en gardant ce petit accent espagnol qui donnait à son discours une coquetterie séduisante. Le directeur du théâtre l'avait invitée à inscrire son nom sur la liste des figurants qui, lors des galas télévisés, servent à occuper les fauteuils abandonnés par les artistes mis en nomination qui doivent se rendre sur scène.

– Il ne doit jamais y avoir de trous dans la salle, lui avait expliqué le régisseur, sinon les téléspectateurs ont l'impression que le spectacle est ennuyeux.

Ce soir, vêtue, maquillée et coiffée comme une poupée, elle allait recevoir un cachet de cinq cents dollars qui lui permettrait de payer une partie des frais de la prochaine session à la faculté de droit où elle était inscrite en première année. Elle souriait, comme c'était la règle, au cas où les caméras s'arrêteraient sur elle pendant quelques secondes. Puis, en coup de vent, un beau garçon, figurant comme elle, vint occuper le siège voisin du sien.

— Comment t'appelles-tu? lui demanda-t-il.

— Catalina. Et toi?

— Pablo.

Ils se regardèrent et éclatèrent de rire juste au moment où le régisseur commandait à la foule la dose d'applaudissements nécessaire pour faire croire au public qu'il régnait dans la salle un enthousiasme contagieux.

— Nous avons tous les deux des prénoms espagnols, chuchota le garçon.

— À ton accent québécois, je crois que tu n'as d'espagnol que le nom, répliqua Catalina.

Le spectacle interrompit leurs confidences. Il fallait sourire, applaudir et attendre la pause publicitaire. Après leur prestation, les deux se retrouvèrent à l'arrière de la salle.

\* \* \*

À son arrivée à Montréal, M<sup>lle</sup> Portal, comme disaient les religieuses, avait pour la première fois de sa vie ressenti un vide, qu'elle avait mis des mois à combler. Accueillie à seize ans dans un couvent, elle avait tenu à distance les religieuses qui, malgré leur générosité et leurs bonnes intentions, avaient peu de prise sur cette jeune fille dont la maturité et les sautes d'humeur les mystifiaient. Elles avaient donc accepté d'accompagner Catalina jusqu'à ses dix-huit ans sans trop intervenir dans sa vie. Elles avaient complété son éducation et l'avaient préparée à affronter la vie nord-américaine.

C'est par un soir de pleine lune que Catalina avait ajouté une autre dimension à l'affirmation de son identité. En cette fin du mois de mai, Montréal avait explosé de joie à l'invasion des premières grandes chaleurs. De grandes coulées d'air tiède et humide avaient inondé les rues. Les terrasses avaient été envahies par les Montréalais qui, mieux que quiconque en Amérique du Nord, savent occuper les trottoirs d'une ville pour les transformer en plages de plaisirs où, pour survivre, il faut accepter de s'y noyer. Le spectacle de ces milliers d'hommes paradant sous le regard allumé d'autant de femmes avait ébloui Catalina tout en l'effrayant un peu. Elle se sentait frôlée, touchée, caressée par cette foule qui, comme la mer, jetait les corps par grandes vagues dans les artères où les arbres libéraient enfin les fragrances de l'été. Elle voulait prendre une bouchée dans cette fête de la vie, la partager avec un ami. Mais elle ne connaissait personne ici. La joie avait un arrière-goût de tristesse. Elle se sentit plus seule que jamais dans la foule la plus nombreuse qu'elle ait jamais vue. Elle s'en éloigna, remonta la rue Saint-Denis, tourna vers l'ouest, avenue du Mont-Royal, et se laissa attirer par cette petite montagne qui règne au cœur de la ville.

Il était passé minuit. Les rumeurs de la fête lui parvenaient encore, mais une couche de silence isolait les promeneurs du mont Royal. Elle suivit un sentier qui menait au cimetière. Soudain, les nuages s'écartèrent. La lune dessina sur le sol l'ombre des arbres et des pierres tombales. La vie était inversée. C'était le jour au cœur de la nuit. Catalina leva les yeux et eut l'étrange impression de se sentir tout à coup chez elle dans cette ville encore inconnue. Cette lune, ses taches, cette manière de jeter la lumière étaient identiques à ce qu'elle avait vu à Lima, à Nampuquio, à

Quezaltenango. Elle l'avait suivie jusqu'à Montréal. Où qu'elle soit dans le monde, il y avait donc cette même lune, ce sentiment de connaître quelqu'un dans le lieu où l'on est. Elle se sentit tout à coup citoyenne de la terre. Elle pouvait se déplacer n'importe où, jamais elle ne serait totalement perdue. Il y avait, là-haut, la lumière d'un phare universel qui, chaque nuit, s'allumait pour lui rappeler qu'elle était Catalina la Terrienne. Pendant des mois, chaque soir de pleine lune devint un rendez-vous avec la vie.

* * *

Lors d'une de ces sorties folles, elle fut attirée par le nom d'un bar, boulevard Saint-Laurent, *El Volcan*, branché sur la musique latino-américaine. Elle avait à peine eu le temps de se nommer, qu'elle fut entraînée vers la piste par François, un garçon d'une vingtaine d'années dont les yeux bleu acier et les cheveux blonds bouclés faisaient tourner les têtes. Catalina, l'inconnue, se sentit choisie. Elle se laissa fièrement enlever. À un mètre soixante-douze, Catalina était presque aussi grande que lui. Athlétique, il avait un sens du rythme qui donnait l'impression qu'il touchait à peine le sol en dansant. De salsa en rumba, ils s'étourdirent jusqu'au lever du jour. Au sortir du bar, Catalina aperçut la lune ronde se laisser emmitoufler par de gros nuages. Les premiers flocons fondaient au contact de son visage encore bouillant. Il neigeait sur la nuit tropicale. Elle se retrouva dans le lit de François et n'eut pas le temps de lui dire qu'elle n'avait jamais fait l'amour. Il lui sembla être délicat et tendre, mais elle vécut ce moment comme spectatrice. Elle eut l'impression de s'échapper de son corps et de voir un jeune homme s'agiter auprès d'elle. Elle s'était évadée, comme elle avait toujours su le faire lorsqu'elle se sentait mal à l'aise ou menacée. Elle avait coupé le contact avec la vie pour mieux survivre. Lorsqu'elle sentit François s'effondrer à ses côtés, elle réintégra son corps et s'endormit avec l'étrange conviction qu'elle n'était plus tout à fait la même.

Elle le revit. François Perreault était étudiant en éducation physique et garçon de table dans un restaurant pour payer l'appartement qu'il partageait avec un certain Alain. Quelques mois plus tard, lassée de sa chambre chez les religieuses, elle chercha du travail pour devenir autonome. C'est alors qu'elle dénicha ce poste de guichetière au Théâtre de Maisonneuve. Malgré les conseils de prudence donnés par la supérieure du couvent où elle logeait, elle accepta de devenir colocataire de François au moment où Alain partait vivre avec sa copine. Catalina insista pour s'installer dans sa propre chambre. Lorsque François avait envie de partager son lit avec elle et qu'elle ne le voulait pas, les relations devenaient tendues pour quelques jours. Puis, elle le vit de moins en moins dormir à l'appartement.

Un matin, vers six heures trente, un huissier sonna à la porte. François, qu'elle n'avait pas vu depuis plusieurs jours, était criblé de dettes. L'huissier saisit tout ce qu'il pouvait dans l'appartement, y compris des objets qui appartenaient à Catalina.

— Pourquoi prendre des choses qui sont à moi? demanda-t-elle, fâchée.

— Je saisis ce qui est dans l'appartement de M. Perreault. C'est la loi. Je n'ai pas à me préoccuper du propriétaire des objets.

Catalina comprit que François ne paierait plus sa part du loyer. Elle s'en retourna vivre chez les religieuses, qui l'accueillirent avec compréhension.

Après quelques semaines de vie monacale, elle se mit à la recherche d'un deuxième emploi qui lui permettrait de louer un appartement sans devoir compter sur un coloc. Elle retourna au *El Volcan* où le gérant l'adressa à un copain, propriétaire d'un autre bar.

— Je ne peux t'offrir que deux soirs par semaine. Des questions ? Des commentaires ? lui demanda Alexandre.

— Oui, un seul, répondit Catalina. J'ai peur d'avoir froid.

Alexandre éclata de rire.

— Depuis combien de temps vis-tu au Canada ?

— Bientôt trois ans, répondit-elle.

— Alors, tu sais bien qu'en hiver les maisons, les commerces, les bars, tout est chauffé !

— Oui, mais travailler en maillot de bain pour servir les clients…

— Ne t'en fais pas, c'est chaud, très chaud ici, répondit le patron en insistant sur le « très ».

Le lundi soir suivant, Catalina paradait d'une table à l'autre vêtue d'une petite culotte argentée sur laquelle flottait une minuscule jupe qui se relevait chaque fois qu'elle devait se pencher pour servir les clients. Le soutien-gorge, également argenté, lui compressait les seins pour créer un sillon que certains clients tentaient d'utiliser comme la fente d'une tire-lire pour glisser un pourboire. La musique lui écrasait les tympans. La fumée la faisait tousser, elle qui ne fumait pas. Lorsqu'un homme laissait ses mains s'approcher de son corps, le gérant intervenait.

— Je ne laisse personne peloter le personnel, lui avait-il juré.

Le deuxième soir, elle eut envie de fuir. Mais, à près de cent dollars de pourboires par soirée, en plus du salaire de base, elle calcula qu'elle pouvait se mettre à la recherche d'un appartement. Le jour, elle poursuivait ses études universitaires. Les jeudis, vendredis et samedis, elle travaillait au théâtre. Ses semaines étaient occupées. Pour oublier qu'elle n'était qu'un morceau de chair fraîche aux yeux des clients, elle transforma son travail en jeu. La salle était une scène et la cuisine, les coulisses. Lorsqu'elle circulait entre les tables, elle jouait le rôle de la serveuse, récitait les phrases de la serveuse, imitait les gestes de la serveuse qu'elle n'était pas. Elle en vint à offrir un véritable spectacle, basé sur quelques bonnes répliques apprises par cœur et sur les échanges moqueurs avec les clients. Elle devint « la star du plancher », comme disait Alexandre. Le jour où il lui offrit de travailler un troisième soir, elle se loua un petit appartement et quitta le couvent.

Quelques semaines plus tard, elle fut appelée à remplacer une serveuse malade. À quatre soirs par semaine, elle se sentit devenir riche. Il semblait que tout lui était maintenant accessible. Elle se paya des vêtements, des sorties, un week-end à Québec. Elle s'offrit même une carte de crédit qui stimula encore plus l'envie de se faire plaisir.

Au bout de deux mois, Alexandre lui apprit qu'il devait « couper ses heures ». Il n'avait plus besoin d'elle que deux soirs par semaine. Aucune explication. C'était à prendre ou à laisser. Elle paniqua. Le loyer à payer. La carte de crédit à rembourser. Elle était coincée.

Le soir, en rentrant à l'appartement, elle eut l'impression de pénétrer dans sa caverne le long du Rio Rimac. Sauf qu'il n'y avait personne autour d'elle pour l'aider et l'encourager.

L'hiver tirait à sa fin. Une tempête de pluie verglaçante vint givrer les vitres de ses fenêtres. Une heure plus tard, elle ne voyait plus à l'extérieur. Son petit logement prit l'allure d'un tombeau lorsqu'une panne électrique jeta sur la ville un linceul anthracite. À tâtons, elle retrouva sa radio à piles. Un porte-parole de la compagnie d'électricité Hydro-Québec annonçait qu'on croyait pouvoir rétablir le courant vers la fin de la nuit. Rapidement, la pièce devint glaciale. Il n'y avait rien d'autre à faire qu'à bien se couvrir. Et attendre.

La noirceur avait absorbé la vie. Il n'y avait plus d'appartement, de rue, de ville, de pays. Elle pouvait disparaître et personne ne s'en apercevrait. Personne ne la chercherait. Elle était libre, mais sans liens. Cela lui fit peur. Puis, il y eut un petit retour de l'électricité. Quelques minutes. Comme un clin d'œil qui rassure. Elle gagna son lit et réussit à s'endormir en grelottant.

Le lendemain matin, la ville était un écrin de verre. Les arbres givrés avaient baissé les bras devant le mitraillage des gouttes d'eau. Catalina n'avait jamais vu un tel spectacle. Les tessons de glace fixaient la lumière du soleil au sol. Elle marchait sur du cristal. Le visage de Montréal était paralysé comme celui d'une femme trop maquillée. Et pourtant, la ville était belle.

Catalina erra toute la journée. L'anxiété l'empêchait d'aller à ses cours. Elle ne connaissait que François et Alexandre dans cette ville. François avait disparu sans laisser d'adresse. Elle décida de retourner voir Alexandre pour le supplier de lui redonner les heures de travail perdues. Elle l'attendit. Elle allait partir lorsqu'il se pointa. Il l'emmena dans son petit bureau.

— Je ne faisais plus l'affaire? demanda Catalina.

— Mais non. Si tu ne faisais pas bien ton travail, je ne t'aurais pas demandé de travailler deux soirs par semaine.

— Alors?

— Alors, je suis obligé de faire travailler quelqu'un d'autre.

— Moi aussi, j'ai besoin de travailler !

Alexandre regarda Catalina dans les yeux, puis fit glisser son regard sur son corps. Elle rougit.

— Il y aurait peut-être un autre moyen, dit-il.

Quelques minutes plus tard, Catalina sortait du bar en coup de vent. Elle rageait.

« C'était donc ça, se dit-elle, humiliée. On t'embauche, on te fait travailler, tu engages des frais, puis on te retire ton gagne-pain. Il te coince et te propose ensuite de gagner encore plus d'argent en te prostituant. Non ! »

Dans cette vie si libre, jamais elle ne s'était sentie aussi emprisonnée. Elle avait beau remuer les chiffres dans tous les sens, en additionnant ses deux maigres salaires, il lui était impossible de continuer à se payer un appartement, de manger et de se vêtir. Et de circuler. Et de sortir. Et d'étudier. Et de vivre. Il n'était pas question, non plus, de remettre les pieds au couvent.

« Si seulement je connaissais une autre personne. Une seule. Qui pourrait m'aider », sanglota-t-elle en s'essuyant les yeux avec son petit foulard rouge.

Elle marchait péniblement sur les trottoirs transformés en patinoire. À une intersection, elle observa une équipe d'ouvriers en train de réparer les fils électriques cassés par le verglas. Un gros camion gris bloquait la rue. Un camion sur lequel était inscrit « Hydro-Québec ». Elle revit le clin d'œil de la lumière lors de la panne de la nuit dernière. Un flash qui lui rappela un geste nébuleux, embrouillé dans sa mémoire. Un ouvrier remonta un morceau de métal. Le contact se fit. Le lampadaire s'alluma. Les vapeurs de sa mémoire se dissipèrent un peu plus. Ce geste, cette lumière, elle les avait déjà vus quelque part. Elle se retrouva à Nampuquio. Oui, c'était bien cela. Les dignitaires, la fanfare, la fête. Un ruban coupé. Puis, ce geste. Quelqu'un abaissait une manette. La lumière jaillissait. Marc!

Mais oui, il y avait dans cette ville quelqu'un qu'elle connaissait. Elle n'était pas si seule. Pourquoi n'y avait-elle pas pensé plus tôt? Marc saurait la reconnaître et la sortir de cette impasse.

Pendant plus de six heures, elle tenta de contacter la centrale téléphonique d'Hydro-Québec. Lorsqu'elle réussissait à être en ligne, invariablement elle tombait sur un message enregistré : «Tous nos préposés sont occupés. À cause du verglas, une panne majeure est survenue dans la région de Montréal. Nous croyons pouvoir rétablir le service dans les quarante-huit heures. Merci de votre patience. En cas d'urgence, faites le 9-1-1.»

Elle se rendit en personne au siège social de la compagnie. Branle-bas de combat. Personne ne passait, sauf les gens autorisés.

— Au moins, dites-moi si M. Marc travaille ici, insista-t-elle auprès de la réceptionniste postée dans le hall.

— Mademoiselle, j'ai besoin du nom de famille.

— Je ne sais pas. Je ne m'en souviens plus. J'étais si petite.

— Petite?

— Oh, vous ne comprendrez pas. C'était au Pérou, il y a longtemps. Plus de dix ans. M. Marc était venu installer l'électricité. Il avait travaillé avec Magda. Il y avait le *padre* Perron…

Devant l'air intrigué de la réceptionniste, Catalina s'interrompit.

— Excusez-moi, dit-elle en laissant échapper une larme, c'est ridicule. Je veux retrouver quelqu'un et je vous raconte ma vie.

La préposée à l'accueil lui tendit une boîte de papiers-mouchoirs.

— Je ne comprends rien à votre affaire, lui dit-elle en souriant, mais je peux essayer de vous aider.

La dame lui remit le nom du chef du service chargé des projets à l'étranger.

Par téléphone, il lui fut impossible de l'atteindre. Elle lui écrivit. Pas de réponse. Elle rappela et réussit enfin à parler à sa secrétaire.

— Quel est votre nom?

— Portal. Catalina Portal.

— Ah! Ma fille aussi se nomme Catalina.

Catalina profita de cette petite confidence pour intéresser la secrétaire à sa requête. Celle-ci lui promit de faire son possible.

Une semaine passa. Un matin, alors qu'elle allait partir pour l'université, le téléphone sonna.

— Mademoiselle Catalina Portal?

Catalina trembla. Seul son patron, Alexandre, connaissait son numéro de téléphone.

— Qui parle? demanda-t-elle d'une voix hésitante.

— On m'a dit que vous vous nommiez Catalina et que vous vouliez me parler. Je m'appelle...

L'homme n'eut pas le temps de terminer sa phrase.

— Marc! cria-t-elle.

— Euh... oui, je suis Marc. Marc Provost.

— Marc! Marc! Vous souvenez-vous de moi?

— Êtes-vous vraiment Catalina? La petite Catalina de Nampuquio?

— Oui, oui, Marc, c'est moi. Votre petite Catalina.

Elle pleurait de joie. Elle avait envie de hurler, de danser, de se blottir dans les bras de celui qui l'avait un jour protégée.

— Catalina... Ce n'est pas possible. Que fais-tu à Montréal? demanda Marc, bouleversé d'entendre pleurer cette jeune femme, comme il l'avait entendue pleurer lorsqu'elle n'était qu'une enfant.

La conversation dura une bonne demi-heure. Ils se donnèrent rendez-vous à midi. Marc quittait Montréal le soir même pour une mission au Maroc.

\* \* \*

Lorsqu'il la vit entrer au restaurant, Marc la reconnut sans hésitation. En la serrant dans ses bras, il eut l'impression de sentir le corps de Magda. Catalina était devenue une femme magnifique. Comme Magda, elle avait des yeux un peu tristes, des lèvres minces, de longs doigts effilés. Seule la couleur de sa peau, un peu plus foncée, la distinguait de Magda.

– Je ne vous aurais pas reconnu, Marc, dit Catalina.

– Moi, je t'ai reconnue.

– Il y a si longtemps pourtant...

– Onze ans, Catalina. J'ai fait le calcul.

– Vous...

– Tu peux me tutoyer. On se connaît quand même depuis longtemps !

Catalina essayait de gommer les tempes grisonnantes, d'oublier les lunettes pour retrouver le visage de cet inconnu qu'elle connaissait pourtant si bien. La conversation ne fut pas assez longue pour qu'ils se racontent ce qu'ils avaient vécu depuis toutes ces années. Il fut question de Magda et du rôle important qu'elle avait joué dans la vie de chacun.

– Je ne sais pas ce qu'elle est devenue, dit Catalina.

– J'ai de ses nouvelles de temps à autre. Une carte à Noël. Parfois une carte postale. Lorsqu'elle voyage.

– Est-elle déjà venue te visiter au Québec ?

– Non, pas encore. Mais ses nouvelles fonctions vont peut-être l'amener ici. Elle est devenue chef d'un parti politique.

— Magda, politicienne!

— Je crois qu'elle a toujours été une femme sociale-ment très engagée. Son cheminement ne m'étonne pas.

— Est-elle mariée? A-t-elle une famille, des enfants?

— Je ne sais pas.

Marc et Catalina promirent de se revoir.

— Au fait, dit Marc en réglant l'addition, pour quelle raison m'as-tu contacté maintenant, alors que tu vis à Montréal depuis trois ans?

Catalina lui expliqua son dilemme financier. Elle insista : elle ne voulait pas d'argent. Seulement un conseil, une façon de s'en sortir.

— Au fond, dit-elle, je n'avais personne à qui parler.

En le quittant, elle avait pris sa décision. Elle fonçait vers le Théâtre de Maisonneuve, demandait au direc-teur de lui offrir plus de travail. Elle avait en poche un petit mot de Marc qui connaissait l'homme, à qui il demandait de faire quelque chose pour Catalina.

À son retour du Maroc, Marc appela Catalina. Elle avait abandonné son travail au bar. Le directeur du théâtre l'avait mise en contact avec une agence de casting qui, depuis quelque temps, lui avait obtenu de petits contrats de figurante dans des messages publi-citaires. Bientôt, elle allait participer à une première émission de télévision.

— Tu me regarderas, dit-elle à Marc. C'est un gala télévisé où il faut occuper les places abandonnées par les gens qui doivent monter sur scène.

# 18

D'une salle à l'autre, le style de musique changeait. Jamais Catalina n'avait vu un bal comme celui-là. Les tables explosaient de couleurs sous de puissantes gerbes de fleurs tropicales. Les mille deux cents convives circulaient dans un froissement de robes et de chemises de soie qui, pour la nuit, leur laissaient croire qu'ils étaient tous riches et célèbres. Après le gala télévisé, Pablo avait invité Catalina à l'accompagner au banquet. Même s'ils n'étaient que des figurants, on leur avait remis des laissez-passer qui leur donnaient accès à l'une des plus belles fêtes que Montréal connaît chaque année pour célébrer ses artistes et artisans de la télévision.

Le jeune couple choisit de s'installer dans la salle où un orchestre latino-américain commençait à réchauffer l'atmosphère. Affamés, ils se mirent à table vers vingt-trois heures. Entre chaque service, ils allaient danser. Au retour, les assiettes souillées avaient été enlevées. Il ne leur restait qu'à se servir de nouveau à la longue table du buffet où une dizaine de cuisiniers préparaient les plats à la commande des invités. Pablo apporta deux verres de vin rouge. Catalina y trempa les lèvres.

— Tu ne me croiras pas, dit-elle, mais je n'ai jamais bu d'alcool.

— Ce n'est pas de l'alcool, répliqua-t-il, c'est du vin. Goûte !

Elle avala une petite gorgée. Elle sourit et en prit une autre.

Pablo était exactement de la même taille que Catalina. Ses yeux de charbon et ses cheveux noirs, légèrement ondulés, affichaient ses origines latino-américaines. Elle nota que son cou, solide, s'élargissait rapidement vers des épaules costaudes que son costume noir et sa chemise bleu ciel contribuaient à masquer. La douceur de sa voix et une délicatesse toute naturelle contrastaient avec l'homme fort et musclé qu'elle avait découvert en dansant. Elle se sentit en sa présence totalement à l'aise. Il y avait chez Pablo une certaine réserve qui donnait envie de le mieux connaître. Et, contrairement à beaucoup d'hommes, il savait écouter.

Toute la nuit, ils se laissèrent emporter par la musique, n'arrêtant que pour boire et s'émerveiller de faire partie de ce groupe de vedettes parmi lesquelles circulaient une dizaine de photographes gloutons qui, comme des chasseurs, remplissaient leur besace de centaines de clichés avec lesquels ils nourriraient les journaux à potins dès le lendemain. Pendant la pause des musiciens, Pablo et Catalina dérivaient vers la salle voisine où un autre orchestre malaxait les corps de plus en plus livrés au plaisir et à la folie.

— C'est délicieux! dit Catalina au serveur qui remplissait son verre.

Lorsque la lumière fut tamisée, Pablo entraîna de nouveau Catalina vers la piste de danse. Il l'enlaça en fixant son regard dans le sien. Elle détourna un peu la tête. Il l'embrassa dans le cou. Étourdie, elle se laissait porter par les bras de son cavalier dont elle ne connaissait que le prénom. Il la berçait plus qu'il ne la faisait danser. Elle eut envie de se blottir contre lui et de s'endormir. Les yeux fermés, elle imagina la mer, une barque, la lune ronde drapée de volutes diaphanes. Elle entendait le clapotis des vagues et le murmure d'un vent tiède qui lui caressait les cheveux. Elle sursauta. Les doigts de Pablo glissaient dans sa chevelure et lui massaient la nuque. Elle ouvrit les yeux : elle était étendue par terre et un serveur lui ventilait le visage avec un torchon. Elle s'était évanouie. Humiliée, elle se releva et, en titubant, voulut partir vers les toilettes. Pablo la fit asseoir.

– Catalina, ça va mieux?

– Je crois que j'ai trop bu, balbutia-t-elle. Excuse-moi.

Pablo raccompagna chez elle une Catalina exsangue qui déparlait autant en espagnol qu'en français. Parfois, son discours décousu bifurquait vers une langue inconnue qui amusait autant Pablo que le chauffeur de taxi. En mettant le pied hors de la voiture, elle fut prise d'un vertige qui la fit dégobiller. Pablo eut toutes les peines du monde à la reconduire à la porte de son appartement. Il dut fouiller dans son sac pour dénicher les clés pendant qu'elle soliloquait à forte voix. Il s'empressa de la faire entrer chez elle avant que les voisins ne viennent espionner ce qui se passait dans le corridor. Elle le supplia de ne pas la laisser seule.

– J'ai froid, je suis malade, j'ai peur, répétait-elle.

Il l'aida à se déposer par terre près de la cuvette dans la salle de bain. Il ne savait quoi faire d'elle. Les cheveux en bataille, la robe souillée, les jambes légèrement écartées, elle le regardait de ses grands yeux tristes où il crut voir une vie plus longue que pouvait lui permettre son jeune âge. Il enleva sa veste, releva ses manches et fit couler l'eau dans la baignoire.

– Catalina, je te suggère un bain chaud. Je te rappellerai demain matin pour prendre de tes nouvelles.

Elle n'eut pas le temps de lui répondre. Elle avait de nouveau la tête penchée au-dessus de la cuvette où elle tentait en vain de se purger l'estomac. Dans l'écho de la cuvette, il l'entendait lui dire :

— Ne me laisse pas seule. Prends soin de moi.

Elle voulut se relever mais faillit basculer dans la baignoire. Pablo la rattrapa. Elle s'accrocha à lui. Elle puait. Il détourna la tête, mais se sentit incapable de la laisser dans cet état. Il décida alors de faire un geste dont il se souviendrait toute sa vie.

Il la fit asseoir sur le couvercle fermé de la cuvette et commença à lui retirer ses vêtements. Elle le regardait comme si elle était absente de son corps, mais se laissait docilement déshabiller. Il lui enleva sa robe comme on déballe un cadeau précieux, craignant à tout instant de la voir exploser de colère. Au contraire, elle lui facilitait la tâche. Il s'arrêta devant le soutien-gorge et la petite culotte. Comment pouvait-elle ne pas se sentir humiliée de se retrouver ainsi, presque nue, devant un homme qu'elle ne connaissait que depuis quelques heures ? C'est plutôt lui qui était embarrassé. D'un geste lent, il fit glisser une bretelle, puis l'autre. Il dégrafa les morceaux de dentelles qui, en s'écartant, révélèrent deux petits seins qu'il essaya de ne pas toucher. Catalina fit elle-même tomber sa culotte et s'agrippa à lui pour entrer dans la baignoire. Elle s'allongea, plongea la tête sous l'eau et eut peine à se rétablir tellement elle était étourdie.

Pablo lui lava les cheveux. Il lui massait la tête autant qu'il la caressait. Elle s'abandonnait à ses doigts qui auraient pu glisser de sa chevelure vers ses épaules, ses bras, sa poitrine. Mais il continuait de faire mousser le savon, qu'il rinça ensuite avec la douche à main. Il promena le jet d'eau tiède sur le corps à demi submergé de la sirène éméchée qui semblait reprendre contact avec la réalité. Il s'inquiéta. Allait-elle hurler de se découvrir dans une baignoire, aux mains d'un inconnu qui lui lavait le corps? Elle esquissa un léger sourire. Une petite fissure de tendresse séparait ses lèvres et lui dessinait un air d'enfant. Pablo s'empara d'un drap de bain et l'y emmitoufla aussitôt qu'elle fut sortie de l'eau. Il lui épongea les cheveux, l'aida à s'allonger sur le lit et la regarda sombrer entre les oreillers comme ces poissons qui s'enfouissent dans le sable et se confondent avec le lit de la mer.

Le lendemain matin, soucieux, il composa le numéro de téléphone qu'il avait pris soin de noter avant de partir. Pas de réponse.

Il rappela à plusieurs reprises. Toujours sans réponse. En fin de journée, Catalina décrocha.

– Bonjour, c'est moi, Pablo. Je voulais prendre de tes nouvelles.

– Pablo?

Il soupira d'aise.

– Oui, oui, Pablo, le copain qui t'a accompagnée au bal hier soir.

– Ah oui. Excuse-moi. Je ne me souvenais plus que tu t'appelais Pablo. Comment as-tu obtenu mon numéro de téléphone?

Pablo se sentait de mieux en mieux.

– Oh, je te l'ai demandé avant qu'on se quitte. Tu ne te rappelles pas?

– Écoute, je dois te dire que je ne me souviens absolument pas de la fin de la soirée. Je ne bois jamais et, hier, disons que j'ai un peu trop bu! Alors, je ne sais même plus comment on s'est quittés. Je ne sais même pas comment je suis rentrée chez moi.

– Tu te sens mieux aujourd'hui?

– Oui, pourquoi?

– Bien, j'aimerais bien te revoir, si ça te plaît.

– Je ne dis pas non. D'autant plus qu'on ne s'est pas beaucoup vus hier soir, conclut-elle en riant. Disons demain.

* * *

Marc Provost capitula. Depuis qu'il avait rencontré Catalina, elle semblait s'être installée dans un coin de sa mémoire et ne plus vouloir le quitter. Il était heureux, sans plus, avec sa compagne Hélène dont il partageait la vie depuis huit ans. Mais les retrouvailles avec Catalina avaient ranimé en lui une petite flamme dont il devinait mal la source. La jeune femme de vingt ans pouvait être sa fille. Il ne l'avait connue que pendant quelques mois alors qu'elle n'était qu'une enfant. Mais, alors, pourquoi son image occupait-elle si souvent ses pensées? Il ne put résister à l'envie de la revoir. Elle fut ravie d'être invitée au restaurant. La semaine suivante, ce fut au théâtre. Puis, de nouveau au restaurant. Chaque fois, Marc rentrait chez lui sans avoir découvert la raison du magnétisme de Catalina. Elle était belle, séduisante, vive d'esprit, frondeuse, mais aussi secrète et insaisissable. Elle lui donnait l'impression d'être deux femmes à la fois : celle qu'il voyait et une autre dont il devinait l'ombre sans jamais réussir à l'identifier. Comme s'il l'avait déjà connue dans une autre vie. Ses yeux, son sourire, ses gestes le confondaient. Moins il comprenait, plus il s'acharnait à chercher la réponse.

Catalina fut réconfortée de revoir Marc. Elle était rassurée de le savoir là, quelque part dans son environnement, à mi-chemin entre le père et l'ami sur qui elle pouvait compter sans qu'il ne s'impose dans sa vie quotidienne. Lorsqu'elle passait plus d'une semaine sans le voir, sa présence lui manquait. Elle lui avait promis de ne jamais l'appeler à la maison et n'osait pas le déranger au travail. Elle attendait avec une certaine impatience le coup de fil par lequel elle serait à nouveau invitée à partager quelques heures avec lui. Ne voulant pas manquer son appel, elle se procura un répondeur téléphonique. À sa surprise, le premier message reçu fut laissé par Pablo. Il lui avait téléphoné à quelques reprises pour prendre de ses nouvelles. Cette fois, il lui offrait de travailler avec lui comme hôtesse au Salon de l'automobile de Montréal.

– Quatre soirées de travail, quatre cents dollars, lui disait-il. Rappelle-moi vite.

Elle ne pouvait refuser cet argent et l'idée de revoir ce copain l'amusa.

Le travail consistait à accueillir dans un salon privé quelques clients invités par un concessionnaire de voitures allemandes. Il suffisait d'être souriant, discret et de leur offrir à boire ou à manger avant que les vendeurs ne tentent de les convaincre de changer de voiture. Chaque soir, après le travail, Pablo et Catalina allèrent casser la croûte dans un resto-bar branché de la rue Saint-Denis où l'on pouvait aussi jouer au billard. Catalina s'amusait ferme avec son copain qui la faisait bien rire en mélangeant le français et l'espagnol pour lui raconter des histoires débridées. Elle découvrit son sens de l'humour, son côté moqueur et sa vivacité d'esprit qui lui permettaient des répliques cinglantes et iconoclastes.

– Je peux te poser une question? lui demanda-t-elle.

– Voilà, c'est fait. Tu viens de m'en poser une, répliqua-t-il.

– Je suis sérieuse, Pablo! C'est un peu personnel.

Pablo se dit que rien ne pourrait être plus personnel et intime que ce qu'il avait vu d'elle le soir où il l'avait rencontrée.

– Demande-moi ce que tu veux. Je te répondrai ce que je veux, répondit-il à la blague.

– Quel est ton nom de famille?

– Thomson.

– Ce n'est pas espagnol, Thomson.

– Non, c'est chilien! Mon arrière-grand-père paternel avait émigré d'Angleterre.

– Et toi, tu as émigré au Québec.

– Non. Mes parents ont fui la dictature au moment où ma mère était enceinte. Je suis Québécois. Né ici.

– Et tu parles encore espagnol.

– Oui. Je fais aussi partie d'une petite troupe de théâtre qui joue en espagnol.

– Tu es acteur! interrompit Catalina, émerveillée.

– Amateur. J'ai fait des études en informatique. Et toi?

– J'étudie le droit, mais je rêve d'être comédienne.

– Je peux aussi te poser une question indiscrète?

Pablo allait lui demander quelle était cette langue inconnue qu'elle parlait dans le taxi le soir du gala télévisé. Mais il changea vite d'avis afin de ne pas se compromettre et risquer de l'humilier.

– Comment es-tu arrivée au Québec? demanda-t-il.

Il sentit Catalina se refermer. Il s'en voulait de s'être introduit si vite dans sa vie.

– Une bourse. J'ai obtenu une bourse d'une communauté religieuse à Lima pour étudier le droit. Allez, on fait une autre partie, trancha-t-elle en frappant sa baguette sur la table de billard.

Tous les deux semblèrent soulagés de refermer cette porte sur les origines de Catalina. Elle le trouvait d'ailleurs délicat et attentif à son égard. Il la flirtait doucement sans insister. Elle adorait se sentir désirée, mais demeurait assez distante pour qu'il ne se fasse pas d'illusions.

Le dernier soir du Salon de l'auto, une jolie femme entra dans la zone du concessionnaire de voitures allemandes. Catalina s'approcha.

– Bonsoir, madame. Soyez la bienvenue. Je suis Catalina. Puis-je vous offrir quelque chose à boire?

– Merci. J'attends mon mari. Nous nous sommes donné rendez-vous ici.

Élégante, dans la mi-quarantaine, elle portait un tailleur et un sac à main griffés. Quelques minutes plus tard, Pablo accueillit un homme qui semblait pressé.

– Bonsoir, monsieur. Bienvenue chez...

– Ma femme doit me rencontrer ici. Je suis en retard, coupa-t-il en s'avançant.

Catalina leva les yeux et resta figée. L'homme s'immobilisa et vit sa femme assise sur un canapé. Il semblait incapable de continuer à avancer vers elle. Son regard passa de Catalina à sa femme qui ne l'avait pas encore aperçu. Il fit un signe de la tête à Catalina, pour lui faire comprendre de ne rien dire. Catalina vit alors Marc Provost se diriger vers sa femme et l'embrasser sur la joue.

– Je m'absente deux minutes, chuchota Catalina à l'oreille de Pablo.

Lorsqu'elle revint, elle fit signe à Pablo de s'approcher.

– Le couple, il est parti?

– Oui, avec le vendeur. Pourquoi?

– L'autre soir, au billard, je t'ai parlé d'un homme que j'avais connu, toute petite. Eh bien, c'est lui, Marc Provost.

– Pourquoi ne lui as-tu pas parlé?

– Je crois que sa femme ne sait pas que nous nous rencontrons parfois. J'ai failli faire une gaffe en le saluant par son prénom devant elle.

Pablo eut l'impression d'avoir vu un rival. Un autre mâle qui rôdait autour de celle qu'il convoitait. Il fut lui-même étonné de ce sentiment de propriété qu'il n'avait jamais senti aussi fort. D'instinct, il se rapprocha de Catalina. Depuis cette fameuse soirée où il l'avait ramenée ivre chez elle, depuis qu'il avait eu accès à son intimité la plus secrète, il avait le sentiment d'avoir acquis la priorité auprès d'elle. Mais, derrière ce moment si secret, il devinait l'existence d'une autre dimension dont il ignorait encore la profondeur. Comme si, au bout d'un corridor, se cachait un univers dont il n'avait encore découvert ni la porte ni la clé. C'est pourquoi il l'abordait avec douceur, pour ne pas l'effaroucher et lui donner le temps d'apprivoiser sa présence.

Lorsque Marc Provost et sa compagne, Hélène, revinrent vers le vestiaire du salon, Catalina leur rendit les manteaux et les salua en fixant Marc dans les yeux pendant une petite seconde qui parut trop longue à Pablo. Marc semblait intimidé et pressé de partir.

— On retourne au billard ce soir? demanda Pablo.

— Non, fit Catalina en bâillant. Fatiguée. Je me couche tôt.

* * *

La semaine suivante, Pablo invita Catalina à la première d'une pièce présentée par la troupe latino-américaine dont il faisait partie.

— Viens me voir en coulisses après le spectacle, lui dit-il.

Dès son arrivée dans la petite salle, Catalina se sentit de retour en Amérique latine. Elle ne connaissait personne, mais eut le sentiment de se retrouver parmi les siens.

— Dommage que je n'aie pas connu l'existence de ce théâtre plus tôt, dit-elle à Marc, qu'elle avait prié de l'accompagner.

— La seule fois que j'ai vu une pièce jouée en espagnol, ce fut à Lima, avec Magda et son père.

— À cette époque, dit Catalina, mon théâtre à moi était plutôt dans la rue.

Il ne fut plus question de Lima, ni de Magda. Les trois coups firent lever le rideau sur la pièce en un acte d'un dramaturge chilien qui racontait l'histoire d'un père forcé de dénoncer le fiancé de sa fille auprès de la dictature pour sauver la vie de cette dernière. Une tragédie, plutôt bien interprétée, mais qui permit à Catalina d'imaginer ce qu'aurait pu être sa vie si elle avait grandi dans une famille normale au Pérou. Elle s'imagina, étudiant le théâtre à Lima et obtenant son premier rôle. Elle se revit à Ciudad Guatemala, le soir où elle avait eu le premier choc de sa vie face à une scène. Le salut de la vedette. Son sourire. Sa complicité. Et cette réponse : « Je suis une actrice. »

Après la représentation, elle se dirigea vers les coulisses. Marc voulut l'attendre, mais elle insista pour qu'il l'accompagne. Elle embrassa Pablo en le félicitant. Lorsque le jeune comédien vit Marc derrière Catalina, il lui demanda sèchement :

– Tu le vois le soir, maintenant?

– Pablo, qu'est-ce que tu dis là? C'est un ami de longue date.

Marc devina le malaise de Pablo. Il s'approcha et le félicita en espagnol.

– Il y a longtemps que je n'avais eu l'occasion de voir une pièce en espagnol, lui dit-il. Merci. Vous m'avez fait passer une agréable soirée.

– Si vous voulez revenir avec votre femme, faites-le-moi savoir. Je vous réserverai des billets, lui répliqua Pablo en se démaquillant.

– Merci, c'est gentil. Mais elle ne comprend pas l'espagnol.

Se tournant alors vers Catalina, Marc lui dit qu'il devait rentrer rapidement et qu'il ne voulait pas la forcer, elle, à rentrer immédiatement.

– Ne te gêne pas pour moi, dit Marc. Si tu veux finir la soirée avec ton copain, ce sera sans doute agréable pour vous deux.

Catalina se sentit coincée. Elle trouvait apaisantes et reposantes les heures passées avec Marc. Elle l'écoutait comme on prête attention à un grand frère, un père, peut-être. Mais l'idée de finir la soirée avec Pablo la séduisait aussi. Il y aurait les autres acteurs, des gens de son âge, une soirée sans doute excitante. Ses liens avec Marc se nourrissaient des souvenirs du Pérou, un pays qu'elle n'avait pas eu le temps de connaître, alors que la complicité avec Pablo plongeait ses racines dans la culture hispano-américaine que le jeune homme n'avait jamais connue.

— D'accord, fit-elle. Merci d'être venu. J'ai cru que ça te ferait plaisir.

Marc sourit et la laissa finir la soirée avec Pablo.

# 19

– Catalina Portal, peut-on espérer vous voir jouer un jour en français?

La question de la journaliste illumina son visage.

– Oui, je l'espère, répondit Catalina. Mais je ne sais pas si en français on accepterait aussi bien mon accent espagnol qu'on accepte en espagnol mon accent québécois.

Cette réponse astucieuse mit fin à l'interview télévisée.

Depuis une semaine, Catalina étonnait les amateurs de théâtre et le milieu hispanophone de Montréal. Il avait suffi d'un seul article louangeur du redoutable critique d'un hebdo culturel pour que les autres journalistes s'intéressent à la production de la troupe de Pablo, dont Catalina était membre depuis un an. On lui avait d'abord confié quelques rôles de figuration. Puis, à la suggestion de Pablo, elle s'était jointe à une équipe de la Ligue nationale d'improvisation qui, chaque semaine, rassemblait un public friand de ces joutes théâtrales où, sur un thème fourni à la dernière minute, des acteurs improvisent des histoires rocambolesques et délirantes. Dans cette arène théâtrale, Catalina avait acquis du tonus, de la présence et de l'assurance. Dans la plus récente production de la troupe dont Pablo était devenu le directeur, il lui avait confié un rôle important qui avait révélé son talent et sa passion pour les planches. Jusqu'à maintenant, elle avait réussi à conjuguer son intérêt pour le théâtre et ses études de droit. Mais elle sentait que sa carrière de plaideuse s'effaçait de plus en plus devant celle de comédienne.

*  *  *

— Tiens, ton actrice! Il y a longtemps que tu l'as revue? demanda Hélène en montant le volume de la télé.

— Quelques mois, répondit Marc en hésitant un peu. Et puis, ce n'est pas «mon actrice», comme tu dis; je l'ai connue enfant, perdue dans les rues de Lima. C'était il y a une douzaine d'années. Treize exactement. Quand même étonnant qu'elle se retrouve ici, non?

— Qu'elle se retrouve à Montréal, non. Mais qu'elle t'ait retrouvé toi, ici, ça c'est plus étonnant!

Marc ne répondit pas. Depuis qu'il avait parlé de Catalina à Hélène, celle-ci avait commencé à s'interroger sur sa relation avec la jeune comédienne. Parfois elle y faisait allusion lorsque, dans la presse, on parlait du Pérou. Marc ne réagissait pas, mais il en était agacé. Jamais Hélène n'avait agi ainsi au cours des neuf dernières années. Elle n'avait aucune raison de se méfier de Catalina, que Marc n'avait revue qu'à deux ou trois reprises. Surtout qu'il n'y avait rien entre elle et lui. Rien, sauf cette présence qui, comme un fantôme, traversait l'arrière-chambre de sa mémoire. L'image de Catalina le hantait. Non pas l'image de l'enfant, mais celle de la femme qui émergeait comme s'il l'avait connue adulte, il y a longtemps. L'attitude d'Hélène le frustra au point où il décida, par défi non avoué, de contacter Catalina.

* * *

– Oh oui, Marc, répondit Catalina. Mais la pièce se termine vers vingt-deux heures trente. On pourrait peut-être souper ensemble, si ça te convient.

Pour un tête-à-tête, il fallait éviter les restos à la mode. Le restaurant de l'hôtel *Quatre-Saisons* était un des meilleurs en ville, fréquenté surtout par des touristes et des voyageurs. Dans la pénombre, loin de la table d'un groupe d'Allemands bruyants, Marc invita Catalina à s'asseoir dos à la salle; elle n'aurait ainsi personne d'autre à regarder que lui. Après avoir pris de ses nouvelles et écouté distraitement le récit de son aventure théâtrale, il choisit la pause entre le plat principal et le dessert pour s'ouvrir à elle.

– Catalina, depuis que nous nous sommes retrouvés à Montréal, j'ai l'impression que je t'ai toujours connue, mais comme femme.

Catalina se caressa le cou comme elle le faisait toute petite pour faire face à une émotion troublante.

– C'est sans doute parce que tu ne m'as pas vraiment connue enfant, dit-elle.

– Montre-moi tes mains, dit Marc.

Il prit ses mains dans les siennes, en les retournant et les palpant.

– Tu vois, lorsque je te touche, lorsque je te regarde, je suis convaincu de t'avoir déjà vue, déjà touchée avant Montréal. En te serrant dans mes bras, la première fois que je t'ai revue, il y a plus d'un an, j'ai vraiment eu l'impression de t'avoir déjà tenue entre mes bras.

Il ne cessait de lui palper les mains. Elle se laissait caresser, à la fois émue et curieuse. Elle avait aussi déjà vécu certains moments où elle avait eu le sentiment de revivre une parcelle d'existence. Pablo lui avait un jour parlé d'un auteur français, Marcel Proust, dont

165

toute l'œuvre reposait sur ces instants fugaces qu'on croit avoir déjà vécus. Au théâtre, on avait déjà demandé aux comédiens d'improviser sur ce thème. Elle imagina que Marc éprouvait ce même sentiment. Elle en fut amusée, mais ne le fit pas voir, tellement il semblait être touché par ce retour dans un passé indéfini. Elle joua le jeu.

– Peut-être nous sommes-nous connus dans une autre vie, suggéra-t-elle.

– Ou simplement dans cette vie, enchaîna Marc avec tendresse. Catalina, il ne se passe pas une semaine sans que ton image n'apparaisse dans ma tête. Je veux comprendre.

– Il n'y a rien à comprendre, Marc, c'est comme ça.

– Tu as raison. Il ne faut pas essayer de comprendre. Il faut accepter de le vivre.

Catalina commençait à être embarrassée. Marc ne lui faisait pas la cour, comme Pablo. Il lui permettait de pénétrer dans son univers secret. Il l'invitait à voyager en lui. Elle fut incapable de résister. Intimidée, curieuse, elle accepta de le suivre dans l'exploration de cette relation qu'il croyait avoir eue avec celle qu'il croyait reconnaître en elle. Elle était flattée de se retrouver au cœur d'une aventure dont elle était à la fois le sujet et l'objet.

Il lui raconta sa vie comme on fouille dans un grenier, en se disant qu'il finirait par y retrouver le moment où il l'avait connue. Le vin aidant, Catalina se laissa bercer par le récit de cette existence qui avait amené Marc à voyager sur trois continents, semant des pylônes, tissant des réseaux électriques, offrant la *luz* à des milliers de personnes qu'il ne revoyait jamais. Il s'attarda sur son passage au Pérou, tout en évitant de parler de sa relation passionnée avec Magda. Il avait l'impression que cette aventure n'avait jamais trouvé

166

sa fin et ne voulut pas partager avec Catalina des secrets qui n'appartenaient qu'à lui et à Magda. Lorsque le maître d'hôtel annonça la fermeture du restaurant, Catalina proposa de prolonger la conversation dans un bar, rue Saint-Denis.

– Trop bruyant, fit Marc. J'ai une idée plus simple. Je loue une chambre, ici, à l'hôtel. Et on poursuit notre voyage.

Catalina nota qu'il avait dit « notre » voyage.

Ils se retrouvèrent dans une chambre où il s'empressa d'éteindre les lampes. À leurs pieds, Montréal scintillait. Ils abaissèrent la toile et s'isolèrent de la ville, de la vie pour poursuivre leur aventure à la recherche de Catalina.

À son tour, elle livra un morceau de sa vie. Marc fut étonné de l'entendre décrire avec autant de détachement la violence dont elle avait été victime. Des scènes dont elle arrivait même à rire, comme si, encore aujourd'hui, pour survivre, elle racontait le scénario de la vie d'une autre personne.

Fatigués, ils s'étaient allongés sur le lit. Elle se laissa glisser dans les bras de Marc. En silence, il lui caressait les cheveux, laissant ses doigts explorer ce visage qu'il ne voyait pas. Il allait prolonger son geste vers sa poitrine lorsqu'il eut soudain l'impression de revivre la première nuit où Magda s'était abandonnée dans ses bras. Il en fut paralysé. Il pouvait tromper sa femme, mais pas Magda. Et, avec Catalina, il avait la certitude que c'était Magda qui allait en souffrir.

Marc déposa Catalina chez elle au moment où le soleil allait jeter une lumière indécente sur les confidences de la nuit. Catalina le remercia pour le beau voyage. Leurs lèvres s'effleurèrent comme pour sceller le secret de leur rencontre.

\* \* \*

— Montre-moi comment tu fais.

Catalina prenait un plaisir fou à jouer au billard. Trois fois par semaine, elle se rendait au *Bacci*, rue Saint-Denis, où elle retrouvait Pablo qui lui apprenait de nouveaux trucs, des stratégies ingénieuses pour «vider la table», comme il disait. Cette fois, il lui enseignait comment faire bondir une bille par-dessus une autre. Il se plaça derrière elle, collant son corps contre le sien. Il l'entoura de ses bras et guida ses mains sur la baguette. Pendant qu'elle étudiait l'angle de frappe, il approcha ses lèvres de son cou et l'embrassa avec délicatesse. Elle frémit et frappa la bille, qui bondit par-dessus l'autre bille.

— Tu vois, lui dit-elle, tu me fais de l'effet!

Pablo rougit. Son cœur battait si vite qu'il n'arriva pas à répéter l'exploit de Catalina.

— Tu vois, toi aussi tu me fais de l'effet, lui dit-il.

Depuis plus d'un an, Catalina laissait Pablo l'approcher tout en sachant s'esquiver au moment où elle entrevoyait que leur relation pourrait passer de la grande amitié à l'amour. Elle adorait se réfugier dans cette zone de tendresse et d'émotions qui la sécurisait, tout en lui servant de paravent à l'explosion des passions qu'elle sentait monter chez Pablo. Lui avait choisi le long détour de la patience plutôt que la fougue envahissante qui risquait de la faire fuir. Romantique, il avait toujours rêvé d'un univers de douceurs et de tendresse où il aurait pu s'évader de la vie dure que ses parents, réfugiés politiques, avaient menée.

Les Thomson avaient tout sacrifié pour faire instruire leurs trois enfants qui, très jeunes, s'étaient habitués à devoir en faire plus que les autres pour obtenir le même confort et les mêmes avantages. À vingt-neuf ans, Pablo se sentait parfois comme s'il en avait quarante.

Sa rencontre avec Catalina l'avait rajeuni. Il était toutefois tiraillé entre son désir de la séduire et la crainte de l'effaroucher, la vie ne lui ayant jamais appris à accepter le risque de tout perdre. C'est ainsi que, après avoir étudié l'informatique pour rassurer ses parents, il avait canalisé l'énergie de la passion vers le théâtre où il pouvait tout donner à son personnage.

\* \* \*

Catalina composa le numéro de Pablo.

– Tu as vu ma pub, ce soir, à la télé? demanda-t-elle.

– Je l'ai ratée. J'ai été retenu au théâtre. Je suis crevé, dit Pablo en décapsulant une bière. As-tu mangé?

– Non, j'allais me faire des pâtes.

– Pourquoi ne viens-tu pas prendre une bouchée avec moi?

Depuis quelques mois, Catalina avait laissé Pablo entrer dans sa vie. Elle habitait à quelques rues de son amant, mais tenait à préserver son territoire. Pas question d'emménager avec lui. Jusqu'à maintenant, ils avaient réussi à cacher leur relation aux autres membres de la troupe, mais tous se doutaient qu'il y avait une intimité entre ces deux-là et une complicité exceptionnelle. Pablo croyait l'avoir séduite, alors qu'elle avait simplement ouvert la porte à l'affection qui lui manquait. De peur de la faire fuir, il masquait la passion amoureuse qu'elle allumait en lui. Et, de peur de le décevoir, Catalina savait aussi travestir son besoin de tendresse en demi-passion. Dans ses bras, lorsqu'elle s'abandonnait, il subsistait toujours un petit espace où elle pouvait se réfugier à défaut de pouvoir s'évader. Elle ne feignait pas l'amour; elle se laissait aimer.

* * *

Le succès de Catalina sur scène multiplia les petits contrats. Elle se risqua même à jouer en français avec Pablo dans une pièce où ils tenaient le rôle d'un couple de jeunes immigrés. Pablo se sentait de plus en plus fier de l'avoir emmenée vers le théâtre. Il jouait subtilement les Pygmalion, lui ouvrant les portes de certaines agences de publicité grâce auxquelles elle arrondissait ses fins de mois. Finalement, elle abandonna ses cours de droit pour se consacrer à sa carrière d'actrice. Cependant, chaque fois qu'elle devait prendre une décision importante, elle contactait Marc qui se faisait une joie de la revoir et de la conseiller. Il alla même jusqu'à lui faire obtenir un contrat pour un message publicitaire sur les avantages du chauffage à l'électricité.

* * *

– Tiens donc, lança Hélène en ricanant. Ton actrice vante Hydro-Québec, maintenant. Un hasard, sans doute !

– Oui et non, répondit Marc. Elle se cherchait du travail. Je lui ai suggéré de s'adresser à l'agence qui est responsable de notre publicité.

– Et, évidemment, ils ont eu la bonne idée de ne pas déplaire à monsieur le vice-président !

– Hélène, j'en ai assez de ces allusions ! Cette enfant, je l'ai connue...

– Oui, je sais, coupa-t-elle. Ça fait cent fois que tu me la racontes, celle-là. La pauvre petite abandonnée dans les rues de Lima, rescapée par ta copine Magda, abandonnée dans les montagnes et, finalement, sauvée du grand malheur par la rencontre providentielle avec Marc Provost...

– Mais, ma foi, tu me fais une crise de jalousie !

Lorsqu'ils s'étaient rencontrés, il y a près de dix ans, Marc et Hélène avaient d'abord partagé la passion du succès. Du même âge, tous deux séparés, sans enfants, ils étaient en pleine ascension dans leur carrière professionnelle. Ils se trouvaient beaux, s'admiraient mutuellement et n'avaient pas le temps de s'affronter, puisque Marc voyageait beaucoup et qu'Hélène avait déjà tissé autour d'elle un réseau d'amis et de copines avec qui elle partageait de nombreuses heures à sortir et à s'amuser. Ils vivaient dans un superbe condo, dans l'île des Sœurs, un ghetto bourgeois un peu en retrait de la ville d'où ils apercevaient, d'un côté, le fleuve Saint-Laurent et, de l'autre, le profil des gratte-ciel de Montréal. De leur terrasse, ils avaient le sentiment de dominer la vie. Ils avaient inséré leur relation amoureuse dans une vie professionnelle par laquelle, tous les deux, s'étaient d'abord définis et sécurisés. Ils en étaient venus à croire qu'il fallait s'aimer comme il faut s'alimenter. Ils vivaient en périphérie de tout, tant du cœur de la ville que du cœur de leurs émotions.

— Marc, que se passe-t-il entre elle et toi? demanda Hélène.

Le ton était si ferme que Marc eut l'impression que, même s'il disait la vérité, elle ne le croirait pas. Sa réponse le surprit lui-même.

— Il ne se passe rien. Il ne s'est jamais rien passé. Mais, si ça continue, il pourrait bien se passer quelque chose qui ne sera peut-être pas ce que tu penses.

— Que veux-tu dire? demanda-t-elle en abaissant le ton.

— Je veux dire… que tu m'emmerdes!

Il se leva et sortit de la maison.

«Quelle connerie! se dit-il en roulant sur l'autoroute. Tu veux aider quelqu'un et tu te le fais reprocher. Merde!»

Il ne put toutefois s'empêcher de penser qu'il désirait peut-être cette Catalina plus qu'il ne se l'avouait. En lui obtenant ce contrat de publicité, n'avait-il pas étalé son attachement à cette jeune femme sur tous les panneaux-réclame du Québec?

* * *

Depuis leur querelle à propos de Catalina, Marc et Hélène évitaient de partager de trop longues heures ensemble. L'appartement était devenu un lieu de passage, une sorte de zone démilitarisée où chacun essayait de faire le moins de vagues possible. Marc était angoissé et Hélène, malheureuse. Pendant qu'elle multipliait ses heures de travail comme directrice administrative d'un grand cabinet d'avocats, lui planchait sur de nouveaux projets de développement de la clientèle étrangère de la société d'État. L'image de Catalina le hantait de plus en plus. À plusieurs reprises il composa son numéro de téléphone pour raccrocher aussitôt. Il se sentait coincé entre son envie de la revoir et la volonté obstinée de faire la preuve à Hélène qu'elle se trompait dans son évaluation de ses relations avec Catalina. Un jour, il se décida à prendre contact avec elle.

— Il y a longtemps que j'ai eu de tes nouvelles, dit Catalina.

— Débordé. Je suis débordé. Mais j'ai une proposition à te faire. Tu es libre au cours du week-end?

— Oui.

— J'ai affaire à New York. Je t'emmène. On part jeudi soir et on rentre à Montréal lundi en fin de journée.

— New York! Mais, Marc...

— Tu as dix secondes pour dire oui!

— Je n'ai jamais mis les pieds aux États-Unis.

*  *  *

Catalina écarta les rideaux de la chambre du *Saratoga Springs Hotel* au moment où la lune, presque ronde, émergeait derrière les sommets des Adirondacks. Elle se retourna vers Marc qui, debout dans l'embrasure de la porte des chambres mitoyennes, la regardait comme s'il la voyait pour la première fois. Un petit frisson la secoua.

— Quelle chambre préfères-tu? lui demanda-t-il, ne sachant rien dire d'autre.

Ils avaient quitté Montréal en fin de journée. Marc avait suggéré de dormir en route de manière à découvrir New York de plein jour, le lendemain. Après une douche, elle se glissa dans son lit près de la fenêtre. Elle n'avait pas complètement fermé la porte séparant les deux chambres contiguës. Avant de se coucher, Marc frappa à la porte et vint s'asseoir près d'elle, sur le lit.

— Tu connais l'auteur Marcel Proust? lui demanda-t-elle.

Surpris, Marc balbutia que, oui, il en avait déjà entendu parler sans l'avoir lu.

— On m'a dit qu'il avait écrit toute son œuvre à partir de la mémoire involontaire. Eh bien, j'ai l'impression d'avoir déjà vécu un instant comme celui que nous vivons. Une chambre, des montagnes, la lune.

— Et tu dormais par terre, sur des coussins, enchaîna Marc.

Catalina fut projetée dans le passé.

— Tu as déjà vécu cette situation lorsque tu avais huit ans, continua Marc en lui caressant les cheveux. Il y avait toi, Magda et moi. Tu avais dormi dans la même chambre que nous. Tu portais un foulard autour du cou. Rouge. Tu ne voulais jamais l'enlever. Magda m'avait dit que, parfois, tu parlais à ton foulard.

– Tais-toi, interrompit Catalina. Ne parle pas de ce foulard.

– Excuse-moi. Je ne savais pas...

– Ce n'est rien.

Elle se releva dans son lit, mit les mains autour du cou de son compagnon et l'embrassa sur les joues.

– Marc, j'ai sommeil.

– Bonne nuit, dit-il en se retirant dans sa chambre.

Il n'arrivait pas à dormir. Il s'en voulait d'avoir joué celui qui sait plutôt que celui qui désire. Il se leva et entrouvrit la porte. La lune répandait un voile opalescent sur le lit de Catalina. Il la regarda dormir, comme il avait déjà observé Magda étendue à ses côtés. Il regagna son lit, laissant entrouverte la porte qui séparait le rêve de la réalité.

* * *

Catalina avait dit ne percevoir aucune différence entre le Canada et les États-Unis, jusqu'à ce qu'elle découvre le profil de New York. Muette d'étonnement, elle eut l'impression d'être aspirée dans la plus grande caverne du monde où des stalagmites de verre et d'acier pointaient leurs flèches arrogantes vers un ciel qui ne pouvait que leur appartenir.

Pendant que Marc s'absentait pour sa réunion, elle se laissa séduire par Central Park qu'elle parcourut seule, étonnée de n'y sentir aucune agressivité, aucun stress. Le couple se retrouva à la tombée du jour dans une chambre du trentième étage de l'*Essex House* dont les fenêtres surplombaient le parc et ses promeneurs. Marc l'attira vers lui.

– Ici, il n'y a pas de passé. Il n'y a que le présent.

Elle se laissa embrasser.

Lorsqu'ils sortirent du lit, la nuit était tombée depuis quelques heures. Catalina sourit à Marc et, en silence, alla se réfugier dans l'eau chaude de la baignoire. Elle s'épongea le visage pour mieux noyer quelques larmes furtives. Marc avait été tendre et fougueux. Elle s'était encore une fois évadée de son corps de femme pour protéger son âme de petite fille.

# 20

Un tourbillon de bulles signala la remontée des plongeurs. Deux têtes émergèrent à la surface de l'eau. Franco dégagea le tube d'air comprimé de sa bouche. Magda l'imita.

— Extraordinaire! s'exclama-t-elle, essoufflée. Je n'aurais jamais cru que c'était si beau.

Son père lui indiqua qu'il était heureux de sa réaction en lui faisant un signe de victoire avec le pouce. Les deux gardes du corps de Magda, assis sur la grève, jetèrent un regard circulaire pour vérifier si rien ne menaçait «la patronne», comme ils s'amusaient à l'appeler.

Depuis son élection à la tête du Parti du peuple, il y a cinq ans, Magda recevait régulièrement des menaces de mort à cause des politiques de gauche défendues par son parti. À quarante-quatre ans, elle était dans une forme splendide, surtout depuis qu'elle avait fait le deuil de la maternité et que son père l'avait convaincue de faire du sport. Aujourd'hui, elle avait accompagné Franco pour sa première expérience de plongée. Il avait aussi en tête de forcer sa fille à se relaxer avant d'engager un des plus durs combats politiques de sa jeune carrière : convaincre son propre parti de faire campagne sur la bonne gestion des affaires de l'État plutôt que sur le thème traditionnel de la lutte à la pauvreté. Dans quatre ans, à l'occasion des élections générales, elle serait candidate à la présidence. Il fallait dès maintenant amorcer un virage stratégique.

— Je veux bien me battre pour améliorer la gestion des affaires de l'État, dit Magda, mais je ne peux pas laisser tomber les plus démunis; c'est soixante pour cent de la population.

Assise aux côtés de Franco qui conduisait, elle réfléchissait à voix haute. Derrière la Mercedes, la voiture des gardes du corps suivait sans laisser quiconque s'interposer entre les deux véhicules. Ils roulaient vers Lima.

— Personne ne doutera de votre engagement envers les pauvres, dit Franco. Depuis le temps que ton parti se bat pour eux, pour améliorer le sort des femmes et des enfants, tout le monde sait où vous logez. Mais il faut renouveler le discours. Tu pourras toujours répondre à tes détracteurs que, avec une meilleure gestion des fonds publics, il y aura plus d'argent pour les plus démunis. Et, avec un discours économique, tu pourras aller chercher une portion de l'électorat qui ne vous a encore jamais appuyés.

Franco ralentit. Des travaux de réfection de la route obligeaient les voitures à faire un détour par une route secondaire. Le soleil allait disparaître. Franco alluma les phares. Les gardes du corps firent des appels de phares pour l'inviter à les laisser passer devant. Il ne comprit pas le message et fonça sur la petite route. La discussion continuait entre le père et la fille lorsqu'une fourgonnette surgit et coupa la route. Franco ralentit. D'un mouvement sec, la voiture des gardiens le doubla et vint se placer entre celle de Franco et la fourgonnette, d'où sortirent trois hommes. Leur visage était couvert d'un passe-montagne noir. Ils firent feu vers la Mercedes, mais les balles se logèrent dans la voiture des deux gardiens.

— Couche-toi! cria Franco à Magda qui se jeta sous le tableau de bord.

La Mercedes s'immobilisa dans un fossé. Franco s'allongea vite sur le siège pendant que des rafales de fusil mitraillaient le silence de la campagne. Puis, rien. Comme cet instant vide qui sépare toujours le jet de l'éclair du coup de tonnerre. Toujours rien. Magda entendit alors des portières claquer et la fourgonnette s'éloigner. Elle fit signe à Franco, qui tremblait, de demeurer couché. Au pas de course, les gardes du corps s'approchèrent. L'un d'eux saignait à hauteur de l'épaule droite, ce qui ne l'avait pas empêché de dégainer son arme pour tirer.

Franco lui fit un garrot et nettoya la plaie. Calme, Magda donnait des ordres à l'autre gardien.

– Non, Ramon, vous ne contactez ni la police ni l'armée.

– Madame, ce sont les ordres.

– Oui, mais j'ai de bonnes raisons de croire que certains hauts gradés étaient au courant de l'attentat bien avant qu'il ne se produise.

– Bien. Alors on ne prend aucun risque. Mon collègue Manuel va monter avec votre père, qui conduira sa Mercedes. Vous, vous montez avec moi dans ma voiture. Nous allons rentrer à Lima, les armes à portée de la main.

Chemin faisant, Magda confia à son protecteur qu'elle avait été informée, quelques semaines auparavant, d'une rumeur d'un attentat contre sa personne.

– Et vous ne m'en avez pas dit un mot! fulmina l'homme.

– La rumeur allait beaucoup plus loin : on me mettait même en garde contre vous, dit-elle. La popularité de notre parti inquiète la droite et une partie des officiers de l'armée. Mieux vaut rentrer à Lima sans alerter quiconque pour l'instant. Vous verrez, cet incident va peut-être nous servir.

Le surlendemain, à la une des journaux, Magda était photographiée en compagnie de son père. Toute la journée, elle donna de nombreuses interviews à la radio et à la télévision. La presse étrangère prit contact avec elle. Maintenant, tout le monde savait qu'elle incarnait le changement au Pérou.

– En s'attaquant à moi, on s'est attaqué à celle qui a toujours parlé au nom du peuple, répétait-elle.

* * *

– Tu vois, lui dit Franco, tu n'as plus à craindre. Tu seras plus que jamais protégée. Et personne ne doutera que tu parles au nom des plus démunis. Tu peux maintenant faire campagne sur le thème de la bonne gestion des affaires de l'État.

Franco et sa fille étaient attablés au *Playa Blanca* où Clara leur avait intimé l'ordre de venir tout lui raconter. Cette menace de mort avait ressoudé, pour l'instant, la petite famille. La porte du restaurant était sous surveillance et les gardes du corps de Magda mangeaient à la table voisine de la patronne.

– Tes clients en ont sans doute beaucoup parlé, dit Franco à Clara.

– Oui, les gens tentaient de me réconforter.

– Quels hypocrites! dit Magda. Ils sont presque tous de droite et bien malheureux de voir ta fille militer à gauche!

– Peut-être, répondit Clara. Mais, du côté des bidonvilles, ce matin, j'ai entendu beaucoup de commentaires admiratifs à ton égard.

– C'est ce que je te disais, ajouta Franco. Tu n'as plus à faire la preuve de ton engagement envers les pauvres.

Magda rassura sa mère et déposa son père chez lui. À son arrivée chez elle, un de ses gardiens insista pour entrer avec elle.

– Mon Dieu! s'écria-t-elle en ouvrant la porte de l'appartement situé à l'étage d'un petit immeuble.

Tout avait été saccagé. Des traces d'excréments maculaient les murs de sa chambre. À la peinture rouge, on avait inscrit sur un mur du salon : « Salope! » Les tableaux avaient été lacérés.

– Ce sont les seuls souvenirs de Roberto qu'il me restait, dit-elle en éclatant en sanglots.

Le garde du corps avait vite appelé du renfort. En quelques minutes, plusieurs voitures de police encerclaient l'immeuble. Les enquêteurs frappaient aux portes des voisins.

Magda demanda qu'on n'alerte pas son père et se fit reconduire chez Clara, qu'elle avait informée au milieu de la nuit.

L'enquête démontra que le méfait avait été commis dans la soirée. Pour commettre leur délit, les voyous avaient fait évacuer le bâtiment en actionnant le système d'alarme contre les incendies. Pendant que les voisins de Magda se retrouvaient dans la rue, les vandales forçaient la porte arrière.

– Ils devaient être trois ou quatre, expliqua un policier, car les voisins ont réintégré leur logement une dizaine de minutes après la fausse alerte. Ils ont frappé vite et fort.

L'incident fit la une des journaux. La presse de droite fut forcée de dénoncer le geste, mais en profita pour démontrer que les attaques contre Magda ne pouvaient que servir la gauche qui, aux yeux du public, devenait victime de la répression « toujours associée à la droite ».

Magda s'installa chez sa mère pendant les trois semaines qu'il fallut aux ouvriers pour restaurer le logement après la fin de l'enquête policière. Stressée et déstabilisée, Magda eut beaucoup de plaisir à retrouver Clara avec qui elle n'avait pas partagé sa vie quotidienne depuis près de vingt ans. Alors que son père parlait plutôt de politique et de pouvoir, sa mère s'attardait aux petites choses de la vie, aux odeurs, aux humeurs qui colorent le quotidien des gens. Magda découvrit qu'en s'enfonçant dans l'action politique et sociale elle avait perdu de vue les joies et les peines qui balisent l'existence des gens.

– Viens avec moi. Tu verras.

Clara avait répondu ainsi aux questions de sa fille sur ses pèlerinages dans les bidonvilles. Ce matin-là, le chauffeur, inquiet, les avait laissées dans un des ghettos du sud de la capitale. Clara guida sa fille dans les ruelles de terre battue où des centaines d'enfants en guenilles, et souvent sans chaussures, se bousculaient en entrant dans les maisons et en en sortant comme s'ils les habitaient toutes.

– Observe bien les sandales des femmes, dit Clara. À l'usure de la semelle, on devine le poids des bacs d'eau qu'elles doivent transporter chaque jour de la fontaine publique à la maison.

Clara poussa un rideau de languettes de plastique qui tenait lieu de porte.

– Yolanda, tu es là?

Silence. Une voisine s'approcha.

– Oh! madame Clara. Yolanda est partie à Lima chercher les attaches pour les sandales. Elle va rentrer ce soir. Je lui dirai que vous êtes venue.

Clara repartit. Souvent les gens la saluaient avec joie et affection.

– Qu'est-ce que tu fais pour eux? demanda Magda.

– Rien *pour* eux, mais je fais des choses *avec* eux. J'ai aidé cette femme, Yolanda, à démarrer une petite fabrique de sandales. Les enfants récupèrent les vieux pneus. Ils découpent des semelles épaisses et Yolanda et ses compagnes installent des lanières de plastique pour en faire des sandales.

— Et toi, que fais-tu là-dedans ?

— Je fournis un peu d'argent. Cela permet à Yolanda de faire un petit profit.

— Et tu fais cela depuis longtemps ?

Clara resta évasive.

— Quelques années. Mais je vais te demander de garder cela pour toi. Tu n'en parles à personne. Même pas à Franco.

— Si jamais notre parti accède au pouvoir, il faudra des budgets pour soutenir ce genre de petite entreprise.

— Non, ma fille. Le jour où le gouvernement mettra son nez dans ces initiatives, ce sera foutu. Les fonctionnaires qui devront surveiller la gestion des fonds absorberont la plus grosse partie du budget. C'est dommage, mais c'est comme ça !

Lorsque Magda réintégra son appartement, elle apprit à vivre sous surveillance permanente. Quand elle repensait à sa visite au bidonville, elle avait l'impression que Clara avait su garder contact avec cette population qu'elle, Magda, voulait défendre.

## 21

Catalina avait peine à y croire. Elle était assise dans un avion qui l'emmenait vers Madrid et Barcelone.

– Pablo, dit-elle, je rêve ?

– Oui, tu rêves, répondit-il en lui prenant les mains. Mais c'est un rêve qui se réalise.

La troupe de Pablo allait se produire au Festival du nouveau théâtre hispanique où étaient invitées des compagnies du monde entier. Le ministère québécois de la Culture avait octroyé une subvention à la seule troupe canadienne qui présentait des pièces en langue espagnole. La somme insuffisante avait été comblée grâce à une commandite que Pablo, qui agissait également comme metteur en scène, avait accepté de quémander auprès d'Hydro-Québec. Catalina lui avait suggéré de se mettre en rapport avec Marc. Il l'avait fait avec réticence, mais, une fois le chèque encaissé, avait oublié la méfiance qu'il entretenait à l'égard de celui qu'il considérait comme son rival.

Après le repas, Catalina cala sa tête dans un petit oreiller coincé entre le dossier de son siège et la fenêtre. Elle se lova dans la couverture et s'assoupit. Dans son rêve, elle était redevenue l'enfant de treize ans assise près du hublot, qui regardait s'éloigner son pays. Le Rio Rimac disparaissait dans la mer. Du fond d'une caverne, des enfants lui faisaient signe de la main. Elle en saisit une qu'elle serra fort. Puis, elle vit un petit foulard flotter sur l'eau, comme un radeau de chiffon. Peu à peu, le tissu déteignit et la mer se colora en rouge. Lorsqu'elle s'éveilla, Pablo lui tenait la main sous la couverture.

— Tu tremblais, lui dit-il.

Elle lui raconta son rêve.

— Tu sais, ce foulard dont je t'ai déjà parlé. Je ne le porte plus. C'est devenu un souvenir. Mais j'ai parfois l'impression que ma mère ne veut pas que je l'oublie.

— Je crois que c'est toi qui as peur de l'oublier.

— Je ne sais pas ce qu'elle est devenue.

— Elle doit sans doute se poser la même question. Aimerais-tu la retrouver un jour?

La question avait échappé à Pablo. Catalina le dévisagea en silence. Il eut l'impression que la réponse s'était étouffée dans sa gorge. Pendant un instant, il crut qu'elle était devenue muette.

— Excuse-moi, dit-il en la prenant dans ses bras. Je n'aurais jamais dû poser pareille question.

— Non, dit-elle, tu as le droit de la poser. C'est moi qui n'ai pas le droit de la repousser comme je le fais depuis si longtemps. Un jour, je devrai trouver la réponse.

* * *

Le surlendemain, la troupe était installée dans un petit hôtel en périphérie de Barcelone. Dans soixante-douze heures, les comédiens de Montréal allaient monter sur scène. Pour réduire les coûts, ils partageaient les chambres. Catalina s'installa avec Teresa. Elle fit comprendre à Pablo, déçu, qu'il serait néfaste pour l'esprit d'équipe de dormir chez lui.

La matinée suivante, le concierge de l'hôtel remit à Catalina une enveloppe qu'elle ouvrit avec discrétion. La journée se passa en répétition, ajustement des décors et repos. Pablo donna rendez-vous à tout le monde le lendemain matin. Vers vingt-deux heures, il frappa à la porte de la chambre de Catalina. Teresa lui répondit qu'elle ne l'avait pas vue de la soirée.

– Elle avait envie d'aller manger seule, m'a-t-elle dit.

\* \* \*

– *Muchas gracias, señor!*

Le garçon fit une courbette et s'éclipsa en poussant la table sur roues où s'étalaient les restes de deux plats de langoustes.

– Champagne?

– Non, j'ai assez bu, répondit Catalina.

Elle se leva, s'approcha de la fenêtre de la chambre et promena son regard sur Barcelone qui avait encore sommeil.

– Ça te rappelle…

– New York, répondit-elle.

Elle se retourna et se laissa envelopper par les bras de Marc.

– Un an déjà, murmura-t-elle.

– Non, treize mois, répondit Marc. Une date que je n'oublierai jamais.

Depuis leur escapade dans la métropole américaine, Marc avait souvent revu Catalina. Ils étaient devenus des amants occasionnels, furtifs. Il aimait la séduire. Elle apprenait à se laisser aimer. Entre Marc et Pablo, elle laissait circuler la tendresse, l'affection, le confort et la sécurité. L'amour, la passion, l'abandon étaient réservés au théâtre. Elle n'avait jamais eu le sentiment de tromper l'un avec l'autre. Au contraire. Les deux hommes lui faisaient vivre des émotions complémentaires qui lui permettaient de s'apprivoiser elle-même. Avec Marc, elle apprenait à se domestiquer. Avec Pablo, elle domestiquait la vie. Elle jouait de mieux en mieux au théâtre. Et dans la vie.

Le jour suivant, elle se présenta en retard à la répétition générale. Teresa lui lança un petit sourire complice.

— J'espère que tout le monde a bien dormi, dit Pablo en la regardant. C'est ce soir la première.

Catalina rougit un peu et évita de soutenir le regard du metteur en scène.

* * *

Il n'était pas encore vingt heures. Tous les sièges étaient déjà occupés. Un article paru la veille avait souligné la présence de la seule troupe canadienne. On y relevait, entre autres, la diversité des origines des comédiens, le Canada n'étant pas un pays hispanophone. Les commentaires positifs du journaliste avaient sans doute contribué à remplir la salle. Pablo ne put résister à l'envie d'y jeter un œil. Il fut estomaqué. Au milieu de la dixième rangée, Marc Provost feuilletait le programme. Pourquoi ce mécène n'était-il pas venu le saluer? Pourquoi ne pas lui avoir dit qu'il serait à Barcelone? Catalina était-elle au courant? Et si... Il arrêta là ses hypothèses.

Dans une demi-heure, le spectacle allait commencer. Il fallait se concentrer. Il remarqua Catalina qui semblait répéter son texte en faisant les cent pas en coulisses. Fallait-il lui révéler la présence de Marc?

— Relaxe, Catalina, lui dit-il. Tout ira bien.

Elle lui sourit. Il l'embrassa sur les joues en la serrant dans ses bras.

* * *

Avec enthousiasme, les spectateurs réclamaient les acteurs. Pour la troisième fois, la troupe vint saluer. Au moment où elle relevait la tête, Catalina aperçut Marc qui applaudissait debout, en lançant quelques bravos.

Tout en se retirant pour laisser le rideau descendre une dernière fois, elle regarda Pablo qui lui fit signe de la tête. Lui aussi avait vu Marc.

Déjà, quelques spectateurs avaient atteint les coulisses pour féliciter les comédiens. Parmi eux, un couple s'avança. La femme tenait dans les mains une gerbe de fleurs.

— Formidables! cria Pablo. Vous avez été formidables, dit-il en embrassant chaque membre de la troupe. Je vous demande un peu de silence. Le consul du Canada veut s'adresser à vous.

— Je veux simplement vous dire à quel point nous sommes heureux de votre présence et de votre succès. Je vous rappelle notre invitation : des voitures vous attendent à la sortie. Ma femme et moi sommes ravis de vous accueillir pour un cocktail et un petit goûter à notre résidence.

Les comédiens applaudirent pendant que la femme du consul remettait les fleurs à Pablo, qui les donna sur-le-champ à Catalina, émue.

La fête réunissait une cinquantaine d'invités. Le consul présenta chacun d'eux aux membres de la troupe. Pablo arriva en compagnie de Catalina. Elle portait la robe que Marc lui avait offerte la veille et le châle de soie que Pablo lui avait acheté à la boutique hors taxes de l'aéroport.

— Voici quelqu'un que vous connaissez déjà, dit le diplomate. M. Marc Provost, qui représente votre commanditaire, Hydro-Québec.

Marc embrassa Catalina et félicita Pablo avec chaleur.

— Je ne voulais pas vous signaler ma présence avant le spectacle, dit Marc. Je préférais vous faire la surprise.

Catalina recula d'un pas. Les deux hommes de sa vie étaient face à face. Ils discutaient, comme le ferait un père de famille venu rencontrer le professeur de sa fille. Elle leur devait d'être ici, à Barcelone, sur les planches d'un théâtre où quelques centaines de personnes venaient de l'applaudir. Elle se revit, dans le parc de Ciudad Guatemala, saluant la foule en même temps que Stella, la comédienne. Cette fois, c'était elle, Catalina, qui venait de descendre de scène. C'était elle que le public avait applaudie. Elle ressentit une petite crampe lui traverser le ventre lorsque Pablo la prit par les épaules et la ramena vers Marc.

— Écoute ce que Marc raconte, dit-il. Il ne tarit pas d'éloges à ton égard.

Pendant que Marc parlait, Pablo prit soin de garder sa main sur l'épaule de Catalina et de la serrer contre lui. Il lui caressait le bras, descendait la main jusqu'à la taille, la remettait sur son épaule. Pour la première fois, il affirmait devant tout le monde la place que Catalina occupait dans sa vie. Elle eut l'impression d'une déclaration d'amour faite en public. Elle sentit surtout qu'il ordonnait à Marc de se garder à distance.

Elle profita du passage de la femme du consul pour se dégager de l'étreinte et laisser Marc et Pablo à leur conversation. Les deux hommes ne la quittaient pas de l'œil. Tout en discutant avec son hôtesse, Catalina les observait. Ils parlaient avec des gestes qui lui faisaient penser aux chorégraphies d'intimidation auxquelles se livrent les fauves mâles qui convoitent la même femelle. Lorsque Pablo se déplaça dans sa direction, Marc le suivit avec le naturel d'un vieux lion expérimenté. Pablo ne pouvait qu'endurer la présence de Marc à qui il devait ce séjour à Barcelone. Et Marc ne pouvait laisser Pablo s'emparer de la femme à qui il devait ce coup de flamme qui l'avait rajeuni.

La fête tirait à sa fin. Marc s'approcha de Catalina.

— Tu viens dormir à l'hôtel, ce soir?

Elle crut entendre l'écho de la voix de Pablo qui, quelques instants plus tôt, lui avait suggéré de venir dormir dans sa chambre. Elle fit la même réponse à Marc.

– Non. Il y a une autre représentation demain. Je suis épuisée. Le décalage n'est pas encore avalé, et puis… j'ai mes règles, lui chuchota-t-elle en riant.

Pablo et Marc se saluèrent en promettant de se revoir à Montréal.

Catalina sombra dans son lit, le ventre appuyé sur un oreiller.

Rentré à l'hôtel, Pablo rageait. Il avait la certitude que Catalina avait passé la nuit précédente avec Marc. Il s'approcha du téléphone, commença à composer le numéro de la chambre de Catalina, puis se ravisa.

«Et si je fabulais?» se dit-il.

Il était torturé à l'idée que son amoureuse puisse l'avoir trompé. Il ne pouvait, d'autre part, risquer de la déstabiliser en la questionnant. Il restait encore deux représentations à Barcelone et tout allait si bien.

«Je me fais des idées», conclut-il.

Il pouvait non seulement fâcher Catalina, mais contrarier en plus celui qui avait financé en partie le séjour de la troupe à ce festival. Il se versa un verre de whisky et essaya de s'endormir en regardant la télévision.

## 22

Le succès de la troupe de Pablo à Barcelone avait eu ses échos dans la presse au Québec. La pièce reprit l'affiche pour deux semaines à Montréal, avant d'être présentée à Québec. Un théâtre portoricain de New York invita les comédiens à s'y produire pendant l'été. Partout, on découvrait le talent de Catalina. Le réalisateur d'une minisérie de télévision lui offrit un rôle secondaire qu'elle hésita à accepter. Elle devait incarner une travailleuse de rue qui, en essayant d'aider des jeunes marginaux latino-américains à se sortir de la drogue, se retrouvait victime d'un chantage qui la forçait à choisir entre le chef de bande, dont elle tombait amoureuse, et l'obligation de le dénoncer pour libérer les jeunes de son emprise.

— Pourquoi avez-vous pensé à moi? demanda-t-elle au réalisateur.

— Vous êtes une bonne actrice, d'origine latino-américaine. C'est tout.

— C'est tout?

Catalina n'arrivait pas à croire qu'on lui demandait de jouer un personnage qui aurait pu être incarné par d'autres comédiennes plus expérimentées qu'elle.

— C'est une question de *feeling*, lui dit le réalisateur. Le scénario prévoyait d'abord une bande de jeunes Italiens, mais on a beaucoup abusé de cet environnement criminel depuis quelques années à la télé. Lorsqu'on a entendu parler de vous, on a simplement modifié le personnage et son environnement. Il faut savoir renouveler le genre, vous savez.

Catalina demanda vingt-quatre heures pour réfléchir. Quelqu'un avait modifié le cours des choses pour lui faire une place. On avait fabriqué un personnage pour l'embaucher. Elle en était chavirée. Elle allait, bien sûr, accepter le rôle. Il s'agissait d'une chance que l'on ne peut laisser passer. Mais cette décision de lui bâtir une niche dans la vie la bouleversait. Elle aurait donc pris racine dans ce pays sans s'en apercevoir. Elle était reconnue comme membre d'une famille, d'un peuple. Elle existait pour d'autres qu'elle-même. On lui offrait de jouer un rôle qui allait au-delà de celui qu'on lui proposait : celui d'une personne vivant au sein d'un groupe qui lui reconnaît une identité.

* * *

Les deux hommes se faisaient face. Catalina s'était gardé la vue sur la salle à manger, ou, plutôt, elle s'était bien mise en vue des clients du restaurant. Elle trônait. Avant d'accepter le rôle, elle avait consulté Pablo. Avant de signer le contrat, elle en avait discuté avec Marc. Ce soir, contrat en poche, elle voulait les remercier et les avait donc invités. Lorsque Marc offrit le vin, elle intervint avec autorité.

— Non, vous êtes mes invités. Laissez-moi vous dorloter.

— Mais…

— Non, Marc. Pas question. Depuis quelques années, tout ce qui m'est arrivé de bon ici, je le dois à vous deux. Permettez-moi de vous remercier, même s'il ne s'agit que d'un simple repas.

— Tu ne me dois rien, enchaîna Pablo. Mais j'accepte avec plaisir de te faire plaisir !

Se sentant en reste, Marc renchérit :

— Pablo a raison. Tu ne nous dois rien. C'est plutôt nous, enfin, je veux dire moi qui te dois beaucoup. Je ne connais pas beaucoup Pablo, mais il doit savoir à quel point tu as joué un rôle important dans ma vie.

Catalina ne comprit pas où Marc voulait en venir, mais elle sentit qu'elle allait perdre le contrôle de cette soirée.

— Marc, je t'en prie. On ne fera pas de concours de générosité entre nous. Disons que nous nous devons tous, mutuellement, beaucoup de joies.

— Ce que vous racontez m'intéresse, dit Pablo en regardant Marc droit dans les yeux. Je sais que vous vous êtes connus il y a très longtemps, mais...

— Je dirais plutôt que nous nous sommes rencontrés il y a longtemps, dit Marc. Pour ce qui est de nous connaître, c'est plutôt récent. En même temps que toi et elle, je crois.

Catalina ne voulait surtout pas que les deux hommes échangent des confidences à son sujet. Elle était la seule à savoir qu'elle était l'amante des deux rivaux. En les invitant à la même table, elle se payait le luxe de jouer le rôle de la femme désirée qui choisit de ne pas choisir. Mais, en les réunissant, elle avait mis en scène un affrontement. En voulant triompher, elle allait être la première perdante à ce jeu enfantin. Il était trop tard. Les deux hommes étaient là, le duel aurait lieu et personne n'en sortirait gagnant.

— Comment se porte votre femme? demanda Pablo.

La première salve était tirée.

— Bien, balbutia Marc. Vous la connaissez?

— Non, mais nous nous sommes déjà rencontrés au Salon de l'automobile.

— C'est vrai. J'avais oublié.

— C'est une très belle femme, enchaîna Pablo. Vous accompagne-t-elle parfois dans vos voyages à l'étranger?

— Elle le pourrait, mais son travail ne le lui permet pas.

— Et il y a aussi les enfants, sans doute…

— Nous n'avons pas d'enfants, répondit Marc qui commençait à être ulcéré de se faire parler de sa femme en présence de Catalina.

Que savait donc ce Pablo de sa relation avec Catalina? Pourquoi insistait-il autant pour parler de sa femme devant sa maîtresse? Catalina lui avait-elle révélé leur secret? Avait-elle une relation privilégiée avec Pablo?

Le service du plat principal vint mettre fin à cette première manche de l'affrontement.

Catalina avait, comme à l'habitude, battu en retraite en elle-même. Elle était attristée de la tournure de la soirée qu'elle avait souhaitée festive.

En levant son verre au succès de Catalina, Marc contre-attaqua.

— Ma femme et moi aurions souhaité avoir des enfants. Ce fut impossible. Mais vous, Pablo, au-début de la trentaine, vous songez sans doute à fonder une famille.

— J'y pense, répondit-il en regardant Catalina, tout sourire.

— C'est vrai que pour vous, les acteurs, ce ne doit pas être facile de mener une vie de famille normale. On entend souvent parler d'infidélités, de séparations, de divorces dans votre milieu.

— Il n'y a pas plus d'infidélités ou de séparations dans notre milieu que dans le vôtre, répliqua Pablo. Sauf que pour nous, les acteurs, tout devient public rapidement.

— Ça ne doit pas être facile de vivre en ayant toujours envie de faire parler de soi.

— Non. Mais ce n'est pas plus facile, j'imagine, de toujours vivre en espérant que personne ne s'aperçoive de ce que l'on fait.

Catalina s'excusa et fila vers les toilettes. Elle mouilla son visage et refit le maquillage de ses yeux rougis. C'était la catastrophe. Le jour le plus heureux de sa vie de comédienne se terminait, par sa faute, par la soirée la plus triste de sa vie de femme. Elle revint vers la table où les deux hommes s'étaient tus.

— J'ai quelque chose à vous révéler, dit-elle sur le ton de la confidence.

Pablo et Marc la regardèrent en silence.

— Je suis une égoïste. Une pure égoïste.

Elle posa ses mains sur celles des deux hommes.

— Sans moi, vous ne seriez pas ici, ce soir, à échanger des phrases dures comme la pierre. Sans moi, vous ne vous connaîtriez même pas. Et sans vous, je n'existerais pas. Je rêvais, comme une petite fille, de trouver un homme qui m'accompagnerait sans me dicter mon chemin. Qui m'aimerait sans rien me demander. Qui serait mon ami, mon frère, mon amant, mon père, mon guide, mon protecteur. Je ne suis qu'une actrice qui joue le rôle d'une femme, alors que je rêve d'être une femme qui serait actrice. Et je ne sais pas comment être une femme. Marc, Pablo, je crois que, à vous deux, vous feriez l'homme idéal!

Les yeux au bord des larmes, elle éclata d'un grand rire sonore qui sidéra ses compagnons. En même temps, dans un synchronisme parfait, ils eurent le réflexe de lui toucher un bras pour la réconforter. Elle sentit circuler dans son corps une charge émotive insoutenable. Au lieu de l'apaiser, le contact simultané des deux hommes la transformait en pôle d'affrontement.

— Arrêtez! soupira-t-elle. Cessez de vous battre.

Marc et Pablo se regardèrent, hébétés.

— Je vous aime tous les deux. J'ai besoin de vous comme j'ai besoin d'être seule. Vous m'avez tout donné et je n'ai rien à vous offrir. Rien d'autre qu'un peu de moi.

Elle se leva et s'enfuit, les laissant totalement désarmés.

# 23

En entrant dans l'appartement, comme d'habitude, elle libéra ses pieds des chaussures, laissa tomber son sac, balança son imperméable sur une chaise et actionna le répondeur téléphonique. «Bonsoir, Catalina, c'est Pablo.» Elle interrompit le message. Cette douceur dans la voix, le velours des cordes vocales, la modulation de son accent : enfin, il reprenait contact.

Depuis près de deux ans, ils ne s'étaient pas revus ni parlé. Après la soirée au restaurant en compagnie de ses deux amants, Pablo avait coupé les ponts. Il lui avait écrit s'être senti manipulé et utilisé. Il avouait l'aimer toujours, mais comprenait qu'elle n'était pas prête à s'engager avec lui. Il avait terminé par une remarque énigmatique : «Je ne suis pas en compétition avec Marc. Ce sont les deux Catalina en toi, la femme et la comédienne, qui s'affrontent. Choisis.»

Elle s'était longtemps demandé si elle en avait dit trop ou pas assez. Elle s'était sentie à la fois libérée et asphyxiée. Libérée d'un jeu amoureux qui l'amenait à mentir. Et asphyxiée par la solitude dans laquelle elle s'était de nouveau emprisonnée. Elle s'était alors laissée enivrer par le travail.

La série télévisée ne lui avait pas laissé le temps de jouer au théâtre. D'autres contrats s'étaient ajoutés. Les critiques avaient souligné son talent, sa présence. Et, un jour, à l'occasion d'un article sur les comédiens québécois de souche étrangère, un magazine à potins avait publié une photo où on la voyait «en compagnie de son ami, Marc Provost, vice-président d'Hydro-Québec». Une photo tirée des archives et qui avait été prise après le retour de Barcelone où la troupe avait remporté le Prix du public.

Peu de temps après la publication de cette photo, Marc avait sonné à sa porte, un soir, et lui avait annoncé qu'il venait de quitter Hélène. Elle l'avait accueilli. Il avait dormi chez elle. Une petite semaine. Ensuite il avait loué un appartement. Tout près. Et, peu à peu, ils avaient mené une vie de couple. Des célibataires qui se voyaient à loisir, sans obligation de partager les inconvénients de la vie quotidienne. Marc voyageait toujours autant. Ces absences permettaient à Catalina de reprendre son souffle, comme elle disait. Leurs retrouvailles n'en étaient que plus joyeuses. Puis, il y eut ce passage à vide. Quelques mois sans travail, sans contrat. Elle réussit à cacher à Marc qu'elle n'avait plus d'argent, jusqu'au jour où elle lui demanda s'il pouvait empêcher Hydro-Québec de lui couper l'électricité.

— Quoi! Pourquoi ne m'en as-tu pas parlé plus tôt?

— Je ne veux pas dépendre de toi, lui avait-elle répondu.

Quelques semaines plus tard, Marc avait effacé ses dettes et elle acceptait d'emménager avec lui. La vie ne fut plus la même. Un mince voile de tristesse enrobait son sourire. On ne lui offrait plus de travail et Marc jouait de plus en plus le rôle du pourvoyeur, de l'homme de la maison, du mari qui prend soin de sa femme. Plus il l'entourait d'affection et de tendresse, plus elle avait envie de s'évader. Mais pour aller où? Elle se revit comme à vingt ans, seule dans son appartement, sans personne à qui confier sa détresse. Un autre verglas recouvrait sa vie. Et, cette fois, Marc

197

en était aussi prisonnier qu'elle. La sentant repliée sur elle-même, il accentuait sa présence.

— Tu m'étouffes, lui avait-elle lancé.

— Comment peux-tu dire cela? Au contraire, j'ai tout fait pour te permettre d'être libre. J'ai...

— Oui, oui, je sais : tu m'as aidée à trouver mes premiers contrats. Tu m'as fait connaître. Je te dois mon séjour à Barcelone. Le succès. Le contrat de la télé. Merci. Jamais je ne pourrai te rendre tout ce que tu as fait pour moi. Mais, vois-tu, je n'ai que vingt-six ans et j'ai l'impression que toute ma vie est derrière moi.

La conversation avait duré toute la nuit. Elle s'était endormie sur le divan du salon. Comme d'habitude dans de tels moments de stress, elle s'était évadée par le rêve. Le père Perron la menait par la main vers sa caverne où il l'attachait avec un foulard rouge. Elle essayait de crier, mais rien ne sortait de sa gorge. Finalement, une femme à la peau cuivrée la délivrait de ses liens et repartait en l'abandonnant avec le foulard noué autour du cou. Lorsque Catalina sortait de la caverne, un peuple d'enfants l'accueillait en l'applaudissant. Elle saluait.

La semaine suivante, elle encaissait un premier chèque de l'assurance-emploi et s'installait, seule, dans ce petit deux-pièces où elle venait d'entendre la voix de Pablo.

Elle appuya de nouveau sur le bouton du répondeur. «J'aimerais que tu me rappelles le plus vite possible. J'ai une proposition à te faire. J'attends de tes nouvelles.»

* * *

— Tu as vingt-quatre heures pour te décider. Et cinq jours pour apprendre ton rôle. Si tu dis oui.

Catalina était estomaquée. Le Festival de théâtre des Amériques commençait à Montréal dans une semaine. La troupe péruvienne avait débarqué, quelques jours auparavant, mais une des actrices n'avait pu faire le voyage : le Canada lui refusait l'entrée au pays. Pablo était membre du conseil de direction du FTA. Mis au courant de la situation, il avait retardé d'une semaine la présentation de la pièce du Teatro de la Sierra. Une petite semaine qui lui donnait le temps de trouver, à Montréal, une actrice hispanophone qui remplacerait la Péruvienne interdite de séjour.

— J'ai tout de suite pensé à toi, dit Pablo. C'est un personnage de ton âge. Le metteur en scène, Alfonso Alvarez, veut te rencontrer.

Pablo était assis devant elle. Elle avait peine à se concentrer. Elle ne l'avait pas vu depuis deux ans. Subitement, il apparaissait en lui offrant du travail. Aucune allusion à la rupture, comme si rien ne s'était passé. Aucune question sur sa vie, ses sentiments, ses états d'âme. Rien.

— Pablo, interrompit-elle, que deviens-tu?

Elle aurait aimé d'abord reprendre contact avec lui. Mais il y avait urgence et, surtout, une proposition incroyable. Devant ce qu'il présumait être une hésitation, Pablo sortit l'artillerie lourde.

— Tu n'as rien à perdre. Tout à gagner. Tu es disponible, connue du public québécois. Si tu n'es pas à la hauteur, on s'attachera au fait que tu as accepté le rôle à la dernière minute. Pour dépanner. À la conférence de presse, j'insisterai auprès des journalistes : si tu n'avais pas accepté, le spectacle des Péruviens n'aurait pas été présenté.

Ils se laissèrent en s'embrassant. Pablo la garda dans ses bras quelques secondes, le temps de lui faire sentir qu'il avait pour elle plus que de la tendresse.

— J'avais hâte de te revoir, lui dit-il.

— Revoir la comédienne ou la femme?

— La comédienne, je ne l'ai jamais perdue de vue.

— Et la femme?

Pablo ne répondit pas. Il la quitta en lui demandant de lui donner sa réponse le plus vite possible.

Quelques jours plus tard, elle se retrouvait en salle de répétition avec les comédiens du Teatro de la Sierra, face au metteur en scène Alfonso Alvarez.

— Ne vous inquiétez pas, lui dit un homme qui se présenta comme Julio. Alfonso est un dictateur éclairé. Il saura vous aider, mais, parfois, ça fera mal.

Julio éclata d'un grand rire sonore devant Alfonso qui fit semblant de le chasser. Avant de se quitter, les deux hommes s'embrassèrent furtivement.

— Ne faites pas trop attention à Julio, dit Alfonso, moqueur. Il n'a rien d'autre à faire dans la troupe que de me soutenir... moralement!

\* \* \*

La pièce fut remarquée. Les critiques soulignèrent la performance de Catalina Portal et ses origines latino-américaines. Lorsqu'un journaliste interrogea le metteur en scène Alvarez sur les qualités de sa nouvelle actrice, il répondit :

— Nous lui sommes tous reconnaissants d'avoir accepté de relever ce défi à quelques jours d'avis. Mais, ce qui m'a le plus impressionné, c'est l'authenticité de son jeu. On croirait qu'elle a déjà joué ce rôle. Ou, alors, qu'elle avait déjà vécu dans la peau de son personnage.

La pièce, tirée d'une légende des Indiens quechuas, racontait l'histoire d'un chef de village, aveugle depuis l'enfance. Un jour, ses yeux commencent à percevoir la lumière. En recouvrant la vue, il découvre qu'il est le seul de sa tribu à ne pas être indien : il est un Blanc. Sa fille, avec qui il vit seul, a le visage métissé. Sa mère est morte à sa naissance. Le père commence alors à douter de tout. De ses amis. De sa fille. De lui. De ce qu'il croyait être la vérité. Pourquoi ne lui a-t-on jamais dit que sa peau n'était pas celle de son clan? «Parce que tu es né la peau retournée, lui répond un vieillard. Ton esprit est quechua. Le mensonge est dans les yeux de ceux qui ne croient que ce qu'ils voient.»

Jouée en espagnol, la pièce n'attira pas l'attention du grand public. Mais, pour la première fois depuis son séjour chez les Romero à Nampuquio, Catalina s'était sentie intégrée à une famille. Elle se laissa absorber par ce groupe de Péruviens. Pendant deux semaines, elle leur fit découvrir Montréal et ne parla qu'espagnol. Toutes les occasions étaient bonnes pour prolonger les discussions, les promenades et les échanges qui firent renaître en elle la sensation d'avoir des racines dans une terre familière. Des mots, des expressions, des accents lui revenaient en bouche. Des zones oubliées de sa culture se réanimaient, un peu comme elle avait senti ses pieds revenir à la vie, la première fois qu'elle se les était gelés.

Pablo avait bien respecté sa consigne : personne de la troupe ne savait qu'elle était péruvienne. Elle avait voulu garder secret ce morceau de son existence, pour se protéger et se sentir libre. Elle ne voulait pas être choisie à cause de ses origines, mais de son talent, lui avait-elle dit. Elle avait servi au metteur en scène Alvarez le même mensonge qu'elle avait toujours utilisé avec la presse québécoise : elle était née au Québec de parents guatémaltèques.

Elle fut prise en otage par son personnage. Cette jeune femme métissée, cette mère absente, ce père aveugle : n'était-ce pas son histoire?

— Il n'y a pas de hasard, confia-t-elle à Pablo.

Pendant les derniers jours du festival, elle se promena dans Montréal avec le regard de celle qui voit la ville pour la dernière fois. Alors qu'elle la faisait découvrir à ses compagnons de théâtre, elle y recensait tout ce qu'elle pourrait mettre dans les bagages de sa mémoire. Elle avait aimé Montréal. Elle y était devenue adulte, y avait découvert les hommes, y avait réalisé son rêve de devenir actrice. Elle avait goûté à la liberté et à la solitude. Une main puissante semblait maintenant l'arracher de ce sol pour la propulser dans un univers qui, comme un aimant irrésistible, l'obligeait à se rapprocher de cette terre qui l'avait rejetée.

— Si tu veux, tu viens avec nous, lui avait dit Alfonso Alvarez.

\* \* \*

Pablo ouvrit l'enveloppe.

*Cher Pablo,*

*Au moment où tu liras ces mots, mon appartement sera vide. Et mon cœur aussi. Avant de partir, j'aurais aimé rétablir le contact avec l'homme que j'ai aimé. Et que j'aime sans doute encore. Mais, lors de nos retrouvailles, j'ai senti ton cœur fermé. J'aurais voulu glisser mon doigt sur la cicatrice de la blessure que je t'ai faite. J'aurais voulu que tu redeviennes au moins mon ami. Tu l'as été, tu l'es sans doute encore puisque tu m'as permis de vivre cette formidable expérience avec le Teatro de la Sierra. Sans le savoir, tu m'as permis de prendre un ticket pour aller voir si j'existe encore là-bas. Merci de tout cœur.*

*Ton amie, Catalina, qui t'aime.*

## 24

Le hublot découpait la mer comme un petit cadre rose placé sur un immense tableau azur. Il régnait dans l'avion le silence inquiet qui précède toujours l'atterrissage. Soudain, le Boeing décrivit un arc de cercle. Dans la fenêtre, le bleu de la mer fit place au ciel orangé. Puis, replaçant l'appareil dans l'axe de la piste, le pilote fit apparaître dans le hublot la poussière ocre de la terre des Incas. Catalina eut à peine le temps de reconnaître les eaux boueuses du Rio Rimac que les volets des ailes se déployaient pour permettre à l'avion d'atterrir dans le rugissement habituel des moteurs à bout de souffle.

À l'aéroport, Alfonso Alvarez regarda sa montre : il aimait bien que les horaires soient respectés. Dix-sept heures neuf. Quatre minutes de retard seulement. Dans une heure, sa nouvelle recrue allait découvrir Lima. Il n'avait pas eu à travailler fort pour convaincre Catalina de se joindre à la troupe du Teatro de la Sierra.

— On essaie pendant six mois, lui avait-il suggéré.

Un mois après avoir quitté Montréal, il accueillait la jeune actrice qui l'avait si bien dépanné à l'occasion du Festival de théâtre des Amériques.

L'appareil roulait vers le quai de débarquement. Pendant que les autres passagers détachaient leur ceinture, Catalina, les yeux toujours rivés au hublot, eut soudain envie de rester attachée. De repartir vers le Canada. Elle avait quitté Montréal au moment où sa carrière allait être relancée. Pablo lui avait parlé d'un rôle au théâtre. Une agence de publicité l'avait appelée pour un contrat lucratif. Et Marc avait compris qu'elle ne ferait pas sa vie avec lui. Elle glissa une main dans son sac et s'assura que le foulard rouge s'y trouvait toujours. Elle chuchota :

– Maman, tout va bien.

Il faisait presque nuit lorsqu'elle vit Alfonso écarter ses bras pleins de fleurs pour l'embrasser.

– Bienvenue au Pérou, lança-t-il.

Catalina avait décidé de ne pas révéler qu'elle rentrait chez elle. Elle avait choisi son nouveau personnage : l'étrangère. Elle se laissa guider. À première vue, elle ne reconnut pas Julio, le compagnon d'Alfonso, qui avait fait teindre ses cheveux en blond platine. Vexé, il la salua plutôt sec. Pieds nus dans ses chaussures blanches, il portait un t-shirt blanc et un jeans si serré qu'il eut peine à glisser la main dans ses poches pour en sortir quelques billets à refiler en pourboire au bagagiste, qui fit apparaître ses valises avant celles des autres passagers. Pendant qu'Alfonso et Julio plaçaient les bagages dans le coffre de la voiture, Catalina respira à fond : elle retrouva dans sa mémoire l'odeur des embruns de la mer et de la terre rouge et sèche. Pour l'instant, seul le vent savait qu'elle était du pays. En roulant vers Lima, elle reconnut sa vieille complice de Montréal, la lune. Elle en fut rassurée.

– Je t'ai trouvé un petit studio près du théâtre. On a une subvention pour le loyer.

Pendant que Julio conduisait, Alfonso parlait sans arrêt. Lui expliquait tout. Elle écoutait à peine. De l'œil, elle cherchait des repères. Elle jeta un regard sur le journal qui traînait sur la banquette. Un débat public semblait engagé sur le sort des enfants des familles pauvres. En traversant la Plaza de Armas, elle eut un

204

choc. Des enfants. Partout, des enfants qui couraient, quêtaient, fuyaient. Rien n'avait donc changé depuis dix-huit ans. Elle reconnaissait à peine la ville, ses rues, ses édifices, mais se souvenait bien de ce ballet des enfants qui bondissaient des buissons pour franchir les avenues en narguant les voitures et les policiers.

– Tu feras bien attention à ces jeunes, dit Alfonso. Ces *piranhitas* peuvent t'entourer et te détrousser en quelques secondes.

Elle sourit. Parfois il lui semblait reconnaître une intersection, un monument.

– Tu ne dis rien ? s'étonna Alfonso.

– C'est incroyable de me retrouver ici. J'aurai peut-être quelque chose à dire demain. Mais, pour l'instant, je suis…

– Perdue ? demanda Julio.

Elle ne répondit pas. Non, elle n'était pas perdue. C'est Lima qui l'avait perdue. C'est Lima qui la retrouverait.

Le studio avait une fenêtre qui donnait sur l'arrière-cour du théâtre et une autre qui s'ouvrait sur une rue secondaire menant à la mer. Après le départ d'Alfonso, malgré la fatigue, elle ne put résister : elle devait apprivoiser de nouveau Lima.

La pleine lune de cet hiver austral blanchissait les vieux murs de la cité d'une pellicule lumineuse qui lui rappela cette première grande nuit d'été passée à Montréal alors qu'elle n'y connaissait encore personne. Ici, à Lima, elle était à la fois chez elle et totalement inconnue. Comme des fantômes, quelques commerçants ambulants tiraient leur charrette encore lourde de légumes et de feuilles de coca. Une lampe au kérosène accrochée au mât de la plate-forme ballottait en distribuant des tessons de lumière crayeuse sur le visage des passants. Elle suivit la pente douce de la rue qui menait vers la mer. Deux enfants sortirent d'une ruelle et lui tendirent en silence leurs mains crottées. Catalina regarda autour d'elle. Il n'y avait que ces deux petites filles d'environ huit ans. Elle voulut leur parler, mais sa voix tremblait. Un nœud se forma dans sa gorge pendant qu'elle mettait la main dans la poche de son jeans.

— Pourquoi pleures-tu, madame? lui demanda une des enfants.

Catalina essuya ses larmes, remit une pièce à chaque enfant et les regarda partir toutes deux en riant. Elle les suivit de loin. Elle entendait de mieux en mieux les vagues de la mer. Elle hâta le pas. La rue bifurquait vers la droite. Elle franchit l'intersection. Il n'y avait plus de maisons. Pas de mer, non plus. La rue longeait un cours d'eau fougueux, nourri par les pluies diluviennes qui avaient noyé une partie de la ville en début de soirée. Le Rio Rimac l'accueillit par ses effluves nauséabonds. Une odeur qui la ramena vingt ans en arrière. Devant elle, les cavernes grouillaient de vie.

* * *

L'appel monocorde et strident de la flûte d'un vendeur de cacahuètes la tira de son sommeil. Toute la nuit, des images de Montréal et de Lima s'étaient bousculées pour occuper l'avant-scène de ses rêves. Dans la dernière séquence, un enfant hurlait sur la même note que la flûte du jeune vendeur ambulant. Pendant quelques secondes, elle fut incapable de se rappeler où elle s'était endormie. Les murs, baignés de la lumière du matin, lui étaient inconnus. C'est à la vue de ses valises qu'elle se souvint avoir quitté le Québec pour le Pérou. Alfonso lui avait donné rendez-vous pour le déjeuner, vers treize heures. Elle avait donc le temps de s'installer, tant dans l'appartement que dans sa tête. Elle choisit d'aller se perdre dans Lima.

Elle déambula en fantôme. Personne ne pouvait la reconnaître alors qu'elle voyait tout, comme ces témoins d'un crime cachés derrière un miroir face auquel on fait parader les suspects. Elle était la seule spectatrice du grand théâtre de la vie quotidienne de ces gens. Elle s'arrêta pour prendre un café. Sur la table, un journal traînait. Elle en tourna chacune des pages, cherchant des morceaux de vie comme un archéologue gratterait le sol. Elle s'amusa à la lecture d'un article au sujet d'un camionneur qui transportait un troupeau de lamas. La barrière avait cédé. Les animaux avaient fui dans les rues de la ville où un rodéo spectaculaire avait permis de les rattraper. Une image lui revint en tête : la route de montagne au Guatemala; le père Perron; les bœufs qui s'échappent du camion. Elle secoua la tête. Elle n'avait pas prévu que tous les personnages de son enfance pourraient refaire surface. Elle se sentit traquée. Si, à l'extérieur, personne ne pouvait l'identifier, sauf Alfonso et ses comédiens, tous ces adultes qui avaient peuplé les treize premières années de sa vie pouvaient venir la hanter de l'intérieur.

— Qu'est-ce que je fais ici? se demanda-t-elle.

Une photo attira son attention. Cette femme, son regard lui semblaient familiers. Mais, oui. C'était bien Magda. Elle allait lire l'article au sujet du chef du Parti du peuple lorsqu'un homme la fit sursauter.

— Je peux reprendre mon journal? Je l'avais oublié sur la table.

Elle regarda l'inconnu s'éloigner, le journal et Magda sous le bras. Sa curiosité avait été piquée, mais elle fut soulagée. L'homme avait retiré de sa vue une sorte de miroir qui commençait à lui donner le vertige. Avant qu'elle quitte Montréal, Marc lui avait parlé de Magda. Aux dernières nouvelles, elle était chef d'un parti politique. Elle était maintenant chef de l'opposition. Catalina frissonna.

«Elle ne doit pas savoir que je suis ici, se dit-elle. Il ne faut pas qu'elle me reconnaisse. Sinon, tout est foutu.»

* * *

Depuis maintenant trois semaines, Catalina se concentrait sur le travail. La troupe montait le spectacle présenté à Montréal. Catalina y tenait le même rôle, celui de la fille métissée d'une mère décédée et d'un père aveugle qui ne sait pas qu'il est un Blanc. Elle quittait l'appartement pour entrer au théâtre sans détour. Elle acceptait parfois de sortir le soir avec des camarades, mais elle s'enfonçait dans son rôle comme quelqu'un qui ne veut rien savoir de ce qui se passe autour.

— Tu veux que je te fasse découvrir Lima? lui avait proposé une comédienne.

— Plus tard, avait-elle répondu. Je suis venue d'abord pour jouer. Une fois la pièce montée, on verra. Merci.

Son attitude intriguait les autres membres de la troupe, mais tous appréciaient sa ferveur, l'intensité de son travail et l'énergie déployée pour fusionner avec l'équipe. Tout en mangeant, à midi, les comédiens et les techniciens discutaient de plus en plus de politique. Elle apprit ainsi que le gouvernement de droite n'était pas assuré de conserver le pouvoir. Un jour, ses camarades évoquèrent avec enthousiasme les résultats des derniers sondages qui prédisaient la montée d'un parti de gauche, le Parti du peuple, dirigé par M$^{me}$ Magda Perez.

— Elle est comment? demanda naïvement Catalina.

— Honnête, répondit un technicien. C'est la deuxième fois qu'elle tente de faire élire son parti. La dernière fois, on lui a volé l'élection. Tiens, c'est elle, ajouta-t-il en lui tendant un journal.

Catalina regarda la photo. Pendant que la discussion continuait entre les membres de la troupe, elle s'éloigna vers une fenêtre. Magda avait les cheveux poivre et sel. Deux légères rides contournaient des pommettes saillantes avant de s'évanouir dans un sourire éclatant. Dans ses yeux fixés sur la lentille, on devinait la générosité et la détermination. Catalina tourna la page avec l'impression d'avoir été reconnue.

— Regarde-moi, dit une comédienne qui s'était approchée d'elle.

Catalina tourna la tête en fermant le journal.

— Souris.

Elle se prêta au jeu.

— Tu ne trouves pas que tu lui ressembles?

Le groupe s'amusa à comparer les traits de Catalina et de Magda Perez. Le front, la bouche, les yeux, le nez : tout y passa. Verdict : Catalina avait un grand avenir politique!

Le soir, en rentrant à l'appartement, Catalina rouvrit le journal. Elle découpa la photo qu'elle épingla au mur, près d'un miroir. Pendant de longues minutes, elle se regarda en comparant ses traits avec ceux de Magda. Non, elle ne lui ressemblait pas, mais il y avait dans son regard une sorte d'appel qui l'obsédait. La seule Magda qu'elle avait connue était celle des rues de Lima et du voyage à Nampuquio. À l'époque, elle ne connaissait que son prénom. Jamais elle ne s'était préoccupée de connaître son nom de famille. Sa Magda était devenue politicienne.

La lecture de l'article lui confirma qu'il s'agissait bien d'elle. Elle se souciait du sort des familles et des enfants pauvres. «Pauvres et seuls, comme je l'étais», se dit-elle.

Elle frémit à l'idée que Magda ou quelqu'un d'autre découvre ses origines péruviennes. Il lui fallait parvenir à devenir elle-même sans l'intervention de quiconque. Le défi était réalisable puisqu'elle se sentait bien sur cette terre familière où elle souhaitait réussir sa seconde naissance.

* * *

La pièce, qui, avant Montréal, n'avait été présentée qu'à l'extérieur de Lima, prit l'affiche dans la capitale le soir du déclenchement de la campagne électorale. En quelques jours, la controverse éclata. Les journaux de droite crièrent à l'imposture en affirmant que la phrase «Le mensonge est dans les yeux de ceux qui ne croient que ce qu'ils voient» était un message politique subliminal qui reprenait le discours du Parti du peuple dont le slogan était : «Assez de mensonges!»

De l'autre côté, certaines élites intellectuelles crièrent au mépris du peuple quechua qui n'aurait jamais toléré un chef à la peau blanche. Le metteur en scène, Alfonso, était ravi. Le scandale lui procurait une publicité inespérée. Il invita des chefs quechuas à venir voir la pièce. Ils s'amusèrent à l'idée qu'un des leurs puisse être un Blanc. Chaque soir, la salle était pleine. Les commentateurs saluèrent la prestation de Catalina, dont l'accent et les origines canadiennes et guatémaltèques séduisaient et intriguaient.

Un soir, une certaine fébrilité régnait dans les rues qui cernaient le théâtre. Des policiers patrouillaient. La salle fut fouillée par quelques agents en civil. À la dernière minute, on informa les comédiens de la présence de Magda Perez dans la salle. Des journalistes, photographes et caméramans faisaient les cent pas devant l'immeuble en attendant son arrivée. Depuis que les derniers sondages la plaçaient au coude à coude avec son adversaire de droite, on prenait de plus en plus au sérieux la possibilité qu'elle dirige le pays. Son intérêt pour le sort des pauvres et des minorités indiennes expliquait sa présence dans la salle. Alfonso avertit sa troupe : M^me Perez allait sans doute venir les saluer à la fin de la représentation. Catalina trembla à l'idée de lui être présentée.

Le rideau n'était levé que depuis une quinzaine de minutes quand une explosion secoua l'arrière de la salle. La fumée envahit l'espace. Les spectateurs hurlaient. Les comédiens se replièrent vers les loges pendant que les gardes du corps de la candidate du Parti du peuple l'escortaient vers l'arrière-scène. Au passage, on bouscula les acteurs pour la faire sortir le plus vite possible. Catalina ne bougea pas. Elle regardait la scène comme si elle n'en faisait pas partie. Elle eut à peine le temps de voir Magda passer devant elle. Elle se dit qu'elle ne lui ressemblait pas. À cet instant, Alfonso l'attrapa par le bras et la guida vers la sortie pendant que les pompiers tentaient d'éteindre le petit incendie que la bombe avait déclenché.

Le lendemain matin, l'incident faisait la une des journaux. La représentation de la pièce fut suspendue pour quelques semaines, le temps de réparer et de nettoyer les dégâts, plutôt mineurs. Magda Perez déclara que, si elle prenait le pouvoir, une troupe comme celle du Teatro de la Sierra serait dédommagée pour son courage et son engagement artistique et social.

# 25

Le bus orange et blanc crachait des volutes de fumée noire. Les brumes se dissipèrent. Éblouie, Catalina se frotta les yeux et découvrit les cimes enneigées des Andes. L'interruption forcée des représentations l'avait libérée pour deux semaines. Elle avait décidé de revoir Nampuquio.

À l'approche du village, le bus s'arrêta. Le chauffeur tendit la main à l'extérieur. Un homme s'approcha et accepta le billet. Le bus repartit. Comme une petite haie d'honneur, une demi-douzaine d'hommes, appuyés sur leur pelle, saluèrent les voyageurs avant de recommencer à remplir les trous de la route.

Catalina fut seule à descendre à Nampuquio. Lorsque le fracas du moteur se fut évanoui, un étrange silence enveloppa la place centrale. Personne. Pas même un chien. Seul le murmure des fils à haute tension traçait une ligne de vie. Une vie qui semblait fuir le village en plongeant dans les gorges qui isolaient le plateau de Nampuquio. Elle traversa la place vers la salle municipale.

— Il y a quelqu'un? demanda-t-elle.

Quelques dossiers rangés sur un bureau lui confirmèrent que le village était encore habité. Elle pénétra en répétant à voix plus forte :

— Il y a quelqu'un?

Aucune réponse. Elle s'avança vers une porte qui donnait sur la salle de réunion. Elle sursauta lorsqu'en ouvrant elle vit un vieil homme assis à une grande table au fond de la salle. Immobile, il semblait figé dans la lecture d'un livre.

– Pardon, monsieur. Puis-je vous déranger?

L'homme ne bougeait pas, comme si la mort l'avait surpris, la tête penchée sur son livre. Elle fit quelques pas. Elle faillit hurler lorsqu'elle le vit redresser la tête. Il lui sourit et lui fit signe de s'approcher.

– Excusez-moi, dit-elle, encore essoufflée par le choc de voir un mort revenir à la vie. Je voulais savoir...

Elle n'eut pas le temps de terminer sa phrase. L'homme lui fit signe qu'il était sourd.

– Je ne vous avais pas vue arriver, cria-t-il.

Hébétée, elle prit un morceau de papier qui traînait sur la table et écrivit : «Suis-je bien à Nampuquio?»

Il lui sourit en acquiesçant.

– Qui cherchez-vous?

Prise au dépourvu, elle inventa une réponse qui lui permit de ne pas se nommer : «Personne. Je veux visiter le village.»

– Visiter! s'exclama-t-il. Il n'y a rien à voir ici.

Par signes, elle lui fit comprendre qu'elle voulait faire le tour du village. Il se leva et, d'un bon pas, l'emmena avec lui.

– Qui êtes-vous? demanda-t-il, en franchissant la place centrale.

Elle sortit un bout de papier et écrivit : «Magda». Le prénom lui était venu en tête spontanément. Elle ajouta : «Quel est votre nom?»

– Ernesto, répondit-il.

Son vieux professeur était encore vivant. L'homme allait maintenant lui faire visiter le village comme si elle ne le connaissait pas. Elle se sentit honteuse d'avoir menti. Mais il était trop tard pour lui révéler qu'elle était la petite Catalina à qui il avait un jour donné les clés du monde en lui apprenant à tracer des lettres, à lire et à compter.

— Vous ne verrez pas beaucoup de monde dans le village aujourd'hui, dit-il. La moitié est aux champs et l'autre moitié est partie à Huancayo. C'est la grande foire annuelle.

En parcourant les quelques rues qui encerclaient la place centrale, il lui raconta qu'on vivait ici de la culture de la pomme de terre. Il lui montra le caveau où achevaient de pourrir quelques centaines de kilos de patates.

— C'est le reste de la récolte de l'an passé, dit-il avec tristesse. L'humidité, c'est ça le problème. Pendant quelques années, on avait un système de déshumidification. Mais, depuis qu'on n'a plus l'électricité, c'est comme autrefois. On ne peut plus conserver les pommes de terre aussi longtemps.

Catalina resta figée. Elle avait pourtant entendu le grésillement autour des fils à haute tension. Elle griffonna une question sur un bout de papier : « Vous n'avez pas l'électricité ? »

— Non, répondit Ernesto. C'est fini.

Il se dirigea vers le poste de transformation de l'électricité.

— Il y a près de vingt ans, expliqua-t-il, des gens sont venus du Canada et nous ont installé un système qui captait l'électricité dans les gros fils qui nous passaient au-dessus de la tête. Je me souviens de ce jour-là. Ce fut une belle fête. Il y avait des dignitaires, des politiciens, des musiciens. On a mis la *luz* dans les rues et à la salle municipale. Cela a changé la vie de Nampuquio. J'étais, à l'époque, un instituteur à la retraite. On m'avait demandé d'apprendre aux gens à écrire et à compter. Ils venaient le soir, à la lumière des ampoules, on pouvait se réunir. Pendant quelques années, j'ai repris du service. Quelques hommes et quelques femmes ont commencé à étudier. Des enfants, aussi.

Catalina sentit un petit vertige l'envahir. Elle s'assit sur le socle de béton, au pied du transformateur rouillé et muet.

— Je me souviens d'une petite fille, poursuivit Ernesto. Elle s'appelait Catalina. Vive d'esprit. Le maire du village et sa femme l'avaient adoptée, je crois. Elle a vécu parmi nous pendant quelques années. Grâce à l'électricité, elle a appris à lire et à compter. Un jour, le *padre* l'a emmenée avec lui. Au Guatemala. Je ne l'ai plus jamais revue. C'était ma fierté, de lui avoir enseigné. Je n'ai jamais eu d'enfant. Avec Catalina, j'ai eu l'impression d'avoir mis quelqu'un au monde.

Il s'interrompit.

— Mais, pourquoi pleurez-vous?

Catalina lui fit signe que ce n'était rien. Elle se moucha et sourit au vieil homme. Elle griffonna une autre question : «Pourquoi n'y a-t-il plus d'électricité?»

— À cause des politiciens! Six ans après son installation, le transformateur a flanché. Le maire a demandé aux autorités de le remplacer. Au bout d'un an, rien n'avait été fait. Il s'est rendu à Huancayo et même à Lima. Personne n'a voulu le remplacer. Les gens du village ont décidé d'en acheter un nouveau. Personne de la compagnie nationale d'électricité n'a voulu venir l'installer. Un jour, le maire Romero s'est fâché. Avec d'autres hommes, il a essayé. Il est mort. Électrocuté.

Catalina étouffa un cri.

— Puis, des gens du gouvernement sont venus et ont tout coupé. Ils sont même repartis avec le transformateur que nous avions acheté.

Catalina lui montra de nouveau la dernière question écrite.

– Ah! Pourquoi? Il paraît qu'on nous avait donné l'électricité pour que nous protégions les pylônes que les terroristes faisaient sauter. Les politiciens se disaient que, si nous profitions nous aussi de l'électricité, nous aurions intérêt à empêcher les terroristes de les dynamiter. Parce que les gauchistes s'amusaient à priver d'électricité les gens de la capitale. Puis le gouvernement a réussi à capturer les chefs et à démanteler les réseaux terroristes. À compter de ce moment-là, il n'y avait plus de menace sur le réseau électrique. Et, comme d'autres villages demandaient aussi l'électricité, le gouvernement a décidé de laisser tomber. Les politiciens de Lima n'avaient plus besoin des paysans des montagnes!

Catalina reconduisit Ernesto à la salle municipale où il se replongea dans la lecture de son livre. Elle eut envie de l'embrasser, mais se contenta de lui serrer la main. Elle erra dans le village pendant quelques heures, remettant ses pas dans les traces invisibles qu'elle y avait laissées pendant son enfance. Elle avait voulu revenir sur les lieux de sa renaissance. Elle n'y avait retrouvé que la terre aride où elle avait été isolée des violences de la rue. Elle passa à distance de la maison des Romero, refit le pèlerinage à la caverne des pommes de terre, s'arrêta devant les lampadaires éteints de la place centrale, puis s'en fut attendre l'arrivée du car, près de la buvette déserte.

Vers dix-sept heures, le bus de Huancayo s'arrêta pour laisser descendre une cinquantaine de personnes. Elle vit défiler Avelina Romero et sa fille, Victoria – son amie d'enfance –, suivie de trois enfants. Avelina était donc grand-mère. Les passagers, intrigués par cette inconnue, regardaient Catalina sans la reconnaître.

Les personnages qui avaient meublé son enfance paradaient. Elle était l'unique spectatrice d'un étrange défilé où des hommes, des femmes et des enfants allaient reprendre, comme des automates, la place que le hasard leur avait réservée dans le théâtre de la vie. Une vie figée sur des sommets dont elle était la seule à s'être évadée. Dans ce désert andin, elle avait eu la chance de voir son cerveau irrigué, d'être stimulée, ce qui lui avait permis de grandir et de s'envoler. Nampuquio l'avait mise à l'abri de la mort et lui avait redonné la vie.

En moins d'une minute, la place fut vide. Chaque personnage avait regagné sa niche, comme des animaux dressés que la répétition des mêmes gestes sécurise et asservit. Lorsque le bus fit demi-tour, elle fut la seule passagère à y monter. Elle vit un vieil homme s'approcher du car. Il gesticulait. Il était seul et ne put que lever le bras en guise d'adieu lorsque la fumée noire du moteur l'enveloppa. Ernesto l'avait reconnue. Elle lui fit signe de la tête qu'elle était bien la petite Catalina. Elle mit un doigt sur sa bouche pour lui demander de garder ce secret entre eux.

L'image du vieil Ernesto la saluant de la main allait rester gravée longtemps dans sa mémoire. Non seulement cet homme lui avait-il appris à écrire, il lui avait donné, dix-huit ans plus tard, sa première leçon de politique. Elle venait d'ajouter le nom de M. Ernesto à la liste déjà longue des hommes qui avaient contribué à la mettre au monde.

# 26

Les premiers résultats commençaient à être communiqués à la télévision nationale. Chaque fois qu'un candidat de l'équipe du Parti du peuple devançait un adversaire, des cris de joie fusaient dans l'appartement du metteur en scène Alfonso qui avait invité les membres de sa troupe à regarder les résultats des élections chez lui. Dans les rues de Lima, des groupes de partisans se promenaient en voiture, klaxonnant leur appui à leur parti. Les derniers sondages indiquaient une légère avance des partis de droite. Mais les analystes avaient souligné que si les citoyens des bidonvilles se rendaient voter en masse le Parti du peuple pourrait causer une surprise.

Depuis son retour de Nampuquio, Catalina avait profité du retard dans la réouverture du théâtre pour développer le synopsis d'une histoire que lui avait inspirée l'échec de l'électrification du village. Sa volonté d'observer son pays dans l'anonymat avait été secouée par le récit du professeur Ernesto. Elle se sentait arrivée à un carrefour : ou elle s'engageait à fond dans la vie de ce pays, ou elle retournait à Montréal, poursuivre sa carrière d'actrice. Elle ne pouvait, dans un pays pauvre et déchiré comme le Pérou, exercer son métier en parallèle de sa vie de citoyenne. Les deux branches de son existence devaient se joindre. Sa journée à Nampuquio avait fissuré la carapace dont elle s'était revêtue, depuis son enfance, pour survivre. Le village qui lui avait sauvé la vie l'avait sournoisement piégée : elle devait choisir entre s'enraciner ou partir.

Lorsque la télévision nationale annonça que, si la tendance se maintenait, le prochain gouvernement serait minoritaire, mais dirigé par la présidente Magda Perez, le téléphone sonna chez Alfonso Alvarez.

– Tu filtres les appels, dit Alfonso à Julio qui, avachi, bâillait.

Des journalistes voulaient obtenir les commentaires de cet acteur et metteur en scène engagé, qui n'avait pas caché sa sympathie envers le Parti du peuple.

La fête s'étira jusqu'à l'aube. Pour la première fois en trente ans, un parti de gauche s'emparait du pouvoir. Le peuple des bidonvilles avait parlé haut et fort. L'euphorie se fit surtout sentir dans les rues boueuses des *pueblos jóvenes* d'où, à défaut de voitures, des centaines de milliers de personnes descendirent à pied vers le centre-ville pour offrir le plus grand concert de casseroles jamais entendu à Lima. Ces *campesinos*, que la pauvreté des montagnes avait précipités vers la mer, venaient de transformer la ville côtière de Lima en cité andine. Comme des animaux de cirque évadés de leur cage, les pauvres donnaient aux rues de la capitale le spectacle ambigu de leur joie et de leur désarroi. Ils venaient narguer la richesse enfermée derrière des volets clos, avant de réintégrer, dans un tintamarre aussi bruyant qu'inefficace, les ruelles boueuses et mal éclairées des terrains qu'ils squattaient depuis des dizaines d'années. Pour la première fois, ils avaient non seulement voté pour une candidate issue de la bourgeoisie, une «Blanche», mais aussi pour une femme qui avait su parler leur langue et, surtout, les écouter. Pendant ce temps, le quartier bourgeois de Miraflores, où habitait Magda Perez, demeura silencieux. On vit apparaître des patrouilles militaires aux intersections des grandes avenues et autour des édifices de l'administration publique.

La présidente élue parut à la télévision nationale pour livrer un discours ouvert et rassembleur. Pendant que les comédiens l'écoutaient en buvant chacune de ses paroles, Catalina regardait avec intensité le visage épuisé, mais épanoui, de Magda. Elle était déchirée entre le désir d'aller lui sauter au cou et de lui exprimer toute sa fierté de la voir élue, et le besoin viscéral de garder l'anonymat. Elle eut envie de raconter à tout le monde qu'elle n'était pas surprise de cette victoire : après avoir réussi à la sortir, elle, Catalina, des griffes de la mort, cette femme avait le cœur et l'énergie nécessaires pour extirper de la misère les familles démunies qui paradaient dans les rues. Le succès de Magda était un peu le sien. Elle s'en tenait partiellement responsable, l'ayant un jour mordue pour manger un bout de pain. Elle était convaincue que la nouvelle présidente portait encore au mollet la cicatrice de cette blessure que la pauvreté et la mendicité lui avaient infligée. Catalina allait se lever et prendre la parole pour témoigner de ses racines péruviennes lorsqu'une panne d'électricité générale vint interrompre le discours de la présidente et plonger la capitale dans le noir.

Des policiers se postèrent aux intersections. Des militaires patrouillèrent les rues pleines de fêtards. La rumeur courut que des terroristes d'extrême gauche avaient fait sauter les pylônes pour manifester leur désapprobation de l'élection d'une présidente de gauche plutôt modérée.

— Folie! lança Catalina, à la surprise de ses camarades qui ne l'avaient jamais entendue s'exprimer sur les questions politiques. Je crois que c'est plutôt un coup des militaires. Ils appuient la droite qui vient de perdre l'élection. Ils ont intérêt à faire circuler la rumeur que c'est un coup des terroristes. Ils peuvent ainsi justifier leur sortie des casernes, imposer la loi martiale et empêcher le Parti du peuple et Magda Perez de prendre légitimement le pouvoir.

Ses camarades l'écoutaient, médusés. Elle poursuivit.

– Je rentre d'un petit voyage à Nampuquio, un village perdu des Andes que personne ne connaît. Eh bien, là-haut, on leur avait donné l'électricité, justement pour que les gens empêchent les terroristes de s'attaquer aux pylônes. Depuis que les réseaux terroristes ont été démantelés, ils n'ont plus l'électricité. C'est le gouvernement, la droite, qui manipule tout ça. *Basta!*

Son petit discours explosif et imprévisible lui valut des applaudissements. Elle fut elle-même surprise de s'être emportée, mais soulagée d'avoir fait bifurquer son discours vers la politique plutôt que vers son rôle dans la carrière de Magda. La panne d'électricité avait protégé son anonymat. Elle se dit que, encore une fois, l'enseignement du professeur Ernesto venait de changer quelque chose à sa vie.

Lorsque le soleil s'attaqua aux nuages du matin, Lima avait le visage bouffi d'une grande dame ayant fêté toute la nuit. L'électricité avait été rétablie. Un journal titrait : «Un vent de changement balaie le pays».

Au moment où les militaires réintégraient leurs casernes, les *piranhitas* sortaient de leurs cavernes.

# 27

Le rideau fut remonté une cinquième fois. Les applaudissements et les bravos allaient encore garder les acteurs en scène pour de longues minutes. Depuis la victoire-surprise du Parti du peuple et la réouverture du théâtre, la pièce sur le chef quechua aveugle et blanc avait pris un relief inespéré. Depuis six semaines, la salle était bondée chaque soir. La distribution gratuite de dix pour cent des places aux citoyens des bidonvilles avaient contribué au succès de la troupe d'Alfonso. La presse avait aussi souligné la coïncidence entre la popularité d'une «Blanche» chez les démunis et la présence acceptée d'un «Blanc» à la direction d'un clan quechua. Tout à coup, on découvrait à la pièce une dimension sociale actuelle qu'on n'avait jamais perçue lorsqu'il s'agissait d'une simple légende.

Les journaux, voulant profiter de ce succès pour augmenter leur tirage, avaient trouvé un nouvel angle de traitement. Après les critiques louangeuses et les analyses sociopolitiques, on s'intéressait maintenant aux acteurs et actrices. Catalina accepta de donner quelques interviews, tout en essayant de protéger le secret de ses origines. Un journaliste communiqua avec le milieu théâtral de Montréal pour en savoir davantage. Il remonta jusqu'aux organisateurs du Festival de théâtre des Amériques, par lesquels il put se mettre en rapport avec Pablo. Avant d'accorder une interview, celui-ci eut le réflexe de téléphoner au théâtre pour parler à Catalina.

— C'est extraordinaire ce qui se passe ici, lui dit-elle. Tu devrais venir.

— Je ne demande que ça, répondit-il. Au fait, j'ai reçu un coup de fil de ton ami Marc. Il a lu dans les journaux que la nouvelle présidente était Magda Perez. Il dit que vous la connaissez tous les deux.

— Magda? balbutia Catalina.

— Oui. Il voulait te téléphoner et ne savait pas comment t'atteindre. Il semblait tout excité. Tu la connais, cette Magda?

— Oui. Mais, c'est plutôt elle qui me connaît. Enfin, qui m'a connue lorsque j'étais petite. Et, justement, je ne veux pas qu'on sache que je suis du pays. Alors, Magda...

— Bon. Est-ce que Marc peut t'appeler?

— Je n'ai pas encore le téléphone à la maison. Salue-le pour moi. Je lui ferai signe un de ces jours. Pour l'interview, je t'en prie, tu ne dis rien de mes origines péruviennes. Je ne sais pas encore pourquoi, mais j'ai besoin de protéger ce secret.

— C'est promis. Je t'embrasse. Et... tu me manques beaucoup.

Catalina s'en voulut un peu de ne pas avoir su répondre à la dernière phrase de Pablo. Lui aussi lui manquait beaucoup, toutefois il était trop tôt pour laisser ce sentiment émerger. Elle vivait dans une bulle, personne ne connaissait son histoire et il ne fallait pas laisser son cœur distraire son âme de la trajectoire de la renaissance à peine amorcée. Elle eut envie de rappeler Pablo pour lui dire tout simplement «Toi aussi, tu me manques beaucoup», mais elle refoula ce sursaut amoureux.

* * *

L'orifice dans la paroi ressemblait à la gueule d'un monstre édenté. Catalina se demanda comment elle avait pu trouver accueillant ce trou noir et humide. Elle s'avança. Le soleil de fin de journée éclairait les dix premiers mètres avant de s'estomper. Elle ne pouvait plus reculer.

Depuis son retour de Nampuquio, elle avait poursuivi l'écriture de la pièce sur le thème des mensonges du pouvoir, en collaboration avec Alfonso. L'aventure l'avait piégée. Elle s'était vite retrouvée sur les traces de son enfance. Elle aurait eu besoin d'en parler à quelqu'un, de prendre une distance par rapport à elle-même, mais il lui était encore impossible de partager son secret. Elle voyageait seule dans son passé, comme on glisse sur une pente douce.

— Tu devrais exploiter le thème de la noirceur, avait suggéré Alfonso.

Elle s'était dirigée vers les cavernes du Rio Rimac.

— Il y a quelqu'un? lança-t-elle, sachant fort bien qu'à cette heure de la journée les enfants n'étaient pas encore rentrés «à la maison». Elle s'avança en butant sur une couverture de laine qu'un des *piranhitas* avait sans doute mise à sécher le matin. Elle fut étonnée de ne pas reconnaître son refuge. Son regard avait changé. Pas la caverne. Elle alla s'asseoir au fond, dans la zone la plus noire, afin de voir disparaître le jour.

Un rat la fit sursauter. En moins d'une heure, l'obscurité avait effacé les dernières traces de lumière. La nuit venait d'absorber la vie. Son corps avait disparu. Elle se sentit apaisée de ne plus exister. Elle imagina que pour assassiner un peuple on n'avait qu'à tuer la lumière grâce à laquelle les êtres pouvaient se voir, se reconnaître, se toucher et se reproduire. Cette lumière pouvait être celle du jour comme celle de la connaissance ou de l'amour. Son imagination voyageait à une vitesse folle. La noirceur lui faisait voir les contours de son texte, repousser les limites de l'action, éclater les conventions théâtrales. Alfonso avait raison : la noirceur lui avait fait découvrir une autre lumière, celle qui éclaire au-delà de la vie.

Étourdie, elle allait se lever pour quitter la caverne lorsqu'une bande d'enfants envahit les lieux. Un garçon alluma une lampe à pétrole. Il hurla en voyant le fantôme de Catalina. La petite troupe s'enfuit en criant.

— La police! La police!

Elle voulut les rassurer.

— Non, non. Revenez. Je suis Catalina. J'ai déjà vécu ici.

Mais les enfants avaient disparu.

Toute la nuit, elle écrivit, hantée par la peur provoquée chez ces enfants, qui pouvaient tous se nommer «Catalina».

\* \* \*

— Alfonso, connais-tu le restaurant *Playa Blanca*?

Catalina lui montra une lettre.

— J'ai reçu une invitation. C'est un souper «pour des personnalités de Lima».

— C'est du haut de gamme, ma chère! Magnifique. Vue exceptionnelle sur la mer. Le m'as-tu-vu de Lima. Et une bonne cuisine. J'ai aussi reçu cette invitation.

— Pourquoi moi? dit-elle.

— Le succès de la pièce, ton nom dans les journaux, les interviews. La patronne cherche toujours à enrichir le jet-set de la capitale! Chaque année, elle organise une réception de ce genre. C'est très couru. Il y a des artistes, des banquiers, des professionnels. Et, cette année, il y aura sans doute la présidente.

– Tu la connais?

– Je l'ai déjà rencontrée. C'est la fille de la patronne.

Catalina se sentit piégée. Elle était excitée à l'idée d'être invitée à faire partie du jet-set de Lima, mais terrorisée à l'idée que Magda puisse la reconnaître. Elle avait le sentiment que son propre regard la trahirait, que Magda décoderait son double jeu. «N'êtes-vous pas la petite Catalina que j'ai sauvée de la rue? lui dirait-elle. Pourquoi ne m'as-tu pas fait signe? Pourquoi te caches-tu? Que t'ai-je fait?»

Ou alors, elle annoncerait fièrement à tout le pays comment, en la sortant de la rue, elle lui avait permis de devenir la grande comédienne qu'elle était aujourd'hui. Catalina était déchirée. Cette obsession de l'anonymat n'était-elle pas exagérée? Cette envie de se faire connaître n'était-elle pas normale? Elle résista à l'idée d'appeler Pablo à Montréal pour lui demander son avis. Elle réussit à s'endormir après avoir décidé de tester sa capacité de garder l'anonymat. Elle s'avoua être plus curieuse que craintive. Plus orgueilleuse que timorée.

\* \* \*

– Impossible d'aller plus loin, lança sèchement Julio. Je ne sais pas si je pourrai revenir vous chercher en fin de soirée.

– Qu'est-ce qu'il a, ton Julio, ce soir? demanda Catalina.

– Frustré. Il aime bien m'accompagner dans ces fêtes mondaines, mais, ce soir, j'ai pensé que ce serait mieux qu'il n'y soit pas.

– Pourquoi?

– Bah. Une vieille histoire. Il y aura là un critique de théâtre avec lequel j'ai déjà eu, disons, de bons rapports! Julio est très possessif. Mais, passons!

Alfonso et Catalina s'approchèrent du cordon de policiers qui bloquait l'accès au restaurant. Au moment où le couple présentait son carton d'invitation, un officier leur demanda d'attendre. Des motocyclettes encadraient une limousine noire. Les policiers s'écartèrent et la voiture de luxe s'arrêta devant la porte du *Playa Blanca*. Catalina eut envie de fuir.

Ce restaurant. Magda. Elle se revit un soir de septembre, il pleuvait. Elle s'entendit répéter la petite phrase : « Madame, j'ai faim. » Magda s'était retournée, lui avait demandé d'attendre et s'était engouffrée dans le restaurant. Catalina avait attendu. Longtemps. Très longtemps. Elle avait collé son nez morveux à la vitrine. Un géant l'avait chassée. Puis elle s'était glissée dans le vestibule, s'était cachée sous la table et avait mordu le mollet de la dame.

Ce soir, elle avait en main un carton d'invitation. Elle était vêtue d'un pantalon noir et d'un chemisier de soie fuchsia. Son nez ne coulait pas. Elle ne mourait pas de faim. On l'avait invitée. Elle serait sans doute présentée à la dame, à Magda, à la présidente. La rue était déserte. Pas de vendeurs itinérants. Pas d'enfants. Pas de femmes assises par terre, tendant la main, un enfant dans les bras. La police avait nettoyé la place pour Magda. Pour les invités. Pour Catalina.

— Viens, on y va, dit Alfonso en lui prenant la main.

Elle se laissa emmener, comme une enfant qui n'a d'autre choix que de suivre un adulte. Alfonso sentit une petite résistance.

— Tu sembles inquiète.

— Non. Impressionnée, répondit-elle, les yeux au bord des larmes.

À la porte du restaurant, quelques photographes et caméramans leur demandèrent de s'arrêter et de sourire. Les flashes signalèrent l'inscription du nom de Catalina Portal au carnet mondain de Lima.

– Bonsoir. Soyez les bienvenus chez moi !

Clara Perez accueillit Alfonso comme un ami.

– Julio n'est pas avec vous ?

– Non, ce soir il me permet d'accompagner Catalina, dit-il en riant.

– Vous ne pouvez savoir à quel point je suis heureuse de vous rencontrer, dit Clara en serrant la main de Catalina. Vous me faites un grand honneur en ayant accepté mon invitation.

– Madame, répondit Catalina, c'est moi qui suis honorée d'avoir été invitée.

– Je vous ai réservé une place de choix, mademoiselle Portal. Je sais que vous parlez français. Eh bien, ma fille aussi ! Elle sera ravie de converser avec vous.

Catalina s'excusa auprès d'Alfonso et alla se réfugier aux toilettes.

Le grand miroir lui renvoya le visage d'une enfant de huit ans. Elle glissa sa main sur son cou où le collier d'or offert par Marc avait remplacé le foulard rouge de sa mère. Elle s'épongea les yeux et retoucha son maquillage. À la sortie, Alfonso l'attendait, un verre de champagne à la main. Elle se revit à Montréal le soir où elle avait connu Pablo. La fête. La cuite.

– Je préfère une eau minérale, dit-elle au serveur.

– Alors, vous parlez français, mademoiselle Portal.

Catalina, nerveuse, était assise à la droite de la présidente. Se tournant vers sa gauche, Magda lui présenta un homme très élégant, dont la chevelure argentée couronnait un visage buriné.

– Voici mon père, Franco Perez.

Le médecin se leva et baisa délicatement la main de Catalina, qui rougit.

– Vous êtes canadienne, lui dit-il en la fixant dans les yeux. Ma fille et moi avons déjà connu un Canadien. Il était ingénieur. C'était il y a longtemps, n'est-ce pas, Magda ?

Catalina glissa son doigt sur la chaîne d'or. Magda baissa les yeux et ne releva pas l'allusion à Marc. Chaque fois que son père faisait référence à un homme qu'elle avait fréquenté, elle sentait monter en elle une petite pointe de colère. Elle avait toujours eu l'impression de ne pas avoir le droit de s'éloigner de son père pour un autre homme. Même à quarante-huit ans, elle traînait encore au fond de son cœur une goutte d'amertume avec laquelle elle s'était habituée à vivre. Et, après son élection, Roberto, son amant depuis quinze ans, avait choisi de rentrer en Italie pour plusieurs mois.

— Le temps que tu prennes racine dans tes nouvelles fonctions, lui avait-il dit.

Mais elle se doutait bien qu'il ne reviendrait pas. Sa vie d'artiste et de bohème ne pouvait plus se marier aux responsabilités de sa maîtresse.

Pendant le repas, Catalina, fébrile et craintive, se contenta de répondre aux questions de Magda. Franco, lui, ne cessait de la dévisager, au point où Magda lui en fit discrètement la remarque. Assise en face, en compagnie d'Alfonso, Clara regardait ses invités comme un metteur en scène observe le jeu de ses comédiens.

— On m'a dit que vous aviez rendu un grand service à notre troupe lors d'un festival de théâtre à Montréal, dit Magda.

— Peut-être, mais aujourd'hui je me rends compte que c'est la troupe d'Alfonso qui m'a rendu service. Je n'aurais jamais cru jouer au théâtre dans votre pays.

— C'est votre premier séjour chez nous ?

Pour masquer son hésitation, Catalina feignit de s'étouffer. Pendant qu'elle avalait un peu d'eau, elle eut le temps de préparer son mensonge.

— Pendant mon enfance, lorsque mes parents me parlaient de leur pays, le Guatemala, je regardais une carte de l'Amérique du Sud. Le nom «Pérou» me fascinait. J'ai toujours eu l'impression que j'allais y venir un jour.

– Avez-vous eu l'occasion de sortir de Lima?

Il n'était pas question de parler de Nampuquio. Elle s'aperçut, avec soulagement, qu'Alfonso n'avait pas entendu la question, occupé à converser avec le critique de théâtre dont Julio était jaloux.

– Et vous, enchaîna Catalina, avez-vous déjà visité le Canada?

Magda prit le temps d'avaler une gorgée de vin avant de répondre.

– Non, mais cet ami dont mon père parlait m'avait invitée. Peut-être qu'un jour...

– Il s'appelait Provost, Marc Provost, interrompit Franco. Son nom me revient maintenant. J'imagine que vous ne le connaissez pas, dit-il en s'adressant à Catalina.

– Voyons, papa, il y a des millions de personnes là-bas. Ça serait un hasard inouï si vous le connaissiez, commenta Magda en regardant Catalina.

De la tête, elle fit signe que non.

Clara demanda à un photographe de s'approcher. Elle fit prendre des photos du groupe. Puis ce fut Catalina et Magda. Franco, Catalina et Magda. Franco et Catalina. Pendant la prise de cette photo, Catalina sentit le bras de Franco autour de sa taille, une familiarité qui la gêna devant Clara et Magda.

Juste avant le service des desserts, Magda s'excusa auprès de ses hôtes. Elle devait partir. Elle serra la main de Catalina.

– Quelle sera votre prochaine pièce? lui demanda-t-elle.

– Je crois que cela vous intéressera. Alfonso et moi achevons l'écriture d'une pièce sur les mensonges du pouvoir.

Magda sourit, tout en grimaçant un peu.

— Le pouvoir, je commence à m'y adapter, répondit-elle. Mais le mensonge, jamais! Tenez-moi au courant. Bonne fin de soirée.

Soulagée de ne pas avoir fait de gaffes, Catalina regarda Magda disparaître, entourée d'une demi-douzaine d'adjoints et de quatre gardes du corps.

— Venez vous asseoir, lança Franco en indiquant à Catalina une chaise voisine de la sienne.

Clara passa le reste de la soirée à se promener d'un invité à l'autre, tout en observant avec attention Franco et Catalina.

* * *

Deux jours plus tard, le docteur Perez appela Catalina.

— Vous serez sans doute étonnée de ma démarche, dit-il, mais j'ai reçu la série de photos prises lors de la réception au *Playa Blanca*. Et je voudrais vous en remettre personnellement un jeu. Auriez-vous la gentillesse de vous joindre à moi pour l'apéritif?

Catalina était subjuguée. Pendant la réception, il n'avait cessé de la regarder, de s'approcher d'elle, de lui faire la conversation. Il avait été à la fois fascinant et pénible. Mais il était tout de même le père de Magda. Trop curieuse, elle accepta l'invitation pour le lendemain soir.

— Vous êtes ravissante, lui dit-il en déplaçant son fauteuil.

Le *Laguna* était un club privé fréquenté exclusivement par la haute bourgeoisie de Lima. L'ancienne demeure de type colonial faisait face à la mer et des jardins touffus l'isolaient de la route et des voisins dont on ne voyait pas les maisons. En plus d'un bar, le bâtiment comprenait une cuisine, des petits salons et quelques chambres à l'étage. Catalina se sentit un peu gênée en regardant les photos. Elle portait, ce soir, le même pantalon et le même chemisier qu'à la réception.

— Mademoiselle Portal, votre parcours m'impressionne. Il y a quelques mois, personne ne vous connaissait ici. Et voilà que tout le monde parle de vous.

— N'exagérez pas, monsieur Perez. On parle beaucoup plus de votre fille que de moi, répliqua-t-elle.

— Le soir de la réception, j'aurais bien aimé vous entendre me raconter votre itinéraire professionnel. C'est pourquoi j'ai pensé vous rencontrer de nouveau.

Catalina sentit le sol se dérober sous ses pieds. Où donc cet homme si raffiné voulait-il en venir? Son teint basané, ses cheveux argentés, sa chemise bleue ouverte sur une lavallière de soie bourgogne témoignaient d'une élégance naturelle qui faisait oublier ses soixante-dix ans. Pendant une heure, ils discutèrent de théâtre et de médecine. Chaque fois que Franco lui parlait du Canada, elle évitait de fournir trop de détails, ne voulant pas laisser échapper une information qui l'aurait mis sur la piste de ses origines péruviennes. Ils passèrent à table. Elle s'en tint à l'eau minérale. Vers vingt-deux heures, elle ne put réprimer un bâillement. Alerte, Franco passa à l'attaque.

— Je crois que vos journées sont longues et fatigantes. Avant que je vous reconduise, permettez-moi de vous faire visiter cet immeuble magnifique.

Elle frissonna. Il lui offrit aussitôt de se couvrir les épaules de sa veste de lin. Elle refusa. Il l'entraîna dans les jardins, près de la plage, puis revint vers les salons où Catalina nota la présence d'une table de billard.

— Ah! dit Franco, on fait une partie?

Catalina se revit rue Saint-Denis, à Montréal, avec Pablo. Elle sourit.

— Une seule, pour le plaisir, dit-elle.

Franco était fort habile.

– Je jouais beaucoup au collège et à l'université, dit-il, mais, à vous voir, on sent que vous n'en êtes pas à vos premières armes.

Alors qu'elle s'allongeait sur la toile pour étudier l'angle de frappe, elle le sentit s'approcher. Elle se déplaça. Il fit de même. Elle se concentrait lorsqu'il appuya son corps sur le sien par-derrière.

– Permettez que je corrige un peu l'angle de la baguette, dit-il en glissant sa main sur la sienne.

Coincée, elle attendit qu'il finisse la manœuvre. Cela lui parut une éternité.

Finalement, elle fit bondir la bille par-dessus une autre et la bille blanche disparut dans la poche du coin.

– Foutu! dit-elle. J'ai perdu.

Elle se dégagea.

– Bon, dit-il, je vous fais voir les appartements supérieurs.

– Monsieur Perez, si vous le permettez, j'aimerais bien rentrer.

Il la reconduisit. Chemin faisant, il s'arrêta sur un bout de route en corniche pour lui faire admirer le croissant de lune sur la mer. Lorsqu'il approcha une main de son épaule, elle se déplaça sur la banquette. Il n'insista pas. Arrivé dans sa rue, il lui demanda s'il pouvait la revoir.

– Je joue au théâtre chaque soir. Vous pouvez venir me saluer.

– Au théâtre, oui, mais, dans la vie, ce serait beaucoup plus agréable. Vous me fascinez, mademoiselle. Dès que je vous ai vue la première fois, j'ai senti que nous allions nous revoir. J'espère que vous accepterez une autre invitation.

Catalina le remercia et réussit, en lui présentant la main, à éviter le baiser qu'il voulait lui donner. Elle sortit vite de la Mercedes et rentra chez elle. Une minute plus tard, on sonnait à la porte.

— Mademoiselle Catalina, c'est Franco Perez. Vous avez oublié les photos dans la voiture.

Agacée, elle ouvrit la porte, mais demeura dans l'embrasure afin de lui faire comprendre qu'il n'allait pas entrer.

— Je vous remercie, dit-elle. J'aurais pu aller les récupérer.

— Ah! si j'avais su, je les aurais apportées chez moi! dit-il en riant.

Elle referma la porte et vérifia si la Mercedes avait bien quitté la rue.

Le lendemain, un fleuriste livrait au théâtre une immense gerbe de fleurs odorantes en précisant qu'il fallait la mettre dans la loge de Catalina. La carte était signée « F. P. »

## 28

– J'ai faim! hurla Catalina à ses collègues en se précipitant vers les loges pour se démaquiller.

Le rideau venait de tomber sur la cent trentième représentation de la légende quechua. Les assistances diminuaient et Alfonso avait décidé que la dernière aurait lieu le samedi suivant.

– Catalina, quelqu'un désire te saluer.

Le régisseur lui remit la carte du visiteur. «Docteur Franco Perez.»

– Fais-le patienter cinq minutes. Je prends une douche.

Pendant que l'eau tiède finissait de décaper la peau de son personnage, elle s'inquiéta de cette visite pourtant prévisible.

– Monsieur Perez, quelle surprise! lui dit-elle en le voyant entrer dans la loge vide.

Le jeu de Catalina avait fait une forte impression sur Franco Perez. Pendant qu'il lui exprimait toute sa joie d'avoir enfin vu cette pièce dont tout le monde parlait à Lima, il fut si troublé qu'il en perdit le sens de sa phrase.

– La pièce a semblé vous toucher, dit Catalina.

– Oui, je suis bouleversé.

– Ce n'est pourtant qu'une légende. Qu'est-ce qui vous a tant touché?

– Vous.

– Oui, je crois que c'est un personnage attachant.

— Non. Vous. C'est vous qui me fascinez.

Ils étaient seuls, l'un en face de l'autre. Une serviette nouée sur ses cheveux mouillés, le visage démaquillé, les pieds nus, vêtue d'un grand peignoir rouge, Catalina se sentit oppressée. Le comportement du Dr Perez lors de la soirée au *Laguna* l'avait agacée. Par la suite, il lui avait fait parvenir des fleurs chaque semaine. «Un vieux romantique inoffensif», avait blagué une collègue.

Mais, cette fois, elle se retrouvait seule avec lui dans sa loge. L'image du *padre* Perron lui remonta en tête. Gentil, mais étouffant. Elle s'énerva. Il n'y avait plus personne dans les coulisses. Et si cet homme lui sautait dessus? Malgré son âge, il semblait costaud et en bonne forme.

— Monsieur Perez, je dois vous interrompre. Je meurs de faim et mes compagnons m'attendent. Je vous prie de m'excuser. Je dois vous quitter. Merci de votre visite et de vos commentaires.

— Puis-je vous inviter à manger? proposa-t-il.

— Merci. Une autre fois, peut-être. Ce soir, je rejoins la troupe.

Franco lui baisa la main, attarda son regard sur son visage et, en reculant vers la porte, lui dit :

— Vous êtes une des plus belles femmes que j'aie rencontrées. Vous me faites rajeunir. Merci de m'avoir accueilli dans votre loge.

Au restaurant, elle raconta la visite et le discours saugrenu de ce septuagénaire qui se permettait de flirter avec les jeunes filles, alors que sa femme semblait pourtant encore vive et intéressante.

— Un autre vieux cochon, dit Julio en caressant la joue d'Alfonso.

— Méfiez-vous des racontars, coupa Alfonso. On ne connaît jamais toute la vérité. Par exemple, Catalina, contrairement à ce que tu crois, M. Perez est séparé de sa femme depuis très longtemps et...

Catalina fit signe à Alfonso de se taire. Tous les yeux se tournèrent vers la porte du restaurant. Franco Perez entrait. Il s'approcha de la table des comédiens.

– Veuillez m'excuser, commença-t-il. Je voulais vous dire tout le bien que je pense de votre pièce et de votre performance. J'ai eu l'occasion d'en parler plus tôt à M$^{lle}$ Portal qui vous résumera mes propos. Bon appétit. Et bonne fin de soirée.

Franco alla s'asseoir, seul, à l'autre extrémité du restaurant. Il commanda un repas qu'il avala en ne cessant d'observer Catalina.

*  *  *

«Cent jours catastrophiques». Le titre s'étalait à la une du principal quotidien de droite qui, après les cent premiers jours d'exercice du pouvoir du gouvernement Perez, attaquait sur tous les fronts. Le soir même, dans une interview à la télévision nationale, la présidente Perez, le journal à la main, demanda aux citoyens s'ils avaient envie de retrouver au pouvoir les fossoyeurs corrompus de l'économie péruvienne. Elle s'arc-boutait sur ces attaques virulentes pour mieux pourfendre ses adversaires. Chiffres à l'appui, elle dressa le bilan des vingt ans de pouvoir de la droite qui n'avait jamais su jouer le rôle d'un véritable gouvernement : partager la richesse et le pouvoir. Elle admit, par contre, que les compressions budgétaires annoncées avaient été imposées par les fonctionnaires du Fonds monétaire international.

– Nous n'avons plus le choix, conclut-elle. La droite a pillé le Trésor national. Nous avons été volés! Pour relancer l'économie, nous devons réduire nos dépenses. Il faut instaurer un climat social et politique stable pour inciter les investisseurs étrangers à investir chez nous et créer les emplois que, en vingt ans, les gouvernements de droite n'ont jamais su vous donner.

Dans les jours qui suivirent, la guerre des chiffres se transporta dans les pages des journaux.

— Ne t'en fais pas, dit une de ses conseillères à Magda. La majorité des gens qui t'ont élue ne savent pas lire. Va les voir. Communique avec eux par la radio. Il faut à ces gens un contact direct avec nous et avec ce que nous représentons. Il nous faut développer des programmes d'animation populaire simples. Il nous faut une armée de missionnaires qui parcourent les bidonvilles et les campagnes. Ils prépareront le terrain. Tu feras des tournées. Notre coalition peut tomber à n'importe quel moment. Aux prochaines élections municipales, nous devons gagner avec une majorité absolue des voix. Si notre parti l'emporte aux municipales, notre base sera solidifiée et cela préparera l'élection générale, dans quatre ans et demi.

* * *

— Madame la Présidente vous attend. Entrez, je vous prie.

Le jeune homme ouvrit la porte à Alfonso et Catalina.

Magda s'était souvenue de la dernière phrase de Catalina lors du souper au *Playa Blanca*, six mois auparavant. Depuis, son gouvernement voguait de turbulences en affrontements, de crises en dérapages. Magda avait toujours, selon les sondages, la confiance de la population. Mais il lui fallait amorcer dès maintenant une précampagne, même si les élections n'étaient prévues que dans plus de quatre ans. Certains partis, membres de la coalition, allaient bientôt la lâcher. Il fallait agir vite et frapper fort.

— Mademoiselle Portal, lors de notre rencontre au restaurant de ma mère, vous m'avez parlé d'une pièce sur les mensonges du pouvoir.

238

– Et vous m'aviez répondu que le pouvoir, vous connaissiez cela, mais pas le mensonge.

Magda fut frappée par la vivacité de Catalina. Elle avait été invitée à la première de la pièce, mais son emploi du temps ne lui avait pas permis d'y assister. *Nampuquio ou les mensonges du pouvoir* était présentée depuis quelques semaines.

– On m'en dit beaucoup de bien.

– La salle est pleine chaque soir, confirma Alfonso.

Catalina n'aurait pu refuser de rencontrer Magda, la présidente. Elle s'était habituée à la sentir dans son environnement, mais n'avait toujours pas décidé de révéler ses origines. Elle était aujourd'hui assise en face de la Magda de son enfance et de celle de la présidence. À la fois excitée et anxieuse, elle avait l'impression de jouer avec le feu. Elle avait un plaisir presque morbide à côtoyer secrètement celle qui ne devait pas la reconnaître, comme si elle s'approchait d'un précipice pour se faire la preuve qu'elle pouvait vaincre la peur.

– J'ai une proposition à vous faire, dit Magda. Il est important que le message de votre spectacle soit propagé dans tout le pays. Cette histoire des citoyens de Nampuquio qu'on a trompés et qu'on a ensuite humiliés en les privant de l'électricité doit être racontée à tout le monde. Je vous propose de financer une tournée du pays.

– Mais, madame la Présidente, dit Alfonso, vous n'avez pas vu la pièce.

– Monsieur Alvarez, avez-vous déjà vu Nampuquio?

– Non. Catalina y est allée. Pas moi.

– Je sais que votre pièce est enracinée dans la vérité d'un village. Je connais la qualité de votre travail. Les gens vous aiment. C'est le moment de foncer. Pensez-y.

Et donnez votre réponse à mon directeur de cabinet le plus tôt possible.

Magda se leva, serra la main de Catalina et celle d'Alfonso et les remercia. Le couple allait sortir lorsque Magda s'adressa à Catalina.

— Mademoiselle Portal, puis-je vous demander de rester quelques minutes? Je voudrais vous entendre parler de Nampuquio.

Catalina sentit ses jambes fléchir.

— Je te rejoins plus tard au théâtre, dit-elle à Alfonso.

Magda se dirigea vers un canapé et une table dans un coin de son bureau où les attendaient des fruits frais, des gâteaux et du café. Catalina se sentit comme une chatte prête à fuir ou à saisir une proie. Magda portait un tailleur rose dont elle laissa tomber la veste. Son chemisier de soie noir mettait en valeur une simple épinglette d'or représentant deux enfants stylisés qui se tenaient par la main. Les petites rondeurs de son visage masquaient bien quelques rides, mais ses mains révélaient qu'elle était au seuil de la cinquantaine. Seuls quelques reflets argentés parcouraient sa chevelure dense et noire.

— Allons droit au but, dit Magda. Je n'ai pas eu le temps d'aller voir votre pièce, mais une chose m'intrigue. Comment diable avez-vous entendu parler de ce village du bout du monde?

Catalina prit une banane qu'elle éplucha lentement. En regardant le fruit apparaître, elle se sentit aussi dépouillée et démasquée. Dix-huit ans après avoir été laissée à Nampuquio par Magda, elle se retrouvait devant elle, incapable de lui mentir, mais, aussi, incapable de répondre.

— Vous connaissez Nampuquio? répliqua Catalina.

— Oui.

— Vous y avez des amis, je crois.

— Vous en savez, des choses...

— Y êtes-vous déjà retournée?

— Vous savez donc que j'y suis allée.

Magda servit du café.

— Non, je n'y suis jamais retournée, poursuivit-elle.

Magda se sentit à son tour mise à nu. Comment cette jeune Canadienne, née de parents guatémaltèques, pouvait-elle avoir mis le doigt sur ce coin de pays perdu où elle avait vécu sa plus grande histoire d'amour? Le visage de Marc lui revint en tête. Une image d'abord nébuleuse mais qui se compléta peu à peu, comme les morceaux d'un miroir brisé que l'on recolle. Elle vit apparaître dans cette glace fissurée le sourire d'un bel homme, puis la main d'une enfant. Une baignoire. Elle était nue dans cette baignoire où une petite fille lui lavait les cheveux en la caressant. Elle leva son regard sur Catalina. Leurs yeux embués de larmes brouillaient leur vue.

— Catalina? murmura Magda.

— Oui!

* * *

Magda avait fait annuler ses rendez-vous de l'après-midi. Entre les étreintes, les larmes et les rires, les deux femmes se racontèrent leur vie depuis leur séparation, il y avait plus de dix-huit ans. Magda voulait tout savoir, tout comprendre. Lorsqu'il fut question de Marc, Catalina ne cacha pas l'avoir revu à quelques reprises, mais eut la pudeur de ne pas lui révéler l'intimité de leurs relations. Magda fit aussi allusion à son père, Franco.

— Il m'a semblé bien émoustillé par toi, lui dit-elle en riant. J'espère qu'il ne t'a pas importunée. Je ne l'ai jamais vu comme cela.

Catalina souligna simplement qu'il lui avait fait parvenir des fleurs.

— S'il savait qui tu es…, dit Magda.

— Il ne faut surtout pas, trancha Catalina. A-t-il déjà entendu parler de moi lorsque tu m'as emmenée à Nampuquio?

— Non. Même si mon père se préoccupait beaucoup du sort des enfants de la rue, Marc et moi avons décidé de garder cette histoire pour nous. On avait l'impression d'avoir enlevé un enfant! Seuls les Romero et le père Perron sont au courant de ton aventure. Mais, dis-moi, pourquoi ne t'es-tu pas mise en contact avec moi plus tôt?

Catalina sentit un soupçon de reproche dans le ton de Magda. Elle lui prit les mains et la fixa dans les yeux.

— Un jour, tu m'as pris la main et tu m'as sauvé la vie. Depuis ce temps, j'essaie de venir au monde par moi-même, sans l'aide de personne.

Les deux femmes se quittèrent après une étreinte chargée d'émotion. Catalina fit promettre à Magda de ne révéler à personne le secret de ses origines.

# 29

La tournée de la troupe se passait plutôt mal. Tout cela avait été improvisé. Le soutien financier et technique prévu ne suivait pas. Seuls les journaux et les stations de radio locales leur faisaient bon accueil. On soulignait le professionnalisme des acteurs plutôt que le message politique de la pièce.

– Comment expliques-tu cette indifférence à l'égard de notre pièce? demanda Catalina à Alfonso.

– Je crois que les gens sont désabusés en ce qui concerne le pouvoir politique. Tu ne peux pas les scandaliser avec quelque chose qui ne les touche pas.

– Mais, à Lima, ça marchait.

– Oui. Parce que Lima, c'est un lieu de pouvoir. C'est la capitale. Il y a des fonctionnaires. Des politiciens, des journalistes spécialisés en politique.

– Et il y a de l'argent.

– Pour réussir une tournée nationale, il faudrait un thème rassembleur. Un sujet qu'on pourrait considérer partout comme étant d'intérêt local.

Après Arequipa, Cuzco, Puno, Huaraz, Iquitos, Huancavelica et Trujillo, la troupe rentra à Lima. Un journal de droite publia un article critique au sujet de cette tournée qu'il qualifia de «propagande gouvernementale». Profitant de cette controverse, Alfonso remit la pièce à l'affiche. Par son compagnon Julio, qui était devenu conseiller culturel au sein du cabinet de la présidente, il réussit à convaincre la directrice de cabinet de Magda de libérer une soirée pour qu'elle puisse assister au spectacle.

– Elle est d'accord, dit Julio à Alfonso. Mais il y a une condition.

* * *

Magda Perez débarqua de la limousine en compagnie de son père. La salle était bondée. Les aficionados du théâtre et de la politique avaient joué du coude pour voir l'entourage de la présidente, et se faire voir avec lui. À la surprise générale, les douze premières rangées avaient été réservées à des citoyens des bidonvilles invités par Magda. Aucun d'entre eux n'avait déjà assisté à une représentation théâtrale. Applaudie à tout rompre, Magda alla s'asseoir parmi eux, au grand désespoir des responsables de la sécurité.

Pendant la pièce, les invités spéciaux des premières rangées ne réagissaient pas aux mêmes endroits, aux mêmes répliques et de la même manière que les autres spectateurs. Les comédiens en furent désarçonnés. À la fin, lorsque la majorité de la salle se leva pour applaudir, les pauvres restèrent assis, sans trop réagir. Une dame se tourna vers Magda.

– Madame, pourquoi les gens applaudissent-ils? Les gens de Nampuquio n'avaient même pas demandé l'électricité!

Son mari la fit taire.

– Il faut applaudir les acteurs, pas la pièce, dit-il. Nous, madame la Présidente, on ne voit jamais de théâtre. On regarde les acteurs à la télévision. Alors, c'est très excitant de les voir en personne.

Magda et son père se dirigèrent vers les loges pour saluer les comédiens. À la vue de Franco Perez, Catalina se mit en retrait. Depuis sa visite impromptue après une représentation de la dernière pièce, Franco n'avait cessé de la harceler. Comme par hasard, il la croisait dans la rue, au restaurant ou à la porte du théâtre. Chaque fois, avec gentillesse, il l'invitait à prendre un verre ou à manger. Catalina avait toujours refusé, trouvant un prétexte quelconque. Cette fois, elle craignait de ne pouvoir y échapper.

— Chers amis, dit Magda, j'ai été ravie de voir cette pièce que des milliers de Péruviens ont déjà appréciée. Vous êtes tous invités à manger au *Playa Blanca*!

Les comédiens applaudirent. La présidente serra ensuite la main de chacun. Rendue à Catalina, elle se pencha à son oreille.

— Ne crains rien. Je tiens ma promesse. Personne ne sait ce que je sais.

— Personne? demanda Catalina.

— Personne. Même pas mon père. À plus tard.

Après le départ de Magda et de Franco, une comédienne demanda tout haut à Catalina quel secret la présidente avait à lui confier.

— Elle m'a demandé chez quel coiffeur je faisais faire mes mèches, répondit Catalina.

— Et que lui as-tu répondu?

— Qu'elle n'avait pas besoin de masquer ses cheveux blancs!

Tous éclatèrent de rire en allant vite se démaquiller.

Franco avait exigé la chaise voisine de celle de Catalina. Pendant le repas, il lui fit ouvertement la cour. Il alla même jusqu'à lui frôler la main sous la table. Elle s'en dégagea, mais rien n'y fit. Plus il buvait, moins il retenait ses gestes. Lorsqu'il lui mit la main sur une cuisse, elle le fixa dans les yeux.

— Monsieur Perez, retirez votre main, ou je quitte immédiatement cette table!

— Mademoiselle Catalina, dit-il en retirant sa main, je ne vous demande pas de m'excuser. Je vous demande simplement de comprendre à quel point vous m'attirez. Non, ne réagissez pas tout de suite! Depuis le jour où je vous ai vue pour la première fois, j'ai l'impression de vous connaître depuis toujours. Votre visage, vos traits, vos yeux me sont familiers.

– Monsieur, dit Catalina, je ne suis peut-être qu'une image. Pourquoi ne me laissez-vous pas en paix? Si je ressemble à quelqu'un que vous avez déjà connu, je n'y peux rien.

– Vous avez sans doute raison. Vous êtes l'image d'une autre vie.

Magda avait suivi de loin, sans l'entendre, l'échange de propos entre Catalina et son père. Le lendemain, elle invita la jeune actrice à venir partager un repas dans son bureau.

– Magda, jure-moi que tu n'as révélé à personne qui je suis.

– Catalina, je te le jure. C'est notre secret. Pourquoi me demandes-tu cela?

– C'est difficile à dire, mais, ton père…

– Oui, je l'ai bien vu te faire la cour, hier soir, au restaurant.

– Je me demandais s'il ne connaissait pas mes origines. Il n'a cessé de me répéter qu'il avait l'impression de me connaître depuis toujours.

– Catalina, je te le jure : personne ne sait que je t'ai connue toute petite. Personne ne connaît tes origines péruviennes; ni ta vie dans la rue ni les années passées à Nampuquio. Je te le répète, c'est notre secret. Avec toi, je ne suis pas la présidente, mais ton amie.

– Ma première véritable amie, enchaîna Catalina en l'embrassant sur les joues.

– Mais c'est la présidente qui t'a invitée ce soir.

Magda lui expliqua qu'elle avait été déroutée par la réaction des pauvres des bidonvilles ayant assisté à la pièce. Catalina lui fit part du succès mitigé dans les autres villes du pays.

– Alfonso et moi en avons beaucoup parlé. Il croit que les pauvres et les démunis ne sont pas très touchés par les problèmes du pouvoir. Ils n'en ont pas, de pouvoir. Ils veulent d'abord sortir de leur quotidien. S'amuser.

– Mais il doit y avoir moyen de toucher tout le monde, répliqua Magda. On peut trouver des thèmes universels qui sont rassembleurs.

À la fin de la soirée, Magda avait convaincu Catalina d'écrire une autre pièce qui pourrait avoir un impact sur tous les publics, de tous les coins du pays.

– Rien n'est plus universel que les enfants, lui dit-elle. Rien ne me tient plus à cœur que le sort des enfants. Tous n'ont pas eu, comme toi, la chance de s'en sortir.

Catalina accepta d'écrire, avec Alfonso, une pièce sur les enfants abandonnés. Le temps pressait.

– Je ne veux pas de discours social ou moral sur l'enfance. Je veux de l'émotion, dit Catalina.

– La politique, c'est aussi du théâtre, répliqua Magda. Derrière le discours, il n'y a que de l'émotion.

# 30

Elle était habituée aux honneurs. Mais, cette fois, Magda se sentait plus émue que gratifiée. Le petit orchestre écorcha les dernières notes de l'hymne national. Le maire s'avança et, à l'invitation de la présidente, posa la main sur la grosse manette grise.

– Citoyens de Nampuquio, revoici la *luz*! déclarat-il.

Il abaissa le manche et, comme il y a vingt ans, l'électricité se répandit dans les fils électriques du village.

Lorsque Magda avait appris que Nampuquio avait perdu l'électricité, elle avait ordonné que les réparations soient faites le plus vite possible. Il avait fallu huit mois pour y arriver. Depuis son séjour avec Marc Provost, elle remettait les pieds dans ce village des Andes pour la première fois. Avelina Romero avait voulu lui dire un mot, mais les responsables de la sécurité lui avaient barré le chemin. Elle s'approcha alors d'un des adjoints de la présidente et lui parla à l'oreille. Quelques instants plus tard, le maire soulignait fièrement que Magda avait été présente le jour de l'inauguration du premier système électrique. Personne, sauf Avelina, n'avait fait le lien entre Magda Perez la sociologue et Magda Perez la présidente.

Catalina avait été invitée à cause de *Nampuquio ou les mensonges du pouvoir*, dont personne au village n'avait entendu parler. Mais, apercevant Avelina, elle eut le réflexe de se fondre dans la petite foule par crainte d'être reconnue. Avelina avait grossi. Son corps, épuisé par le travail, aurait pu être celui d'un homme. Seule sa lourde jupe multicolore confirmait qu'elle était une femme. Émue, Catalina ne put s'empêcher de s'approcher.

« Si elle a tant changé, ce doit être la même chose pour moi. Elle ne peut pas me reconnaître », se dit-elle.

Elle se glissa à ses côtés et laissa le temps à Avelina de la regarder. Son cœur battait vite, comme si elle risquait de perdre d'un seul coup cet anonymat qu'elle avait tellement cherché à protéger. Avelina lui sourit avec timidité.

— Avec la *luz*, que va-t-il se passer au village? demanda Catalina.

— Oh, on va éclairer les rues, rebrancher le frigo pour les vaccins et acheter un déshumidificateur pour les pommes de terre. Comme la première fois.

— Ça n'avait pas duré longtemps, cette première expérience, glissa Catalina.

— Assez pour que les gens commencent à apprendre à lire et à compter, répliqua Avelina.

— Vous avez appris à lire? demanda Catalina.

— Moi, non. J'étais trop occupée. Mais une de mes filles, enfin une petite fille que nous avons gardée pendant quatre ans, avait appris à lire et à compter.

Catalina sentit les larmes lui monter aux yeux. Elle fit semblant d'éternuer pour se moucher.

— Elle était très intelligente, poursuivit Avelina. Un jour elle est partie.

— Partie? dit Catalina.

— Oui. Le *padre* l'a emmenée avec lui pour la faire étudier dans les grandes écoles.

— Avez-vous de ses nouvelles? ne put s'empêcher de demander Catalina.

– Non. Ce n'était pas ma fille. C'est la présidente, M<sup>me</sup> Magda, qui à l'époque nous avait demandé de la prendre avec nous. Même si la petite Catalina nous avait écrit, je n'aurais pas pu lire sa lettre. Je ne sais pas lire. Mes enfants non plus. Je ne sais pas ce qu'elle est devenue aujourd'hui. Elle a sans doute des enfants.

Catalina eut envie de s'éloigner, de fuir à nouveau. Avelina ressuscitait une portion de son enfance, mais semblait en même temps détachée de ce moment de vie. La petite Catalina n'aurait-elle été qu'une bouche de plus à nourrir pour cette femme à la fois tendre et endurcie? Malgré la vivacité de ses souvenirs d'enfance, elle se sentit libérée et moins émue que lors du voyage précédent au village. Avec le retour de l'électricité, le dernier chapitre de l'aventure Nampuquio se terminait. Elle eut le sentiment de tourner en même temps la page sur cette partie de sa jeunesse. Elle risqua une dernière question.

– Avec le retour de la *luz*, les gens du village vont-ils vouloir apprendre à lire et à écrire?

– Je ne sais pas. Il faudrait un professeur, répondit Avelina qui semblait ennuyée par l'insistance de Catalina.

– Mais celui qui enseignait ici il y a quelques années ne pourrait-il reprendre ses cours?

– M. Ernesto! Non. Il est mort il y a deux mois, répondit Avelina en s'éloignant.

Catalina se retira à l'arrière de la foule pour éponger ses larmes. Elle se dirigea vers le petit cimetière où elle repéra la pierre tombale de M. Ernesto. Sous son nom, une phrase : «Cet homme a utilisé la *luz* pour éclairer les esprits.»

* * *

Magda se retourna et lança discrètement un sourire complice à Catalina. Après avoir visité le village, serré des mains et signé le registre officiel, la présidente fut invitée par son personnel à monter dans une des limousines qui les ramenaient vers Huancayo où l'avion du gouvernement les attendait. Chemin faisant, malgré un horaire serré, Magda demanda au chauffeur de s'arrêter. Elle descendit de voiture et alla saluer les six cantonniers qui remplissaient les trous de la route. Elle leur fit remettre une bonne somme d'argent et, avant de repartir, posa pour les photographes et le caméraman de la télévision.

— Alors, mademoiselle Portal, où en est cette pièce?

Devant témoins, jamais Magda et Catalina ne se tutoyaient. En réponse à la question de Magda, Catalina précisa que la deuxième version était terminée et que d'ici deux mois la première aurait lieu.

— Ce fut difficile? demanda Magda.

— L'écriture, non. Mais la recherche dans les archives et les dossiers du ministère de la Famille a été pénible.

— Vous a-t-on créé des ennuis?

— Les dossiers les plus récents sont secrets. Mais pour tout ce qui dépasse vingt-cinq ans, c'est facile d'accès.

Le lendemain, tant à la télévision que dans les journaux, on racontait l'histoire des gens de Nampuquio. On signalait le rôle de déclencheur qu'avait joué la pièce de Catalina et d'Alfonso. En arrivant au théâtre, Catalina trouva un bouquet spectaculaire accompagné d'un mot. «Bravo pour ce que vous avez fait pour les gens de Nampuquio. — Franco. P.»

La présence de Catalina aux côtés de Magda à Nampuquio avait intrigué quelques journalistes. Des chroniqueurs politiques y firent allusion, en soulignant qu'il s'agissait de la même comédienne canadienne qui tenait un rôle dans la fable quechua associée à la campagne électorale qui avait fait élire Magda à la présidence. On rappelait également que la tournée nationale de la pièce *Nampuquio ou les mensonges du pouvoir* avait été financée par le ministère de la Culture.

* * *

Le soir de la première de *L'Enfant des cavernes,* on pouvait compter dans la salle autant de journalistes politiques que de critiques de théâtre. En voyage au Chili, la présidente expédia un message de félicitations à la troupe. La pièce souleva la controverse.

Un groupe d'adolescents vit dans une caverne, au cœur de Lima. Un soir, une travailleuse sociale y pénètre, à la recherche d'une jeune fille qu'elle veut faire témoigner contre un policier soupçonné d'agression sexuelle. Les aînés de ces jeunes prennent la femme en otage. Ils ne veulent pas que les adultes se mêlent de leur vie. Une scission se produit dans le groupe. Un affrontement éclate et la caverne devient un tribunal où l'on décidera du sort de la travailleuse sociale. Pendant près de deux heures, on y fait le procès de la société péruvienne urbaine qui abandonne ses enfants.

Les spectateurs furent impressionnés par la présence en scène d'une douzaine de jeunes comédiens encore méconnus et, surtout, par la justesse du jeu de Catalina qui tenait le rôle de la travailleuse sociale. «Catalina Portal : un sommet», titra l'une des critiques. La presse de droite se déchaîna contre le procès que faisait la pièce aux gouvernements précédents. Le scandale attira le public. Le théâtre annonça des supplémentaires. Des protestataires se promenèrent devant la salle chaque soir pour dénoncer l'œuvre. La direction du théâtre dut embaucher des gardiens de sécurité pour prévenir et empêcher toute violence, tant à l'extérieur qu'à l'intérieur. Parfois, pendant la pièce, des spectateurs huaient et d'autres répondaient par des applaudissements. Certains en vinrent presque aux coups.

Faisant flèche de tout bois, la coalition des partis de droite profita de la controverse pour dénoncer les subventions du gouvernement Perez accordées à la troupe du Teatro de la Sierra. Même s'il s'agissait de sommes plutôt raisonnables, on souligna que les centaines de milliers de *soles* dépensés auraient pu, s'ils avaient été distribués à des organismes d'aide à l'enfance, nourrir cinq mille enfants par jour pendant un an. Des élus, membres de la coalition de gauche, demandèrent à Magda une politique sociale plus généreuse envers les démunis. Magda répondit que les contraintes financières imposées par le Fonds monétaire international ne lui laissaient aucune marge de manœuvre. Elle alla même jusqu'à affirmer que les réductions de budget, rendues nécessaires par l'incurie des précédents gouvernements, avaient fait augmenter la pauvreté et le nombre d'enfants de la rue.

Le débat dégénéra. Deux ministres laissèrent planer l'hypothèse d'une démission. Magda contre-attaqua.

– Non seulement la pièce est-elle fidèle à la réalité, mais on pourrait en écrire bien d'autres sur la corruption, les exactions et la fuite des capitaux dont sont responsables les gouvernements précédents, affirmat-elle en interview.

Magda, dont l'horaire chargé ne lui avait pas encore permis d'assister à la pièce, se précipita au théâtre.

Elle fut bouleversée non seulement par la performance de Catalina, mais aussi par la nature de son rôle. La travailleuse sociale, c'était elle! Elle se revit à trente ans, parcourant les rues en compagnie de son père. L'enfant qu'elle voulait sauver était Catalina.

À la sortie du spectacle, elle fut prise d'assaut par les journalistes. Les questions sur la pièce se mêlèrent aux invitations à répondre aux accusations de favoritisme à l'égard de la troupe. La pièce n'entretient-elle pas le mythe du sort des enfants? Faudrait-il donner l'argent aux enfants plutôt qu'aux acteurs? Que répondez-vous à ceux qui disent que ce théâtre fait partie de votre arsenal de propagande?

Fatiguée, émue, Magda fut guidée vers sa voiture par son directeur de cabinet. Au moment où elle allait entrer dans la limousine, un journaliste lui lança:

— Avant la politique, comme sociologue, vous vous êtes intéressée au sort des enfants de la rue. Vous qui avez financé la pièce, avez-vous aussi aidé Catalina Portal à l'écrire?

Irritée, Magda revint vers le journaliste.

— M<sup>lle</sup> Portal n'a pas besoin de conseils pour exercer son métier. Savez-vous pourquoi elle est si extraordinaire dans son rôle? C'est parce qu'elle est elle-même une enfant de la rue! Une enfant de Lima! Ce que vous avez vu sur scène, c'est une partie de sa vie. Ça n'a rien à voir avec moi ou avec le gouvernement. Si vous croyez que la politique, c'est du théâtre, dites-vous que le théâtre, ça peut être politique!

Pendant que les journalistes se bousculaient pour obtenir plus de détails sur ce qu'elle savait de Catalina, Magda fut poussée dans sa voiture par le directeur de cabinet qui ordonna au chauffeur de démarrer en vitesse.

Le lendemain matin, les journaux titraient: «Catalina Portal: l'enfant de la caverne», «Portal: une enfant de la rue, selon la présidente Perez» et «Qui est donc Catalina Portal?»

Pendant toute la journée, les journalistes tentèrent de joindre Catalina. Certains se postèrent devant la porte de son appartement. À sa sortie, elle fut assaillie par des reporters, des photographes et des caméramans. Elle refusa net de répondre aux questions. Le soir, lors de la représentation, une salle bondée lui fit un accueil enthousiaste. Seuls les comédiens et le metteur en scène notèrent qu'elle avait ajouté une phrase à son texte :

«Le pouvoir n'a pas de morale. Il n'a que des intérêts!»

## 31

Catalina fulminait.

— J'ai été trahie, hurla-t-elle au téléphone. Trahie par mon amie!

De Montréal, Pablo tenta de la calmer.

— Ce n'est pas toi, mais ton secret qui a été trahi.

— Ce secret, c'est tout ce que j'avais pour me bâtir une vie. Il n'y a que toi, Marc et Magda qui connaissaient ma vie, mes origines. Maintenant, tout le pays sait qui je suis. Et tout le monde sait que je mentais lorsque je disais être née au Québec de parents guatémaltèques. Je ne peux plus rester ici. Je vais rentrer à Montréal, dit-elle, courroucée.

— Non, Catalina, ne fais pas ça. Va au bout. Il était peut-être temps que tu règles ce problème. Pourquoi n'essaies-tu pas d'en parler à Magda? Elle a des explications à te donner. Elle a sans doute agi de bonne foi.

— Je ne veux plus lui parler. C'est fini. Je ne lui fais plus confiance.

— Voyons, Catalina. Rien n'est jamais vraiment fini.

— Pablo, je ne comprends plus rien. J'ai besoin de toi.

La phrase lui avait échappé. Elle se sentait nue, dépouillée de sa carapace, sans la protection de l'anonymat.

— Pablo, je vais te rappeler. J'avais tellement besoin de parler à quelqu'un qui me prendrait dans ses bras. À bientôt. Je t'embrasse.

* * *

Les révélations au sujet des origines de Catalina avaient relancé le succès de la pièce. Mais, chaque soir, elle trouvait de plus en plus pénible de jouer le rôle de Magda.

— Un rôle qu'elle s'est elle-même attribué et dont elle a sous-estimé les effets secondaires, remarqua Julio. C'est à toi de lui trouver une porte de sortie! dit-il sèchement à Alfonso.

— Qu'est-ce qui te prend tout à coup? répliqua-t-il.

— Il me prend que depuis que cette fille est entrée dans ta vie, dans notre vie, insista-t-il, les ennuis sont plus gros que les succès. Je t'ai déjà vu plus critique à l'égard des acteurs et des actrices d'ici.

— Bon! Une autre montée de lait, peut-être! Cette fille, comme tu dis, est une formidable comédienne et une créatrice. Parfois, il faut des gens de l'extérieur pour brasser la cage.

— Ça, je le sais. Je suppose que ton aventure avec ton critique de théâtre, c'était aussi pour me brasser la cage! Dire qu'il travaille pour un journal de droite. Une vraie honte!

Une formidable engueulade s'ensuivit. Un affrontement qui, comme d'habitude, se termina par une bouderie de quelques jours et des retrouvailles tout aussi turbulentes que l'avait été l'algarade.

Après réflexion, Alfonso offrit à Catalina de la remplacer par une autre comédienne.

— Ce serait abdiquer, lui répondit-elle.

— Abdiquer?

— Oui, ce serait reconnaître que je n'ai pas la maturité pour exister par moi-même. Or, c'est moi qui me suis fabriquée. De A à Z.

— Comment a-t-elle su que tu étais une enfant de la rue? Quelle est ton histoire?

Catalina était coincée.

– Alfonso, j'avais le droit de préserver mon passé. Je ne sais pas comment la présidente a découvert mes origines.

– Pourquoi ne m'en as-tu jamais parlé, à moi?

– C'est à l'actrice que tu devais croire. Grâce à toi, je me suis fait la preuve que je pouvais devenir ce que j'avais décidé d'être. Ne va pas plus loin, Alfonso. Parle à ton actrice si tu veux, mais oublie ce que tu sais de Catalina.

Comme les autres membres de la troupe, Alfonso était à la fois ébloui par le parcours de Catalina et frustré de ne pas en avoir été informé. Il commença à se demander si elle n'avait rien d'autre à cacher. Pour l'instant, l'intérêt soulevé par cette révélation ne pouvait que profiter au théâtre.

* * *

La curiosité et la pression de l'opinion publique avaient incité Catalina à déménager. Chaque soir, elle quittait le théâtre en vitesse et se réfugiait dans son nouvel appartement. Elle refusait toutes les demandes d'entrevue. Elle reçut une lettre de l'Unicef, l'organisme de l'ONU chargé de la protection des enfants, qui lui offrait de devenir son porte-parole pour le Pérou. Plus on admirait sa réussite, plus elle se terrait dans la solitude de son appartement. À la suggestion de Pablo, avec qui elle communiquait régulièrement, elle jeta sur papier ses réflexions. Chaque nouvelle page la confrontait à ce qu'elle croyait être son échec. Elle posta son texte. Pablo lui répondit. Au bout de quelques semaines, ces conversations sur papier jetèrent un peu de lumière sur son parcours.

Après avoir été abandonnée à la rue, sa vie avait repris racine au moment de la transplantation à

Nampuquio. Comme une jeune plante qu'on sauve de la mort en la mettant en serre chaude, elle avait grandi à l'ombre des adultes, en mimant leurs comportements. Cette imitation de la vie l'avait menée au théâtre. Et, aujourd'hui, ce théâtre la replongeait dans la vie à laquelle elle avait échappé pendant vingt ans. Maintenant qu'on la reconnaissait et qu'on l'estimait pour ce qu'elle était, elle n'avait qu'envie de fuir et de rentrer dans une autre caverne où personne ne pourrait l'atteindre.

Un jour, elle reçut une autre lettre de Pablo.

*Chère Catalina, puisque l'heure des vérités semble arrivée, je dois à mon tour te révéler un incident banal, mais qui te réconciliera peut-être avec la nécessité de dire la vérité pour se débarrasser des illusions qui nous empêchent de nous voir tels que nous sommes.*

Il lui raconta la fin de la soirée de bal où il l'avait dénudée et lavée.

Il termina par ces phrases :

*Cet incident m'a longtemps empêché de t'approcher comme je l'aurais souhaité, de te dire mon attachement et, ouvertement, mon amour. Maintenant que je te l'ai révélée, je me rends compte à quel point j'avais fait une montagne de cette mésaventure. Il n'y a aucune mesure entre cette soirée et ce que tu as vécu. Mais comment peux-tu croire que le public t'aimera moins parce qu'il a découvert le secret de tes origines ? M'aimes-tu moins parce que tu as découvert mon petit secret ?*

L'argumentation la troubla, mais pas autant que ces quelques mots : «m'aimes-tu moins». Avec patience, il l'avait laissée vivre, sans imposer une présence qui aurait pu étouffer le petit brasier qui s'était répandu en elle. Maintenant qu'elle savait faire face aux émotions et aux sentiments, il se présentait à elle avec authenticité et courage. Pablo l'aimait beaucoup plus qu'elle l'avait imaginé.

* * *

Alfonso était catastrophé. La veille encore, la salle avait ovationné Catalina. Il comprenait aujourd'hui, à la lecture de sa lettre, que ses larmes étaient des torrents de rage plutôt que des flots de joie. Catalina lâchait tout. « J'étais incapable de te le dire de vive voix. Je n'ai plus de voix. Je dois me refaire, me retrouver. Merci de ton amitié. »

Les représentations furent annulées. La presse partit à la recherche de Catalina. Que signifiait cette évasion? Pourquoi disparaître maintenant, au moment où le Parti du peuple de Magda Perez affrontait une opposition de plus en plus féroce? Catalina Portal savait-elle des choses que Magda Perez ne souhaitait pas voir révélées?

* * *

Le petit cortège de limousines et de véhicules de la police s'arrêta près de la plage que les agents de sécurité avaient fait évacuer la veille. Magda et son père entrèrent dans une maisonnette d'où ils ressortirent en tenue de plongée. Pendant un peu plus de deux heures, Magda nagea avec Franco dans les eaux tièdes du Pacifique. Deux autres plongeurs des Services de sécurité les suivaient de loin. Ces hommes étaient les témoins privilégiés de l'attachement de la présidente à son père. Il guidait sa main pour caresser un arbuste de corail. Elle lui souriait en laissant échapper des

260

bulles, comme une enfant. À quelques reprises, ils remontèrent à la surface pour échanger quelques commentaires sur la faune et la flore sous-marines si étonnantes dans cette région côtière du sud de Lima.

Dans la voiture, sur le chemin du retour, Franco demanda à sa fille son opinion sur la disparition de la comédienne Catalina Portal. Magda ferma la fenêtre montée sur le dossier de la banquette avant qui l'isolait du chauffeur et du garde du corps.

— On m'a dit qu'elle avait été blessée de la révélation que j'avais faite au sujet de son enfance dans les rues de Lima. Pourtant, j'ai cru que c'était là une preuve de sa force de caractère. Je croyais lui rendre hommage.

— Crois-tu pouvoir la retrouver? Vous pourriez vous parler, vous réconcilier.

— Pourquoi tiens-tu à ce que je la retrouve? Pour moi ou pour toi?

— Voyons. Je la trouve jolie et fort sympathique, mais de là à...

— Pourtant, elle m'a dit que tu te faisais plutôt présent autour d'elle. Elle te plaît?

— Écoute, ma fille, j'ai l'âge d'être son grand-père! Qu'est-ce qu'elle t'a raconté?

— Rien. Elle m'a simplement dit que tu lui tournais autour. Qu'est-ce qui t'attire chez elle?

— Je la trouve simplement fascinante. Une bonne actrice. Elle m'intrigue, voilà tout. Non, ce qui m'agace, ce sont les allusions de la presse au sujet de liens secrets entre elle et toi. Comment as-tu découvert qu'elle était une enfant de la rue?

— À toi, papa, je peux le dire. Il n'y a qu'un seul secret qui ne soit pas encore connu. C'est moi qui l'ai sortie de la rue et emmenée à Nampuquio lorsque j'avais accompagné Marc Provost pour l'électrification du village. Je l'ai laissée là-bas, dans une famille. Par la suite, elle a été prise en charge par des religieuses qui l'ont envoyée étudier au Canada où elle est devenue comédienne. C'est ainsi qu'elle a connu la troupe du Teatro de la Sierra.

Franco n'écoutait plus sa fille. Il se revit parcourir les rues du centre-ville de Lima en sa compagnie. Il n'avait jamais oublié la question qu'elle lui avait lancée un soir de promenade : « Tu n'as pas l'impression d'être un peu voyeur? À part donner de l'argent aux religieuses, que fais-tu pour ces enfants? »

Magda avait donc elle aussi son secret. Elle avait soustrait à la rue Catalina Portal et celle-ci, aujourd'hui, était devenue une vedette. Il chercha en vain à rajeunir son visage, à imaginer de quoi elle pouvait avoir l'air lorsqu'elle n'était qu'une petite fille abandonnée. Ce sentiment de l'avoir déjà vue, de la connaître, se nourrissait-il de l'image furtive d'une enfant de la rue qu'il aurait croisée un soir et qui aurait vieilli dans sa tête en même temps que Catalina? Troublé, il chercha à chasser cette obsession frénétique que le seul nom de Catalina provoquait en lui.

— Donc, tu avais emmené Catalina à Nampuquio en compagnie de Marc Provost. Je me demande bien ce qu'il est devenu, celui-là, dit Franco pour faire bifurquer la conversation.

— La dernière fois que j'ai eu de ses nouvelles, c'est par un petit mot qu'il m'a envoyé pour me féliciter de mon élection.

— Vous êtes toujours en contact?

— Oui et non.

— Quel homme agréable c'était.

Magda garda quelques secondes de silence. Franco venait à nouveau d'aviver une petite douleur qu'elle portait au cœur depuis longtemps. Soudain, elle éclata.

– Quoi! Maintenant que tu le sais loin, maintenant qu'il s'est écoulé une vingtaine d'années, tu reconnais que c'était un homme correct.

Franco fut surpris de cette réaction virulente.

– Magda, je l'ai toujours trouvé très correct, ce Marc Provost.

– Oui, correct, mais pas assez, à l'époque, pour accepter que je parte avec lui au Canada! Puisqu'on en parle, papa, je vais te le dire. J'ai compris, trop tard, que tu avais fait tout ce qu'il fallait pour me retenir ici, près de toi. Comme une petite fille, je me suis laissé enfermer par le projet d'enquête sur la situation des femmes. Pendant que j'enquêtais sur la liberté des femmes, je ne m'apercevais pas que j'avais mis de côté ma propre liberté pour suivre le chemin tracé par mon père!

Franco était assommé. Une simple conversation au sujet d'une jeune actrice avait débouché sur un vaste procès entre lui et sa fille.

– Je te signale que cette enquête t'a menée à la présidence de ton pays, répliqua-t-il.

– Et cette présidence, c'est une femme seule qui la vit!

– Moi aussi, je vis seul, ma fille.

– Ce n'est quand même pas maman qui t'y a forcé.

– Ma solitude, ce n'est pas l'affaire de ta mère, ni des tiennes. Je crois que cette conversation a dégénéré en règlement de compte. Tu mènes ta vie et je mène la mienne.

– J'espère simplement que tu ne te mêleras pas de celle de Catalina comme tu t'es mêlé de la mienne!

– Ah! ça va! N'en parlons plus, trancha Franco, furieux.

– Je te signale que c'est toi qui as abordé le sujet.

Le reste du voyage se passa sans autre échange de paroles. Magda eut à régler quelques affaires urgentes par téléphone. Elle déposa Franco chez lui et se fit reconduire à ses appartements.

* * *

Catalina aimait sa petite chambre pour cette fenêtre qui dessinait autour de la mer une espèce de hublot par lequel elle laissait ses rêves s'envoler pour la journée. À la tombée du jour, ils lui revenaient comme des pigeons voyageurs bagués de nouveaux messages.

Loin de la capitale, dans un hameau isolé où personne ne risquait de la reconnaître, elle était installée dans une ancienne cabane de pêcheurs que les propriétaires louaient pour les vacances. Pendant cet hiver austral, elle l'avait obtenue pour une bouchée de pain. Elle marchait sur la plage, se nourrissait de poissons et de crustacés achetés de son voisin et passait de longues heures à écrire. En emportant son foulard rouge, elle avait eu l'idée de communiquer avec sa mère.

– Il y a longtemps que je t'ai parlé, maman.

C'était la première phrase du texte qui, au fil des jours, lui permit de soliloquer en imaginant que sa mère pouvait lire par-dessus son épaule. Elle lui raconta sa vie, comme une jeune fille ferait visiter son appartement à ses parents. Sa mère était toujours aussi jeune et belle. Silencieuse, elle admirait sa fille devenue femme alors qu'elle était destinée à disparaître. Cette conviction profonde d'avoir vaincu la mort redonnait à Catalina une énergie nouvelle. La colère contre Magda s'était transformée en défi. La blessure toujours cuisante lui confirmait qu'elle était vivante. La souffrance affirmait la vie. Au bout de six semaines, elle avait dans son cahier la structure d'une nouvelle pièce. Un seul acte. Un seul personnage. Le premier texte qui lui sortait du ventre comme on met un bébé au monde. Elle avait l'intime conviction de s'être conçue elle-même et de pouvoir, enfin, révéler la femme au-delà de l'actrice. Elle était à la fois le père, la mère et la fille de Catalina.

## 32

– Ce sera tout ou rien. Mais je le fais pour toi.

Alfonso était à la fois ravi et inquiet. Depuis le retour de sa vedette, il avait passé de longues heures penché sur son texte *À rebours de la vie*.

– C'est fort parce que c'est toi qui le porte.

– Nous n'avons jamais monté ce genre de spectacle, commenta Julio. C'est un risque, ma petite. Et ce risque, c'est le théâtre qui le prend. C'est nous autant que toi.

Catalina ne répondait pas. Ce Julio commençait à lui tomber sur les nerfs. Chaque fois qu'elle discutait avec Alfonso en présence de son compagnon, ce dernier semblait prendre à tous coups le contre-pied de ce qu'elle avançait.

– Il n'y a pas de création sans risque, répliqua-t-elle avec douceur mais fermeté. Tu sembles oublier le risque que j'ai couru à Montréal lorsque j'ai remplacé une de vos comédiennes à quelques jours d'avis.

– D'accord, admit Julio, mais, en nous cachant tes origines péruviennes, tu nous as forcés à partager un risque dont nous ignorions les conséquences.

– Ça suffit! ordonna Alfonso en se tournant vers Julio. Dans notre répertoire, il n'y a pas de place pour l'indifférence. Ou les spectateurs seront transportés, ou ils seront agacés. Je n'ai aucune idée de quel côté la faveur du public va tomber, mais c'est un risque qu'il faut prendre.

Alfonso organisa une conférence de presse où, en l'absence de Catalina, il annonça le retour de l'actrice. Autant sa disparition avait fait jaser, autant son retour attira l'attention des médias. Catalina avait insisté : elle ne rencontrerait personne avant la première.

– Ce sera un coup de poing! affirma Alfonso aux journalistes.

Le soir de la première, presque tous les fauteuils étaient occupés. Au lever de rideau, le public applaudit le retour de celle qui intriguait de plus en plus les chroniqueurs politiques. Invitée, la présidente Perez avait prétexté des obligations incontournables pour expliquer son absence. Franco Perez avait fait parvenir à Catalina une gerbe de lis.

Les spectateurs furent décontenancés.

Le texte, d'abord descriptif, se transforme peu à peu en délire admirablement interprété. Une femme, seule dans une caverne, raconte comment, à l'inverse des autres humains, elle est née vieille et qu'elle mourra le jour où elle aura réussi à devenir l'enfant qu'elle n'a jamais été. Au fur et à mesure du déroulement de la pièce, les murs de la caverne se métamorphosent pour prendre la texture interne du ventre d'une femme où Catalina va enfin retrouver sa mère. Au moment précis où la rencontre doit se faire, le ventre s'ouvre. En fond de scène apparaissent alors, sur écran géant, des dizaines d'hommes et de femmes qui errent dans une rue. Ils quêtent et les enfants les ignorent.

La réaction des spectateurs fut partagée. Près du tiers des gens conspua l'actrice alors que la majorité l'inondait d'applaudissements et de bravos. Des injures fusèrent d'une rangée à l'autre. Pendant que Catalina saluait, des engueulades soutenues émergeaient entre les tenants d'un théâtre de gauche traditionnel et ceux qui voyaient naître un concept renouvelé du théâtre social et politique.

On retrouva le même discours exacerbé le lendemain dans les journaux. Certains critiques qualifiaient le texte de lumineux, d'autres de délire infantile. Dans les jours qui suivirent, des commentaires et des lettres furent publiés où l'on soulevait la question de la responsabilité de la pauvreté des enfants. Des catholiques de droite virent dans le déchirement du ventre de la mère un geste équivalant à l'avortement. On accusa Catalina de soutenir l'interruption de grossesse comme moyen d'éradiquer la pauvreté. Certains y décelèrent un appui ouvert à la politique d'avortement libre et gratuit défendue par Magda Perez avant qu'elle ne devienne présidente. Encore une fois, la polémique quitta la scène pour descendre dans la rue et le scandale remplit à nouveau la salle du Teatro de la Sierra.

* * *

Catalina était ravie. Peu importe le débat provoqué par son texte ou son interprétation, elle respirait comme la première fois où elle avait mis les pieds à Nampuquio. L'air était raréfié, mais pur. Elle sentit une sorte de vertige, un *soroche* urbain, s'amusa-t-elle à dire. Elle se sentait au-dessus de la mêlée. À ceux qui lui réclamaient des interviews ou des explications, elle répondait :

– Tout est dans la pièce. Je n'ai rien d'autre à ajouter.

Alfonso eut l'idée de permettre au public de discuter après la représentation. Il embaucha un animateur, installa des microphones dans la salle et, chaque soir, un débat prolongeait la pièce. Les journalistes rapportaient les propos et les arguments. Un soir, une station de télévision vint même installer ses caméras pour diffuser en direct les débats.

Catalina ne participait pas à ces échanges d'opinions. Elle était d'ailleurs étonnée d'entendre tout ce qu'on disait trouver dans son texte. On lui prêtait des intentions qu'elle n'avait jamais eues. On l'accusait. On la louangeait.

— Tu as fait rouler une petite pierre qui a déclenché un éboulis, lui dit Alfonso, un soir qu'ils mangeaient en tête à tête. Après une telle performance, qu'as-tu l'intention de faire ?

— J'ai l'impression de recommencer à zéro. Je suis fatiguée. Je me sens à la fois jeune et vieille, au début et à la fin de quelque chose. J'ai le sentiment que le théâtre m'a ramenée à la vie, mais que la vie va peut-être m'éloigner du théâtre.

— La vie va peut-être rejoindre ton théâtre. Regarde ce que j'ai reçu dans une enveloppe brune. Un envoi anonyme.

Catalina sortit de l'enveloppe un dossier d'une vingtaine de pages. Le mot SECRET figurait en travers de la première page. En haut, à gauche, le document portait le nom et le sceau officiel du ministère de la Santé nationale. Elle lut les premières pages et en fut terrifiée. En tremblant, elle parcourut de son index une liste de noms. Incapable de poursuivre la lecture, elle remit le dossier à Alfonso.

— Pourquoi m'as-tu montré cela ?

— Parce que c'est toi qui a provoqué le débat.

— Je n'ai jamais voulu provoquer de débat. Je voulais simplement venir au monde.

— C'est justement ce que démontre ce document. Tu n'aurais jamais dû venir au monde !

— Que veux-tu que je fasse ?

— On va réfléchir, mais on ne peut plus ignorer ce que l'on sait.

\* \* \*

— Pablo, j'ai peur. Très peur.

Catalina tremblait en tenant l'appareil téléphonique.

– J'ai reçu un envoi anonyme. Un document officiel et secret du gouvernement. Une bombe !

Elle lui résuma les derniers événements : le succès de la pièce, la polémique sur l'avortement et, maintenant, cette information qui allait éclabousser le gouvernement.

– Je crois que ce sont surtout les anciens gouvernements qui vont être touchés, dit Pablo.

– Non, ça touche même l'entourage de Magda, la présidente. Je ne sais plus quoi faire et, autour de moi, les opinions politiques sont trop tranchées. Je ne sais plus à qui me fier. J'ai besoin de toi !

Pablo, qui mourait d'envie de revoir Catalina, profita de l'occasion.

\* \* \*

Une longue étreinte les réunit à l'aéroport de Lima. Après plus de deux ans de séparation, ils se retrouvèrent avec une intensité qu'ils n'avaient jamais connue à Montréal.

– Il était temps, lui murmura Pablo.

– Je n'aurais jamais cru…

Il lui fit signe de ne pas trop en dire.

– Laisse-moi arriver !

Pendant le trajet entre l'aéroport et la capitale, ils furent incapables de parler. Ils se tenaient la main, serrés l'un contre l'autre, comme deux morceaux de chair qu'il faut rapprocher après s'être taillé un doigt. Ils fusionnaient dans l'anonymat d'un taxi qui les déposa chez Catalina alors que la nuit assiégeait la capitale. Épuisé par le voyage, Pablo laissa tomber sa valise et se doucha. Elle lui offrit une bière.

– Tu n'en prends pas ? demanda Pablo.

– Non, répondit-elle. Je ne bois pas d'alcool, surtout après ce que tu m'as raconté dans ta lettre !

Ils éclatèrent de rire en s'enlaçant. Elle posa ses lèvres sur les siennes.

– Merci, Pablo. Merci d'être là. Si tu savais...

– Prenons le temps, dit-il. Ce soir, ce sont nos retrouvailles.

Du coup, elle prit conscience que la présence de Pablo ne faisait pas que la rassurer. Il élargissait le champ de vision de sa vie. Avec Pablo à ses côtés, Lima reculait légèrement. Montréal se rapprochait. La perspective changeait.

Après avoir parlé de tout et de rien, ils s'effondrèrent dans le lit. Catalina laissa Pablo s'emparer d'elle. Pour la première fois, elle n'eut pas le réflexe de s'évader. Elle apprivoisa sa propre présence au cœur de tous les gestes d'amour. Les mains qui redécouvraient le corps de son amant étaient bien les siennes. Elle le palpait, le pétrissait, le caressait. Elle se découvrait en train d'aimer, de prendre et de s'offrir. Les yeux grands ouverts, en pleine lumière, elle l'envahit et l'inonda de sa chair et de son âme. Puis, il y eut ce moment magique, cette zone d'absence éthérée où deux corps ne font plus qu'un. Elle se sentit mourir et renaître cent fois, toujours étonnée d'être ardente, enflammée et présente à la vie. Catalina venait de fusionner avec Catalina.

\* \* \*

Le lendemain soir, Pablo assista au spectacle *À rebours de la vie*.

– Pas mal, lui dit-il. Mais, lorsqu'on débarque d'aussi loin que moi, je t'avoue qu'il y a des émotions qui m'échappent. Cependant, je dois te dire que tu m'as impressionné. C'est incroyable comme tu as pris du métier depuis deux ans.

– Le métier, répéta Catalina. J'avais oublié que c'était un métier.

En savourant un plat de langoustines au restaurant *Costa Verde*, elle raconta en détail comment le théâtre, sans qu'elle s'en rende compte, l'avait rebranchée sur son pays.

— Oui, sans m'en apercevoir j'ai repris racine dans cette société qui m'avait rejetée. Et, pour moi, le théâtre n'est plus une manière de gagner ma vie, mais de gagner sur la vie.

Les vagues venaient s'évanouir sous le pavillon monté sur pilotis où l'un des plus beaux restaurants d'Amérique latine offrait à ses clients l'illusion de voguer sur le Pacifique. Impressionné, Pablo regarda la lune apparaître.

— C'est la même qu'à Montréal, lui dit Catalina.

— À Montréal, tu m'as déjà dit que c'était la même qu'à Lima, qu'à Quezaltenango, répondit-il, moqueur.

— Je me sens si bien avec toi, lui chuchota-t-elle.

Dans les jours qui suivirent, Pablo analysa sous tous les angles le document secret qu'Alfonso avait remis à Catalina. Il en vint à la conclusion qu'elle ne pouvait pas continuer à présenter sa pièce sans tenir compte de ces informations explosives.

— Tu fais du théâtre social. Politique. Tu ne peux pas être à demi engagée. Cependant, je suggère que tu n'utilises pas toutes les informations. C'est le fond qui est important. Pas les noms. Si tu identifies les gens, tu t'exposes à de sérieuses poursuites en diffamation. Quelles preuves as-tu qu'il ne s'agit pas d'une opération de vengeance, de discrédit? Un piège, peut-être.

— Devrais-je en parler à Magda?

— Si tu fais cela, tu perds ta liberté d'auteure et d'actrice.

# 33

«Du jamais vu au théâtre!»

L'affiche annonçait que le débat public provoqué par le spectacle de Catalina avait fait évoluer la pièce. Les nouvelles représentations allaient contenir des éléments nouveaux et dérangeants. Le soir de la relance du spectacle, les sièges réservés aux journalistes furent multipliés par trois. Lorsque, à la fin, le décor s'éventre, au lieu de voir apparaître sur l'écran des adultes qui quêtent devant des enfants indifférents, on découvrit des dizaines de femmes, vêtues de draps souillés de sang, se promenant dans les rues boueuses des bidonvilles en traînant des poussettes d'enfant vides. Sur ces images, Catalina récitait un texte officiel :

*En ce dixième jour d'avril, à la suggestion du ministre de la Santé, le gouvernement a décidé d'autoriser la stérilisation systématique des femmes pauvres. Cette opération secrète vise à réduire la pauvreté et à éliminer le phénomène des enfants abandonnés, dont le nombre dépasse à ce jour les 200 000. Les médecins qui, sur une base volontaire, collaboreront à cette opération profiteront des examens gynécologiques offerts maintenant gratuitement pour procéder, sans en informer la patiente, à sa stérilisation complète et définitive. En retour de leur travail et de leur totale discrétion, ils recevront une somme de cent dollars par patiente.*

La dernière image montrait une femme qui courait se réfugier dans une caverne déjà surpeuplée de femmes apeurées.

Le rideau tomba.

Pendant quelques secondes, personne n'osa rompre le silence.

– C'est une honte! hurla un homme.

– Bravo! Bravo! lancèrent des spectateurs.

Catalina revint saluer sous les applaudissements frénétiques et les quolibets.

Pablo en fut estomaqué. Il n'avait jamais vu des spectateurs aussi agités.

Les journalistes se précipitèrent vers l'arrière-scène pendant que la discussion publique enflammait la salle.

– Monsieur Alvarez, où sont les preuves?

Alfonso distribua aux journalistes copie d'une partie du document secret, à laquelle il avait joint un communiqué de presse expliquant le contexte et l'anonymat de la source de cette histoire.

– Le Teatro de la Sierra fait du théâtre engagé, affirma-t-il. Nous croyons au rôle social des créateurs et des artistes. Le théâtre peut divertir, mais il doit aussi déranger. Nous avons vérifié les informations.

Le lendemain, tous les journaux révélaient le contenu du document. La presse de gauche pourfendait les gouvernements de droite qui s'étaient succédé jusqu'à l'élection de Magda Perez. «Théâtre de marionnettes», titrait un quotidien de droite qui accusait le Teatro de la Sierra de collusion avec le pouvoir, «qui en a fait un organe de propagande». Questionnée, la présidente affirma ne pas connaître l'existence d'une telle opération de stérilisation massive, mais ne se montra pas étonnée que des gouvernements comme ceux qui avaient précédé le sien aient agi de la sorte.

– Nous allons enquêter, conclut-elle.

Quelques heures plus tard, son directeur de cabinet entrait en contact avec Alfonso pour obtenir copie des documents secrets.

L'affaire fit grand bruit. La presse étrangère rapporta le scandale. Un représentant de l'Organisation mondiale de la santé demanda des explications au gouvernement Perez. Des fonctionnaires et des conseillers politiques fouillèrent les archives. Magda ne demandait qu'à étoffer le dossier. Il y avait là de quoi nourrir le débat public qu'allait provoquer la tenue prochaine des élections municipales. Si son parti rassemblait les forces de gauche, cela ne pourrait que cimenter sa coalition en vue des élections générales prévues dans deux ans.

– Voilà! Il fallait bien s'y attendre, dit Alfonso en montrant un journal à Catalina.

L'éditorialiste soulevait des doutes sur le rôle de déclencheur joué par la pièce de Catalina.

*Après avoir caché son identité pendant de longs mois, après avoir menti, cette actrice a maintenant décidé de dire la vérité sur elle-même. Comme par hasard, elle profite de sa crédibilité et de sa popularité pour attaquer son pays. Vengeance? Maintenant qu'elle a réussi à s'en sortir, cette enfant de la rue, subventionnée par le gouvernement Perez, lui renvoie l'ascenseur à la veille des élections municipales. Lorsqu'on veut vraiment aider les enfants de la rue, on travaille sur le terrain, avec eux, et non dans les coulisses confortables d'un théâtre de propagande.*

La violence de l'attaque ébranla Catalina. D'autres opinions circulèrent, mettant en doute la bonne foi de la comédienne. Un journal de gauche vint jeter un peu de baume sur ses plaies. Il publia une longue enquête dans laquelle on donnait des preuves sans équivoque de l'existence de ces escadrons de stérilisation. Des médecins acceptaient de témoigner sous le couvert de l'anonymat, fournissant des détails vérifiables. Des femmes stérilisées ajoutaient leurs voix. La veuve d'un ancien ministre de droite confirmait l'existence de l'opération, qui aurait duré au moins quinze ans.

Lors d'un rassemblement électoral auquel participait Magda dans un quartier bourgeois de la capitale, un père de famille l'interpella.

— Votre parti a-t-il l'intention de mener une enquête publique sur cette histoire de la stérilisation des femmes?

Magda lui répondit par l'affirmative. Elle apportait des précisions sur la question lorsqu'un autre homme lui cria du fond de la salle :

— Vous avez fait faire votre travail de calomnie par une actrice qui nous méprise !

Choquée, Magda lui répondit :

— Monsieur, je ne tolérerai pas qu'on attaque des gens qui ne sont pas présents pour se défendre. M<sup>lle</sup> Portal est née ici, au Pérou. Elle a elle-même vécu dans la pauvreté, à deux rues de votre quartier. Elle s'en est sortie admirablement. Après avoir étudié au Canada, elle a choisi de revenir dans son pays. Elle est une actrice remarquable. Elle n'est pas le genre de femme à qui l'on peut ordonner ou commander quoi que ce soit. Si vous n'approuvez pas le gouvernement, ce qui est votre droit, ayez le courage de vous attaquer à moi plutôt qu'à une comédienne qui ne fait que son travail d'auteur et d'artiste.

La salle l'applaudit à tout rompre. Le lendemain, les journaux rapportèrent que la présidente avait pris la défense de Catalina.

Autant la comédienne se sentait d'attaque, autant la jeune femme inexpérimentée tremblait à l'idée d'avoir réveillé un volcan politique. Catalina reçut le commentaire de Magda comme un appui et un encouragement à poursuivre avec courage son travail d'actrice. Chaque jour, elle était aussi enflammée par le succès de sa pièce que terrorisée par la violence des réactions qu'elle engendrait. Lorsqu'elle arrivait à la scène où elle lisait le texte du ministère de la Santé, une partie du public la huait pour la faire taire et de nombreux spectateurs répliquaient par des applaudissements tumultueux. La tirade se perdait dans le brouhaha, les sifflets et les bravos. Catalina s'interrompait alors et, avec une assurance mêlée de crainte, poursuivait la scène finale en imposant un silence inquiétant.

Chaque soir, toutes les places étaient occupées. Alfonso plaçait dans l'assistance des agents de sécurité. Il prenait au sérieux les lettres de menaces reçues. Personne n'avait le droit de pénétrer dans les coulisses sans son autorisation.

Il reçut d'autres enveloppes brunes. Rien de bien nouveau. Sauf une simple lettre qui le troubla. En compagnie de Julio, il alla rejoindre Catalina qui soupait en tête à tête avec Pablo. « Vous n'avez pas été jusqu'au bout. Pourquoi ? » demandait l'expéditeur anonyme.

– Cette personne aurait souhaité qu'on nomme les médecins ayant participé à l'opération, dit Catalina.

– Vous vous êtes embarqués dans cette histoire et vous en êtes maintenant prisonniers, dit Julio avec condescendance.

– L'important était de lancer le débat, répliqua Alfonso.

– Lancer un débat, c'est comme lancer un caillou en l'air, dit Pablo. Il faut penser que ce caillou va retomber. Où ? Sur qui ?

— Pour l'instant, le caillou nous retombe dessus, dit Catalina.

— Pas d'accord, dit Pablo. Cette personne vous tend un piège. Si vous révélez des noms, c'est là que le caillou vous tombera dessus.

— Faudrait connaître l'expéditeur de cette enveloppe, suggéra Julio. Je me méfie de ceux qui n'osent pas signer leurs actes.

— Vous ne faites pas du journalisme, mais du théâtre, répliqua Pablo.

— Moi, j'ai l'impression que je fais de plus en plus de la politique, dit Catalina. On devrait peut-être parler à Magda.

— Tu l'appelles maintenant par son prénom? s'étonna Alfonso.

Catalina ne répondit pas, mais Pablo vint à sa rescousse.

— Je pense qu'en jouant le rôle de cette Magda, sur scène, elle en est venue à s'identifier à son personnage et à se sentir à l'aise avec lui, comme avec un familier.

— Normal, conclut Alfonso, sans trop de conviction.

Le quatuor, essoufflé, réfléchit quelques instants. Catalina se rongeait les ongles. Elle imaginait tous ces médecins dont le nom figurait sur la liste. Ils n'attendaient qu'une gaffe de sa part pour la poursuivre, détruire sa réputation, abolir sa carrière. Ils avaient stérilisé des femmes; ils allaient en stériliser une de plus.

— Alfonso, je n'en peux plus. Tout cela est devenu trop gros, trop fort pour moi. À la fin de la semaine, je m'arrête!

# 34

– Papa, en toute franchise, étais-tu au courant de cette opération de stérilisation ?

Franco regarda sa fille et baissa légèrement les yeux vers sa tasse de thé.

– Magda, pendant toutes ces années où j'ai pratiqué la médecine, j'ai entendu tellement de rumeurs… Oui, cette hypothèse a souvent circulé, mais, tant qu'on n'a pas de preuves, il faut éviter de répandre une telle supposition.

– Te connaissant, je suis certaine que si tu avais découvert cette horreur, tu l'aurais dénoncée.

– J'apporterais une nuance à ce que tu dis. Oui, stériliser une femme ou un homme sans son consentement, c'est inacceptable. Mais je crois que ceux qui ont décidé cette opération secrète étaient démunis devant l'ampleur de la pauvreté et le phénomène des enfants abandonnés. D'autre part, si cette pratique avait été si répandue, ton groupe de défense des femmes en aurait sûrement entendu parler. On ne peut agir sur une aussi grande échelle sans être découvert rapidement. J'ai plutôt l'impression qu'il y a eu une opération sur une petite échelle, puis que tout cela s'est arrêté, il y a longtemps.

Magda consulta son père sur la pertinence d'utiliser cette histoire au cours de la campagne des élections municipales qui s'amorçait. Franco détourna la question.

– Les caisses de ton parti sont-elles suffisamment pleines pour faire le combat ? N'oublie pas : les gens ne votent jamais *pour* un parti, mais *contre* !

En la quittant, Franco informa sa fille qu'il songeait à partir en voyage pour quelques semaines.

Il l'embrassa et la retint dans ses bras quelques secondes, comme lorsqu'elle était enfant et qu'il voulait la réconforter.

– Sois brave, ajouta-t-il. Tu fais un travail essentiel pour le pays et pour ses femmes.

– Merci, papa. Repose-toi bien. Je t'aime.

\* \* \*

Deux semaines plus tard, alors que la polémique sur la stérilisation des femmes s'essoufflait, Magda lança la campagne électorale. Dans son premier discours, elle donna le ton.

– La pauvreté dans nos villes se voit dans les rues, mais se combat à partir des familles, qu'il faut aider à vivre. Seuls les candidats du Parti du peuple peuvent parler et agir au nom du peuple. Les candidats de notre parti auront l'oreille attentive du gouvernement national.

Magda avait vu juste. Les élections municipales seraient un test de la popularité de son parti et une répétition générale du travail des troupes pour obtenir une majorité de sièges aux élections nationales, dans deux ans. Mais elle n'avait pas prévu l'impact des révélations de Catalina au sujet des escadrons de stérilisation. Les candidats du Parti du peuple firent face à de nombreuses demandes d'aide de la part de femmes qui affirmaient avoir été stérilisées.

– Le pays m'a empêchée d'avoir des enfants. Le pays doit me dédommager, lança une femme aymara au cours d'une assemblée électorale dans une banlieue pauvre de Lima.

Devant ce flot de requêtes, les candidats du Parti du peuple demandèrent à la présidente de débloquer des fonds spéciaux pour permettre aux femmes inquiètes de subir gratuitement un examen gynécologique et, s'il y avait lieu, de leur offrir une compensation monétaire importante.

La droite était coincée. Elle réclamait des compressions dans les dépenses de l'État, mais, en refusant les crédits réclamés pour soutenir les femmes stérilisées, se mettait à dos l'électorat, qui risquait alors de voter massivement pour la gauche. Le débat reprit de plus belle. Un commentateur politique fit scandale en parlant de la «guerre des utérus».

Le parti de Magda était aussi embêté. Les restrictions budgétaires imposées par le Fonds monétaire international ne lui donnaient aucune marge de manœuvre. Les candidats municipaux de gauche soutenaient des réclamations justes et populaires, mais dont ils n'auraient pas à payer la facture puisqu'elle serait épongée par le budget national.

Magda réussit à faire dévier le débat en promettant l'installation, plus tôt que prévu, d'un réseau d'aqueduc dans les bidonvilles. Des centaines de milliers de femmes virent enfin arriver le jour où elles n'auraient plus besoin d'aller chercher l'eau à cent mètres de la maison, un bac de vingt-cinq kilos sur la tête. Les quartiers pauvres commencèrent à se mobiliser en faveur du Parti du peuple. Des sondages confirmèrent son avance sur les autres partis. Les candidats de droite commençaient à se quereller entre eux. Des candidats d'autres partis de gauche annoncèrent leur désistement pour permettre à ceux du parti de Magda de l'emporter.

– Ça sent la victoire, commenta le directeur de cabinet à Magda.

* * *

Les vieux wagons s'ébranlèrent. La locomotive crachait la suie de son moteur diesel sur les maisons de terre battue accrochées aux flancs des collines de Cuzco. Épuisée, Catalina avait invité Pablo à s'évader avec elle pour quelques jours de vacances.

— Machu Picchu! avait lancé Pablo. C'est un vieux rêve de voir cette cité magique.

Avant de s'élancer dans les gorges de la rivière mythique Urubamba, le train devait gravir les flancs abrupts qui couronnent Cuzco, l'écrin de l'Empire inca. La pente, trop raide pour être attaquée de front, avait forcé les ingénieurs du chemin de fer à tracer une voie ferrée qui montait au sommet par une série de Z. Le train avançait sur un premier segment, montait à reculons sur un deuxième, avançait sur un troisième et ainsi de suite jusqu'au sommet de la petite montagne. Puis, pendant une heure et demie, le convoi descendait dans la vallée sacrée et s'enfonçait dans la forêt tropicale en franchissant quelques tunnels, où Catalina eut l'impression de se retrouver dans une longue caverne obscure. À quelques reprises, le train s'immobilisa. Venus de nulle part, des dizaines d'enfants émergeaient de la forêt pour offrir aux touristes des fruits, des jus et des objets d'artisanat qu'il fallait vite prendre et payer par la fenêtre avant que le train ne reparte. Le couple était fou de joie de cette découverte. Le contrôleur, assisté de son fils, offrait aux voyageurs du maté de coca qu'il fallait boire dans des gobelets de métal dégoûtants, tachés de rouille.

Lorsqu'ils débarquèrent, à deux mille quatre cents mètres d'altitude, la petite gare ressemblait à un caillou adossé à une immense langue de granit qui léchait les nuages égarés. Un autocar poussif s'essouffla à monter les derniers cent mètres de route. Le brouillard opaque fut évacué d'un seul coup de vent, comme si quelqu'un avait levé le rideau sur un des décors les plus étonnants du monde. Le soleil inondait le chef-d'œuvre des Incas. La cité, ses maisons, ses temples, ses canaux d'irrigation dormaient depuis cinq siècles dans le confort des terrasses verdoyantes sculptées sur les flancs de deux pics arrogants. Pablo et Catalina étaient subjugués.

– Nous sommes des extraterrestres, dit Pablo. Je ne me suis jamais senti aussi loin de ma planète.

Ils visitèrent pendant des heures ce paradis énigmatique et, séduits par l'âme troublante des lieux, décidèrent de passer la nuit à l'auberge et de retourner à Cuzco le lendemain. À plus de deux mille mètres d'altitude, flottant entre ciel et terre, ils s'offrirent la plus belle nuit d'amour dont ils pouvaient rêver. À l'aube, ils voulurent voir le soleil se lever sur Machu Picchu. Les volutes de brume enveloppaient la maison de pierre et de bois. Ils furent incapables d'ouvrir la porte. D'un coup d'épaule, Pablo la força. Elle s'entrouvit et se referma. Un grognement sourd les fit sursauter. Effrayé, Pablo recula et se retrouva dans les bras de Catalina.

– Qu'est-ce qu'on fait? demanda-t-il.

– Tu as peur? dit Catalina, moqueuse, en s'approchant de la fenêtre.

La densité du brouillard l'empêchait de distinguer ce qui bloquait la porte. Elle la força de nouveau. Soudain, elle étouffa un cri. Une tête de monstre apparut derrière les carreaux. Elle recula vers Pablo qui, figé, semblait tout aussi effrayé qu'elle.

– C'est l'esprit des Incas, dit-elle, incrédule.

Pablo s'approcha de la porte. Rien. D'un nouveau coup d'épaule, il tenta d'ouvrir. Une masse lourde et molle semblait faire obstacle.

Un autre coup fit apparaître la tête du monstre qui rugit avant de disparaître. La porte s'ouvrit.

— N'y va pas, implora Catalina.

— On va tout de même voir, dit Pablo.

À tâtons, il marchait sur la galerie. Un crachat l'atteint sur le bras. Il s'avança et vit alors déguerpir le lama qu'ils avaient dérangé dans son sommeil sur la galerie de l'auberge.

Hilares, les amoureux se promenèrent dans un sentier que le lever du jour colora d'un voile pourpre qui vira à l'orange. Mais les nuages refusèrent de laisser le soleil triompher si rapidement sur la cité inca. Pablo et Catalina retournèrent au lit où les draps étaient encore imprégnés des parfums d'une nuit inoubliable.

Ils consacrèrent la journée à découvrir l'histoire et les mythes entourant les lieux. Ils avaient l'impression de toucher au passé, d'être en contact avec l'univers intact d'un peuple disparu.

Leur isolement du monde fut brisé lorsque, aux abords d'une falaise, ils découvrirent des pylônes d'acier et des fils électriques camouflés dans la forêt touffue qui encercle la cité. Catalina eut un pincement au cœur. Pendant vingt-quatre heures, elle avait réussi à oublier la clameur et l'agitation du pays. Voilà que la vue de simples fils à haute tension lui rappelait que la vie la rattraperait au sortir de la gare à Lima.

C'est à Cuzco que le choc survint. Sur le quai de la gare, un jeune vendeur de journaux hurlait le mot « scandale ».

— Laisse, dit Catalina à Pablo. Restons encore un peu dans notre bulle.

Trop curieux, Pablo eut le temps de lire le titre à la une du journal :

« Le père de la présidente a stérilisé des femmes ! »

# 35

Les yeux gonflés de larmes, les doigts crispés de rage, Magda essayait de se refaire une beauté. Avant d'affronter la presse, elle avait demandé que l'on appelle son père. Introuvable. « Quelques semaines de vacances », lui avait-il dit.

Savait-il que cette bombe allait éclater? se demandait-elle. Pourquoi n'était-il pas présent pour répondre à ces accusations? Et si ces affirmations étaient vraies?

— Un coup de nos adversaires, dit son directeur de cabinet. C'est un journal conservateur qui a sorti cette liste. Son propriétaire est un bailleur de fonds de la droite.

Le journal avait publié la liste de noms des médecins qui auraient, au cours des quinze dernières années, accepté de participer à l'opération de stérilisation des femmes pauvres. Le quotidien, faisant allusion à la popularité de la pièce du Teatro de la Sierra, accusait de plus ce théâtre de n'avoir retenu que les informations qui discréditaient les anciens gouvernements de droite et d'avoir omis volontairement de fournir la liste des médecins, puisqu'on y retrouvait le nom du père de la présidente, qui soutenait financièrement le théâtre.

— Je n'ai pas à affronter la presse au sujet du comportement de mon père, trancha Magda. Nous allons publier un communiqué soulignant le travail de dénigrement de la droite qui ne sait plus quoi faire pour ne pas perdre les élections.

— Madame, lui répondit un adjoint, vous ne pourrez pas empêcher la presse de vous questionner. Il faut préparer une réponse.

— La meilleure réponse serait de pouvoir nier ces informations en présence de mon père. Trouvez-le! En attendant, publiez un texte disant que, lorsqu'on ne peut vaincre la fille, on attaque lâchement le père.

*  *  *

Catalina et Pablo débarquèrent à Lima en fin de soirée. Pendant le trajet Cuzco-Lima, ils n'avaient cesser de lire et de relire l'article incendiaire. Ils allaient sauter dans un taxi lorsque Pablo eut le réflexe de changer de destination.

— Tu connais un hôtel pas cher?

— Non. Pourquoi?

— Il doit y avoir des journalistes et des photographes qui t'attendent à la porte de ton appartement. Il faut éviter de rentrer chez toi ce soir.

Ils descendirent au centre-ville. Plaza de Armas.

— Je sais qu'il y a des hôtels dans ce quartier, dit Catalina.

Ils dénichèrent une chambre, y déposèrent leurs bagages et allèrent se promener. Ils n'avaient pas envie de dormir.

— Est-ce ainsi tous les soirs? demanda Pablo.

Il était stupéfait. Passé minuit, des dizaines d'enfants traînaient encore dans les rues. De jeunes proxénètes proposaient les services de leurs frères et sœurs. Des fillettes promenaient sur leur dos leur petit frère qui hurlait de faim. Des voitures s'arrêtaient pour laisser monter des petites filles d'à peine dix ans.

— Tu vois, dit Catalina, c'est ici que j'ai grandi.

Pablo était muet d'indignation.

— Je savais que tout cela était vrai. Je les avais vus le jour. Mais les revoir le soir, la nuit… C'est comme si ces enfants travaillaient vingt-quatre heures sur vingt-quatre. Ça dépasse l'entendement.

– Ils sont les survivants de ma famille, ajouta avec détachement Catalina.

\* \* \*

Le lendemain matin, Pablo écouta les informations à la radio et descendit chercher tous les journaux disponibles.

– Que cherches-tu? demanda Catalina en sortant de la douche.

– Passionnant, cette histoire. Partout on parle de toi. On t'accuse, on te défend, on se questionne, on te cherche. Incroyable!

– Magda a-t-elle parlé?

– Un communiqué de presse, seulement.

– Et son père?

– Introuvable. Comme toi!

Pour sortir de l'hôtel, Catalina mit des verres fumés. Le taxi longea la rue du théâtre.

– Continuez, ordonna Catalina, voyant des journalistes qui faisaient le pied de grue devant le bâtiment.

Dans la rue de son appartement, même scénario.

– Il faut tout de même rentrer à la maison, dit-elle, furieuse.

– À moins que tu n'affrontes la presse.

Ils pénétrèrent dans un café. Deux heures plus tard, la stratégie était établie. Catalina marcha vers son appartement. Les journalistes l'assaillirent.

– Je n'ai qu'une chose à vous dire, et cela concerne le théâtre et non la politique. Je fais du théâtre comme vous faites du journalisme : pour que les choses changent.

– Aviez-vous en main la liste des médecins? demanda un reporter.

— Nous avons révélé les informations vérifiées et d'intérêt public, c'est-à-dire la campagne de stérilisation. L'important n'était pas de trouver des coupables, mais de provoquer un débat. Oui, nous avions en main la liste des médecins. Il était hors de question de diffamer les gens ou de lancer une chasse aux sorcières.

Catalina poussa un soupir de soulagement. Pablo, qui avait prévu la question, lui avait fait mémoriser la réponse qu'elle venait de livrer comme une tirade.

— Allez-vous modifier votre pièce?

— Le théâtre se joue maintenant dans les pages de vos journaux.

— Connaissez-vous le D$^r$ Perez?

— Tout le monde le connaît mieux que moi.

Elle tourna les talons et entra dans le bâtiment.

\* \* \*

Le lendemain matin, Pablo se rendit chercher les journaux. Il revint en courant, l'air hagard.

— Qu'est-ce qu'on me fait dire? demanda Catalina.

— On ne cite rien de ta rencontre avec les journalistes.

— Tant mieux, dit-elle. C'est peut-être fini.

— Non. Ça commence, répliqua-t-il en étalant les journaux sur le lit.

Tous affichaient le même titre : « Le père de la présidente est mort ».

# 36

Jamais la cathédrale n'avait été enveloppée d'une musique si peu religieuse. La présidente avait imposé à l'archevêque de Lima la présence d'un orchestre à cordes et d'une mezzo-soprano qui, à la fin de la cérémonie, interprétèrent l'aria des *Bachianas brasileiras*, d'Heitor Villa-Lobos.

Vêtue de noir, le visage voilé, Magda pleurait l'homme de sa vie. À ses côtés, lui tenant le bras, Clara tentait de masquer son chagrin en consolant sa fille. Toutes les places du temple étaient occupées. Dans les derniers bancs, assise auprès d'Alfonso que Julio avait préféré ne pas accompagner, Catalina, les yeux secs depuis le début de la cérémonie, fut avant tout émue par la beauté de cette musique qu'elle entendait pour la première fois. Seuls la famille et les amis intimes suivirent la dépouille au cimetière.

Le coroner avait déterminé que Franco Perez était mort noyé, au cours d'une excursion sous-marine où il était seul. Au moment où son corps fut retrouvé, le chronomètre de son ordinateur de plongée indiquait qu'il avait commencé sa descente six heures plus tôt. L'indice du taux d'azote confirmait l'hypothèse d'un accident fréquent chez les plongeurs, même expérimentés, qui succombent à l'ivresse des profondeurs. Quelques commentateurs signalèrent avec subtilité que sa mort coïncidait avec la divulgation du nom des médecins qui avaient fait partie des escadrons de stérilisation. Aurait-il subi un malaise cardiaque ? D'autres soulevèrent la nécessité d'une enquête plus approfondie. Le père de la présidente aurait-il été victime du sabotage de son équipement ? Enfin, même si personne ne le souligna publiquement, dans les cercles politiques on discutait de la possibilité d'un suicide à la suite de la publication de son nom dans l'affaire de la stérilisation des femmes.

Dans la population, cette mort dramatique eut l'effet d'accroître la sympathie à l'égard de Magda. Ses adversaires les moins durs abandonnèrent leurs attaques personnelles. Mais, tout en lui offrant leurs condoléances, les journaux de droite continuèrent leurs charges contre le Parti du peuple et n'occultèrent pas la participation présumée du D$^r$ Perez à l'opération stérilisation.

Sur l'avis de ses conseillers, Magda se retira de la campagne active. Elle déclara vouloir vivre ce deuil seule avec sa mère et ne se consacrer qu'à la gestion des grandes questions politiques nationales. Elle proposa aux électeurs qui en avaient assez de ces campagnes de dénigrement de voter pour les candidats de son parti aux élections municipales.

Des centaines de témoignages de condoléances lui furent expédiés, provenant tant de citoyens que de la classe politique internationale. Une de ces lettres contenait un message qui la toucha.

*Madame la Présidente, chère Magda,*
*J'apprends avec tristesse la mort de ton père. J'en garde le souvenir ému d'un homme accueillant et généreux. Je sais que tu ne manques pas d'amis pour te soutenir dans cette épreuve, mais je tenais à te dire que je préserve dans mon cœur un espace exclusif où séjourne encore une femme exceptionnelle, pour qui j'ai toujours une tendresse et une affection indélébiles.*

La lettre était signée «Marc Provost, Montréal».

Magda relut la lettre plusieurs fois. Ces quelques lignes l'atteignaient droit au cœur. Elle se remémora la récente querelle avec Franco à qui elle avait reproché de l'avoir éloignée de Marc. Vingt ans plus tard, Marc ravivait les braises d'un amour qui ne s'étaient jamais éteintes. Elle voulut y voir un signal, un appel. Un mur invisible venait de disparaître entre elle et lui. Il était sans doute trop tard. Marc avait refait sa vie. Mais le souvenir d'un grand amour n'allait pas s'effacer. Elle devait à la fois partager son cœur entre la peine d'avoir perdu son père et la joie de savoir qu'elle avait toujours une petite place dans le cœur de Marc. Elle rangea la lettre dans un tiroir de sa table de chevet.

*  *  *

Une semaine passa. Un sondage révéla la remontée du Parti du peuple et confirma l'hypothèse qu'il pouvait remporter la majorité des mairies du Pérou. La droite mit fin à la trêve. Magda n'était plus l'orpheline de son père, mais la candidate à abattre. La relance des hostilités fut sonnée par une interview radiophonique dans laquelle un des principaux chefs conservateurs y alla d'une charge virulente. Il attaqua «la fille du stérilisateur Perez». Il dénonça ses alliés et ses politiques sociales qui menaient «à la faillite du pays». Il offrit en pâture aux chroniqueurs de nombreux documents, dont des copies des contrats faisant état des sommes consenties pour soutenir le Teatro de la Sierra.

– Que dire de cette jeune actrice, Catalina Portal? dit-il. La présidente Perez la présente comme une héroïne, une rescapée de l'enfer de la rue. Elle l'appuie et la soutient. Et que fait M^me Portal? Elle salit la réputation du Pérou par des spectacles dénonciateurs et méprisants pour le pays qui l'a accueillie et mise au monde sur le plan professionnel. Si elle est sortie de la rue pour venir noircir notre réputation, elle aurait dû y rester! Elle a mordu la main qui l'a nourrie! Les vrais héros de ce pays sont ceux et celles qui travaillent à améliorer la vie du pays et non à détruire sa réputation!

Il ne restait que deux semaines avant les élections municipales. Les stratèges politiques insistèrent pour que Magda reprenne du service dans la campagne électorale. Elle résista. Si son parti gagnait, on la créditerait de la victoire. S'il perdait, on ne pourrait le lui reprocher, la mort de son père expliquant sa décision de se retirer temporairement de la vie publique. Elle profita donc d'une réunion des chefs d'État de l'Amérique latine à Buenos Aires pour s'absenter.

À la suite des attaques personnelles et professionnelles dont elle avait été la cible, Catalina eut envie de fuir.

— Pourquoi sont-ils si méchants avec moi? demanda-t-elle à Alfonso.

— Ce n'est pas toi qu'ils visent, mais la présidente et son parti. C'est toujours efficace de s'attaquer aux symboles.

Pablo lui conseilla de se mettre en contact avec le bureau de Magda pour demander qu'elle vienne à sa défense. Elle ne reçut aucune réponse, sauf de la secrétaire à l'agenda qui lui affirma qu'elle transmettrait son message à la présidente à son retour d'Argentine.

— Nous n'avons qu'à nous défendre nous-mêmes, suggéra Alfonso.

Deux jours plus tard, il convoqua une conférence de presse. Il suggéra à Catalina de ne pas s'y présenter. Elle y assista dissimulée derrière le rideau de scène. Alfonso défendit son théâtre, son autonomie de créateur par rapport au pouvoir et l'intégrité de Catalina Portal, «une jeune créatrice et une bonne comédienne», souligna-t-il.

– Pourquoi n'est-elle pas ici pour répondre aux accusations dont elle a été la cible? demanda un reporter.

– M^{me} Portal n'a jamais voulu faire de la politique. Ce serait renier ses principes que de participer à une campagne électorale alors qu'elle refuse de mettre son art au service d'un parti, quel qu'il soit.

– Elle a déclaré, et vous de même, que vous faisiez du théâtre engagé. Peut-on être engagé quand cela fait son affaire et refuser de l'être lorsque cela tourne au vinaigre?

Alfonso se fâcha. Il rabroua le journaliste et réaffirma l'indépendance nécessaire des créateurs. Il termina en déclarant :

– Si Catalina Portal était ici, elle vous répondrait la même chose!

– Je suis là et je peux me défendre seule! lança Catalina en sortant de l'arrière-scène, où Pablo fut incapable de la retenir.

Estomaqué, Alfonso l'invita à parler.

– Si prendre la parole, c'est faire de la politique, alors, oui! je fais de la politique.

Son regard était celui d'une bête blessée qui va mordre si on l'approche. Ses phrases étaient détachées, martelées, comme si l'instinct de survie avait gommé les mots inutiles.

– Ce que l'on a dit à mon sujet m'a fait souffrir plus que les années passées à survivre dans les rues de Lima. On me reproche d'avoir calomnié le pays. D'avoir attaqué et noirci sa réputation. On voudrait me renvoyer à la rue pour m'y voir crever. Tant qu'à y être, vous pourriez reprocher à Magda Perez de m'avoir sauvée de la mort!

Un murmure parcourut la salle.

— Je vous le révèle aujourd'hui, c'est Magda, la sociologue Magda Perez, qui m'a sortie de la rue et des cavernes où vivent encore des centaines d'enfants. Si je vous le dis aujourd'hui, c'est que Magda Perez, la présidente, a elle-même rompu le pacte qu'il y avait entre nous en révélant mes origines.

Alfonso, catastrophé, regardait et écoutait Catalina en n'en croyant pas ses yeux et ses oreilles.

— Je me sens donc libérée de notre secret, affirmat-elle. Je dois tout à la sociologue qui m'a sauvé la vie. Mais je ne dois rien à la politicienne. Vous vouliez avoir ma peau : vous avez vu mon âme !

Elle tourna les talons et disparut derrière le rideau.

Le parterre de journalistes était écrasé de silence, comme quand les spectateurs, bouche bée devant une performance exceptionnelle, mettent quelques secondes avant de rompre le plaisir pour applaudir. La conférence de presse s'acheva sec.

Le lendemain, les médias rapportaient les déclarations de Catalina. La gauche soulignait que Magda avait sauvé la vie de Catalina. La droite retenait que Magda et Catalina avaient menti.

* * *

De retour d'Argentine quelques jours avant le scrutin, la présidente prit connaissance des résultats des derniers sondages.

— Nous étions sur une bonne lancée jusqu'au moment où cette actrice a décidé de jouer la politicienne, dit le directeur de cabinet.

— On ne peut pas perdre à cause d'une actrice, répliqua Magda.

— On ne gagne pas non plus en aidant les actrices, répondit-il.

Le dimanche suivant, la faible participation au vote de la part des citoyens des bidonvilles empêcha le Parti du peuple de remporter la victoire attendue. Autant les démunis s'étaient rassemblés autour de la personne de Magda à l'occasion des élections générales, autant ils se désintéressaient des élections municipales où les magouilles et les exemples de corruption étaient plus faciles à constater. Ils n'avaient qu'à observer l'état de leurs rues, des infrastructures et l'absence de services municipaux pour comprendre que leur vote ne changerait rien à leur situation. Même le vaste projet d'aqueduc promis par Magda n'avait pu être lancé à temps pour favoriser son parti. Le résultat fut partagé au point où tout le monde pouvait se proclamer gagnant.

– La pire des situations, conclut l'organisateur en chef du Parti du peuple.

Dans les semaines qui suivirent, les partis de centre gauche membres de la coalition au pouvoir commencèrent à se distancier du Parti du peuple. On laissait entendre que, si Magda n'avait pu mener la gauche au pouvoir aux élections municipales, on pouvait douter de sa capacité de rassembler les forces pour les élections nationales dans deux ans.

\* \* \*

L'échec électoral sembla éliminer l'écran politique qui avait empêché Magda de se laisser secouer par la mort de son père. Le soir, avec un seul garde du corps, elle allait se promener incognito dans les rues du centre-ville pour y observer les enfants, comme elle l'avait fait si souvent avec Franco. Plus elle refaisait ce pèlerinage, plus elle confirmait l'échec de sa vie politique. Elle exerçait le pouvoir depuis plus de trois ans et il y avait toujours autant d'enfants abandonnés dans les rues. Autant de pauvreté dans les bidonvilles. Autant d'écart entre les riches et les pauvres.

« Que cherchait donc papa ? » se demanda-t-elle. Avait-il été obsédé par le sort des enfants de la rue au point d'en venir à stériliser des femmes pour freiner la multiplication des *piranhitas* ? S'était-il suicidé ? Pourquoi Catalina avait-elle révélé cette histoire des brigades de stérilisation, sinon pour l'embêter, elle, Magda, et pour emmerder Franco qui la harcelait trop à son goût ? S'était-il passé quelque chose entre Catalina et lui ? Un événement, une liaison qui aurait provoqué sa mort ? Franco était trop expérimenté pour négliger de vérifier son équipement de plongée. Il avait été poussé vers la mort. Mais par qui ? Et pourquoi ?

Magda pleurait beaucoup, même dans son sommeil. Elle ne dormait presque plus. Au travail, elle avait perdu sa capacité de concentration et son sens de l'analyse. Elle laissait ses adjoints et ministres occuper de plus en plus de place dans la direction du pays. Les adversaires, ravis, la voyaient s'étouffer dans les crises internes qui secouaient la coalition. Ils attendaient le moment approprié pour frapper fort. Patients et expérimentés, ils savaient qu'il fallait porter ce coup le plus tard possible. Faire trébucher Magda trop vite lui permettrait de se ressaisir et de se réorganiser avant les élections générales.

Lorsque la coalition de gauche s'effondra, la présidente fut forcée de former un nouveau gouvernement où la droite prit la direction des affaires. Cette cohabitation d'une présidente de gauche et d'une assemblée législative de droite devint insupportable. Magda fut isolée politiquement et démolie personnellement.

– Madame, il faut faire quelque chose. Poser un geste. Sinon, c'est la fin, lui dit son directeur de cabinet.

Le restaurant était vide. Catalina avait accepté l'invitation de Clara qui lui avait expliqué vouloir rétablir les ponts entre elle et Magda. Pendant quelques heures, la propriétaire du *Playa Blanca* avait conversé seule à seule avec la jeune actrice.

– Vous êtes donc décidée à quitter le Pérou? demanda de nouveau Clara.

– Madame Perez, le Pérou m'a tout donné et m'a tout enlevé. Au moment où je croyais avoir repris racine, on m'a arrachée de terre et jetée aux ordures comme de la mauvaise herbe. Je n'en veux plus à Magda. Vous me manquerez un peu, puisque je ne vous connais qu'un peu!

– Permettez-moi une dernière intervention dans votre vie, chère petite. Vous avez accepté de rencontrer Magda et elle aussi souhaite vous voir. Elle sera là dans dix minutes.

«Je n'ai rien à perdre», se dit Catalina.

Le dernier employé venait de quitter l'établissement lorsque la limousine présidentielle se glissa dans le stationnement ombragé du *Playa Blanca*. L'éclairage du restaurant était tamisé. Le garde du corps inspecta les lieux, puis sortit attendre dans la voiture, une arme à portée de la main. Magda franchit la porte et vit les deux femmes assises au fond de la salle à manger. Elle embrassa sa mère et serra la main de Catalina.

– Catalina va nous quitter, dit Clara. J'ai pensé que…

– Que nous pourrions avoir une dernière conversation? poursuivit Magda en regardant Catalina droit dans les yeux.

Catalina garda d'abord le silence. Elle rencontrait sans doute Magda pour la dernière fois. Pablo lui avait suggéré de «tout nettoyer» avant de partir. Alors elle se décida à parler.

— Magda, dit-elle avec douceur, je voudrais que tout soit clair entre nous après cette soirée. Au départ de cette crise, il y a eu un secret qui a été violé.

— Quoi! lança Magda.

— Laisse-la parler, je t'en prie, dit Clara.

— Tu m'avais juré que jamais, jamais, tu ne révélerais qui j'étais. Pour toi, ce n'était peut-être qu'un détail, mais, pour moi, c'était vital. J'avais besoin de cet anonymat, de cette absence d'identité officielle pour réapprendre à devenir moi-même. Voilà pourquoi je me suis sentie trahie.

— Tu n'as rien compris, répliqua Magda. Si j'ai révélé tes origines, c'est que je n'acceptais pas qu'on t'attaque. J'ai voulu te défendre. D'ailleurs, lorsque les gens ont su que tu étais des leurs, tu as acquis une notoriété et un respect encore plus grands.

— Justement, je voulais que cette reconnaissance passe par moi et non par mes origines. C'est toujours plus difficile de se sentir trahi par quelqu'un qu'on aime, à qui on doit tout. J'ai été anéantie par cette déclaration.

— Parlant de destruction, regarde un peu quels ravages tu as faits, toi, en déclarant que j'avais caché la vérité en ne précisant pas que c'est moi qui t'avais sortie de la rue. Pourquoi me serais-je vantée de cela? Tu m'as fait passer pour une menteuse. Tout ce que tu voulais, c'était te venger.

— J'ai été au bout de la vérité.

— Ah oui? Si tu prétends aller au bout de la vérité, pourquoi n'as-tu pas tout révélé lorsque, dans ton spectacle, tu as levé le voile sur la politique de stérilisation? Je vais te le dire, moi! C'est parce que tu as voulu te débarrasser de mon père sans te salir les mains. Tu as ouvert la porte au scandale et tu as laissé faire la sale besogne de dénigrement par les autres!

— Faux !

— Tu m'as toi-même dit à quel point Franco te harcelait. Tu n'en pouvais plus. Tu l'as éloigné en l'offrant aux calomnies de mes adversaires. Du même coup, tu m'affaiblissais politiquement et tu neutralisais mon père. Beau travail !

— Ça suffit ! lança Clara.

Elle se leva et, d'un geste maternel, imposa le silence. Elle vit le garde du corps s'éloigner de la fenêtre pour retourner s'asseoir dans la voiture. Il était deux heures du matin.

— Ceci n'est pas un tribunal, ni une séance de défoulement. Je veux bien que vous passiez le balai dans vos rancœurs et vos frustrations, mais vous ne semblez pas voir à quel point vous êtes semblables. Toi, Magda, tu as conquis la gloire et le pouvoir grâce aux conseils et aux interventions de ton père.

Magda grimaça.

— Vous, Catalina, vous avez conquis la gloire et un certain pouvoir grâce à l'intervention de Magda.

Catalina serra les lèvres.

— Ce sera peut-être la dernière de vos conversations, mais au moins elle se terminera avec un morceau de vérité qui manque à votre connaissance.

Clara se servit un verre de vin blanc.

— J'ai soixante-douze ans. Je croyais bien pouvoir mourir sans avoir à raconter ce que je vais vous dire. Nous avons toutes nos secrets. À compter de cette nuit, ce secret appartiendra à vous deux, en parts égales.

Magda et Catalina se regardèrent comme deux adversaires qui n'ont plus la force de s'affronter.

Clara avala une gorgée de vin et sourit.

— Je suis une actrice ratée et une femme de pouvoir sans courage. Jeune, j'ai toujours rêvé d'être la star que vous êtes devenue, Catalina. Je vous admire. Je t'admire aussi, ma fille, parce que tu as osé passer à l'action alors que moi, dans ce restaurant, je n'ai été que la décoratrice d'un théâtre en périphérie du pouvoir. Mon mari, Franco, était un jeune médecin qui a voulu m'offrir la gloire et le confort dont je rêvais. Sur les conseils de gens qu'il croyait être des amis, il a fait des investissements dans une compagnie qui devait s'enrichir à la suite de la privatisation de l'électricité. Cela ne se fit pas. Au lieu de gagner beaucoup d'argent, il a englouti une fortune. Il devait tellement d'argent qu'il n'a pu refuser l'offre de ses amis du gouvernement. On lui fit miroiter la petite fortune qu'il y avait à amasser en participant à la campagne de stérilisation. Encore là, ce ne fut pas très payant. Finalement, il y a travaillé pendant plusieurs années.

Magda et Catalina avaient le souffle coupé d'entendre cette femme, si digne, raconter avec sérénité et presque avec détachement les mésaventures de Franco. Clara se servit un autre verre de vin.

— Un jour, une jeune femme est venue à la clinique pour un examen gynécologique. Cette femme avait à l'époque ton âge, Magda. Environ vingt-deux ans. Elle était magnifique. Aussi belle que pauvre. Franco n'a pu résister. Il en est tombé follement amoureux. Et, au lieu de la stériliser, il lui a fait un enfant.

— Quoi! murmura avec horreur Magda. Un enfant. Je ne suis pas la seule enfant de mon père! Pourquoi ne m'en as-tu jamais parlé?

— C'était son secret. Lui seul pouvait te le révéler.

— Et tu le sais depuis longtemps?

— Laisse-moi continuer, répondit Clara en vidant son verre d'un trait.

— Excusez-moi, madame, interrompit Catalina. Je crois que je devrais me retirer. Cette histoire est bien triste pour vous deux mais ne me concerne pas.

Catalina commença à se lever lorsque Clara la prit par le bras et lui imposa de rester.

– Catalina, vous n'avez pas le droit de ne connaître que la moitié d'une vérité.

Catalina se rassit.

– J'ai appris cette histoire environ six ans après la naissance de l'enfant. Une petite fille. J'ai été informée par ceci.

Elle prit une enveloppe dans son sac, l'ouvrit et en sortit une lettre que lurent Magda et Catalina.

– Mais, maman, dit Magda, la voix tremblante, comment sais-tu que cette personne disait la vérité?

Clara tira de l'enveloppe deux photographies. Elle les déposa sur la table devant les deux femmes, s'éloigna et se mit à pleurer en silence.

Magda et Catalina regardèrent les photos sans y toucher. Sur la première, on voyait Franco, assis à côté d'une jolie femme au teint foncé, qui tenait sur ses genoux une jeune enfant. Sur la seconde, la même femme était seule avec une fillette d'environ six ans qui portait un foulard rouge à son cou.

– Papa! s'exclama Magda, les yeux pleins de larmes.

Catalina était livide et paralysée. Ses yeux ne pouvaient plus se détacher du visage de la femme. Elle fut prise d'un vertige et s'effondra. Clara courut lui éponger le front et la nuque. Elle reprit ses sens et but un peu d'eau.

– Cette femme, balbutia Catalina, c'est presque moi! Mon visage, mes yeux, ma bouche.

– Non, répondit Clara. Cette femme, c'est Yolanda, votre mère.

– Et papa est ton père! cria Magda.

– Vous êtes des demi-sœurs, dit Clara en posant ses mains ridées sur celles des deux femmes.

\* \* \*

Les trois femmes passèrent le reste de la nuit ensemble. Comme des enfants qui essaient de recoller les morceaux d'un vase brisé, elles reconstituèrent leur vie. Catalina semblait traumatisée. Franco, son père, avait tenté de la séduire.

Clara lui demanda l'autorisation de la tutoyer.

— Je crois qu'il retrouvait ta mère en toi, expliqua sagement Clara. Tu lui ressembles au point où tu as cru te reconnaître sur la photographie. Franco t'a rencontrée alors que tu avais à peu près le même âge que ta mère.

Catalina s'approcha d'un miroir, les photos en main. Oui, elle était le portrait de sa mère, mais elle fut aussi frappée par la ressemblance de certains de ses traits avec ceux de sa demi-sœur.

— J'ai toujours cru que je pourrais me mettre au monde par moi-même, dit-elle, mais cette image et ta présence, Magda, sont mes premiers repères.

Clara expliqua l'obsession de Franco d'aider les enfants de la rue.

— J'imagine qu'inconsciemment il te cherchait.

— Et moi, dit Magda, je l'accompagnais, à la recherche d'une demi-sœur dont j'ignorais l'existence.

Catalina jeta sur Magda un regard neuf.

— Mais, dit-elle à Magda, c'est toi qui a réussi ce qu'il rêvait de faire. C'est toi qui m'a trouvée!

De longs silences permettaient aux femmes d'absorber toutes ces émotions qui se bousculaient en elles.

— Ma mère! éclata soudain Catalina, qui semblait avoir été incapable de soulever la question jusqu'à maintenant. Est-elle toujours vivante?

Clara ne répondit pas. Magda se souvint de cette balade dans les bidonvilles avec sa mère, il y a de nombreuses années, et de cette Yolanda qu'elle avait tenté de rencontrer. En regardant Clara, elle comprit que celle-ci avait perdu sa trace.

– Si tu veux retrouver ta mère, on pourra faire des recherches dans les dossiers d'état civil, suggéra Magda.

– Il faut que tu saches d'abord pourquoi tu veux la retrouver, dit Clara.

– Je sais pourquoi elle m'a abandonnée. Tous les enfants de la rue savent que leurs parents n'ont pas l'argent pour les faire vivre. Mais peut-être croit-elle que je suis morte. Dans ma tête, elle est encore jeune et belle, comme sur la photo. Dans sa tête, peut-être ne suis-je encore qu'une petite fille de six ans.

Catalina relut la lettre qui informait Clara de la paternité de Franco. Une lettre écrite par quelqu'un d'autre. Yolanda était analphabète.

La conversation se poursuivit sans aucune logique. Tous les souvenirs, toutes les questions se superposaient, s'entrechoquaient et en déclenchaient d'autres qui, pêle-mêle, venaient fracasser les incompréhensions, les angoisses et les absurdités avec lesquelles ces femmes avaient vécu. Magda ne se demanderait jamais plus pourquoi ses parents s'étaient séparés. Catalina n'aurait plus à imaginer qu'elle devait se mettre au monde seule. Et Clara venait de se libérer du lourd fardeau d'un secret dont elle achevait de se débarrasser.

Les nuages de la nuit se coloraient de rose et de pourpre lorsque, épuisées, elles décidèrent de se séparer. Clara remit la lettre et les photos à Catalina.

– Ton père a disparu, mais tu retrouves un peu ta mère, lui dit-elle.

Elle l'embrassa comme sa fille.

Magda la reconduisit à son appartement. Elles s'enlacèrent longuement, réconciliées.

– Pour toi et moi, dit Magda, la vie recommence.

– Je ne sais plus si je suis jeune ou vieille, répondit Catalina. Le temps s'est arrêté.

# 37

L'étreinte fut longue et passionnée. Le dernier appel pour le vol vers le Canada vint écarter Pablo des bras de Catalina. Après quelques mois à Lima, il devait rentrer.

– On se retrouve le plus tôt possible, lui dit-il.

Il salua Clara qui, de loin, regardait les amoureux se séparer.

Depuis les révélations sur l'identité de ses parents, Catalina s'était rapprochée de Clara. La comédienne avait interrompu son travail au théâtre, mais ne voulait pas retourner à Montréal sans avoir tenté de retrouver sa mère.

– Au moment où j'ai les meilleures raisons du monde de quitter ce pays, avait-elle dit à Clara, j'ai aussi toutes les raisons du monde d'y demeurer.

Chaque jour, Catalina relisait la lettre et observait les photos adressées vingt-sept ans plus tôt par Yolanda. Une lettre écrite par une voisine et signée d'un X. Sur les photos, Yolanda avait à peu près l'âge de Magda à l'époque. Elle était peut-être encore vivante. Magda lui confirma qu'il n'y avait pas de registres des naissances fiables pour ces millions de personnes qui squattaient la périphérie des grandes villes.

Pendant des semaines, Catalina arpenta les rues et les ruelles des bidonvilles du sud de la capitale. Elle se souvenait vaguement avoir vécu de ce côté de la ville, mais n'arrivait pas à trouver des repères, vingt-trois ans plus tard. Elle observait toutes les femmes d'une cinquantaine d'années qu'elle croisait. Elle cherchait un trait, un regard, une allure qui lui permettrait peut-être de voir apparaître sa mère au tournant d'une rue. Elle finit par comprendre qu'elle n'arriverait jamais à la trouver puisque, dans sa tête, Yolanda était encore une jeune femme d'une vingtaine d'années. Cette image était fixée pour toujours dans sa mémoire. Les photos renforçaient cette impression que, depuis son abandon, sa mère avait cessé de vieillir.

« Absurde, se disait-elle, mais j'ai besoin de cette absurdité pour vivre au-delà de l'image. »

* * *

— Il a fallu que je perde mon père pour que Catalina trouve le sien, dit Magda à sa mère.

Depuis cette soirée au *Playa Blanca*, Magda se sentait étonnamment libérée. Au départ, elle en avait beaucoup voulu à Franco de lui avoir caché un morceau si important de sa vie.

— J'ai toujours eu l'impression que nous étions de grands complices, qu'il me disait tout.

— Ma fille, répondit Clara, je me suis séparée de ton père lorsque j'ai appris qu'il avait fait un enfant à une autre femme. Du coup, il se retrouvait seul, sans femme ni maîtresse. Je crois qu'il s'est tourné vers toi comme on s'accroche à une bouée. Il t'invitait à l'accompagner pour que tu sois témoin de sa culpabilité et de sa volonté d'expier sa faute. Les alcooliques qui cessent de boire se sentent obligés d'en parler. C'est leur manière de s'enivrer sans boire. Pour Franco, te traîner avec lui dans les rues pleines d'enfants était une manière de te parler de ce qu'il avait fait sans te le dire. Il y avait à la fois du courage et de la lâcheté dans ce geste. Il t'étouffait de son amour pour te garder pour lui seul.

– C'est un deuxième deuil, répondit Magda. Il y a eu sa mort, puis la découverte de cette vie parallèle, de cet univers dont il m'a toujours exclue.

– Et imagine ce que cela veut dire pour Catalina. Au fond, Franco n'a jamais su aimer. Il a mal mesuré sa capacité de me rendre heureuse. Il a fait un enfant à une femme qu'il devait stériliser. Il t'a enfermée dans une tour d'ivoire qui t'a coupée des hommes. Et il a essayé de séduire celle qui était sa propre fille. J'en frémis.

– Je ne peux concevoir qu'il aurait réussi à séduire Catalina !

– Eh bien, c'est ce qui m'a fait agir.

Magda déposa sa tasse de thé. Elle sentit que, comme d'habitude, sa mère allait, dans la plus grande simplicité, lui révéler quelque chose d'extraordinaire.

– J'ai été renseignée assez vite sur cette liaison de Franco avec Yolanda. Comme tu l'as lu dans la lettre, Yolanda m'avait informée que Franco ne lui donnait plus d'argent. Je l'ai donc cherchée. Et trouvée. Depuis ce jour, je lui ai donné une portion de la pension alimentaire que Franco m'a toujours versée. J'allais la voir deux ou trois fois par année. Lorsque j'ai vu Catalina adulte, grâce aux photos j'ai deviné qu'elle était la fille de Yolanda, qui m'avait dit que son enfant s'appelait Catalina.

– Et pourquoi n'as-tu jamais dit à papa que tu avais retrouvé Yolanda ?

– Pour te protéger, toi.

– Moi ?

– Oui, car si cette histoire avait circulé, cela aurait détruit ton père à tes yeux. Comme Franco était convaincu que Yolanda ne lui donnerait plus jamais signe de vie, il a pu essayer sans contraintes d'être un bon père.

— Savait-il que tu étais au courant?

— Non. Il n'a jamais su que je savais tout. Il a toujours cru que nous nous séparions parce que ça n'allait plus entre nous.

— Et tu as fait cela pour moi! C'est comme si tu avais eu deux filles, puisque Yolanda a mon âge.

— J'ai maintenant le sentiment d'en avoir trois. Il y a Catalina.

— Tu l'aimes aussi?

— C'est la fille de ton père. Et c'est pour cela que j'ai aussi fait autre chose.

Magda était sidérée. Non seulement elle découvrait que son père n'était pas l'homme qu'elle croyait, mais le voile se levait aussi sur la vie secrète de Clara.

— Lorsque j'ai vu comment Franco flirtait avec Catalina, sa propre fille, la harcelait, j'ai voulu le neutraliser. Pour être brutale, je te dirais que je ne voulais pas qu'il couche avec sa fille! Alors, j'ai pensé lui couper l'herbe sous les pieds en faisant parvenir une enveloppe brune au théâtre de Catalina.

— C'est toi, maman, qui a fait éclater cette histoire des escouades de stérilisation!

— Oui, moi.

Magda était tétanisée. Alors qu'elle avait toujours vu en son père un fin stratège politique, voilà que sa mère s'avérait encore plus machiavélique.

— Je me doutais bien que c'était le genre d'information dont Alfonso raffolait et qu'il allait l'utiliser, dit Clara.

— En même temps, tu te vengeais de papa.

— Me venger, non. Après notre séparation, je lui en ai voulu. Mais, pour qu'il ne détruise pas ma nouvelle vie, j'avais décidé de le rencontrer le moins possible.

— Tu l'aimais encore?

— Sûrement, puisque je commençais à le haïr. Pendant plus de vingt-cinq ans, je me suis tenue à distance tout en gardant le contact. Je t'avais à l'œil, car je ne voulais surtout pas qu'il te fasse souffrir comme il m'avait fait souffrir, moi. Lorsque j'ai deviné ce qui pouvait se passer entre lui et Catalina, je n'ai pas hésité : j'ai voulu protéger Catalina. En révélant l'affaire de la stérilisation, j'étais certaine que je l'éloignerais pour longtemps de sa fille naturelle. Je ne me doutais pas que je l'en éloignerais pour toujours.

Clara récitait ces phrases comme si Franco avait été un ennemi lointain. Magda en était sidérée.

— Dans cette enveloppe, dit Magda, il y avait cette histoire de stérilisation mais, aussi, la liste des médecins, non?

— Il y avait tout cela, répondit Clara en hochant la tête. Lorsque j'ai vu que Catalina ne nommait personne, j'ai eu des doutes. Je me suis dit que ce n'était pas suffisant pour freiner les ardeurs de Franco. Alors j'ai envoyé une lettre anonyme demandant pourquoi elle n'allait pas jusqu'au bout.

— Et la lettre du journal, c'est toi aussi?

— Oui. Il fallait aller jusqu'au bout. J'avais en main ces informations depuis le divorce. Une amie médecin, que Franco avait aussi essayé de séduire, était scandalisée de son comportement. Elle m'avait remis le dossier de la stérilisation. Si Franco avait refusé la séparation, j'aurais utilisé ces informations pour le forcer à accepter.

— Te rends-tu compte, maman, que pour protéger Catalina tu as fait disparaître mon père? Moi aussi, je suis sa fille! dit-elle en étouffant ses larmes.

Clara la regardait, paralysée. Comment avait-elle pu croire que son geste ne ferait qu'éloigner Franco? Magda avait-elle raison? Avait-elle voulu se venger en détruisant l'homme qu'elle avait tellement aimé?

— Je comprendrai si tu m'en veux, dit-elle finalement à sa fille. Mais il fallait que quelqu'un intervienne.

Aurais-tu préféré découvrir un jour que ton père avait séduit ta sœur?

— Je ne l'aurais peut-être jamais su et il serait encore vivant, répliqua Magda.

— Mais, Magda, le Franco que tu aimais n'était pas le Franco que tu croyais.

— Il était mon père!

— Il était aussi le père de Catalina. Elle pourrait aussi bien que toi me reprocher de l'avoir mené vers la mort. Moi aussi, je l'ai aimé. Tellement aimé. Je crois que celui que nous avons aimé n'était pas celui que nous croyions connaître. Il a ruiné ma vie. Il a étouffé la tienne. Je n'allais quand même pas le laisser détruire celle de Catalina. Il est peut-être mort parce qu'il a décidé de détruire sa propre vie.

Clara s'approcha de sa fille et épongea ses larmes. Elle prit son visage entre ses mains et l'embrassa sur le front.

— Je crois comprendre pourquoi Catalina n'a pas voulu révéler le nom de papa, dit Magda. Il n'avait pas encore réussi à la séduire. Elle n'avait aucune raison de le haïr.

— C'est aussi parce que tu l'avais sortie de la rue, ajouta Clara. Elle te doit la vie. Elle ne pouvait donc pas détruire l'homme que tu aimais le plus. Elle ne pouvait pas te faire ça.

\* \* \*

De retour à Montréal, Pablo rencontra Marc à qui il remit une lettre de Magda qui le remerciait de son message de condoléances à la suite du décès de Franco. Les deux hommes, qui ne s'étaient pas revus depuis près de deux ans, firent le point sur leur vie personnelle, comme deux adversaires réconciliés. Pablo se sentait plus sûr de lui. Il savait que Catalina l'aimait et que l'aventure avec Marc était bel et bien terminée.

– J'ai une bizarre de nouvelle à t'apprendre, dit Pablo.

Marc fronça les sourcils.

– Non, rien de grave. Une nouvelle plutôt étonnante. Tu as failli être ton propre beau-frère !

Pablo utilisa toute son expérience d'homme de théâtre pour raconter à Marc que les deux femmes qu'il avait beaucoup aimées, Magda et Catalina, étaient des demi-sœurs. Après l'étonnement, après avoir rigolé de l'expression de Pablo, Marc comprit ce qui l'avait attiré chez Catalina. Il confia à Pablo son sentiment, la première fois qu'il l'avait tenue dans ses bras. Cette étrange impression de l'avoir déjà connue.

– Par Catalina, c'est Magda que je retrouvais.

– Bizarre, dit Pablo, car lorsque son père Franco a flirté avec elle sans savoir qu'elle était sa fille, il devait sans doute retrouver en elle Yolanda, la mère. Catalina était destinée au théâtre : dans sa vie quotidienne, elle a cherché à devenir elle-même en tenant inconsciemment le rôle de deux autres femmes !

Marc prit congé de Pablo en lui confiant que, depuis le départ de Catalina, il n'y avait plus de femme dans sa vie.

\* \* \*

Chaque jour, Catalina relisait la lettre de Yolanda adressée à Clara. Elle avait eu le courage de demander à une voisine d'écrire pour elle. Derrière les mots tracés par une main étrangère, Catalina essayait de deviner la présence de sa mère. Cette lecture quotidienne était devenue une drogue par laquelle elle partait à la recherche de Yolanda. Les phrases avaient pénétré sa chair comme autant d'aiguilles par lesquelles elle se serait transfusé le sang de Yolanda. Elle fixait la photo pendant de longues minutes, avec l'espoir enfantin que sa mère lui ferait un signe ou lui dirait un petit mot.

Elle regardait aussi Franco d'un autre œil. Un jour, elle se risqua à l'appeler «papa». Elle s'apprivoisa peu à peu à l'idée qu'elle avait eu des parents, une famille. La photographie devint la maison familiale où elle rentrait chaque soir. Elle parvint à deviner des odeurs, des sons, une ambiance qui remplissaient sa solitude. Elle recommença à porter le foulard rouge. Elle s'amusa même à balbutier des mots, comme le faisait sans doute déjà l'enfant de deux ans qu'elle voyait sur la photo.

Une nuit, elle s'éveilla au milieu d'un rêve troublant. Pour la première fois de sa vie, elle avait entendu la voix de sa mère. Il n'y avait pas de mots; que des sons, une musique, un murmure.

Elle demanda rendez-vous à Magda, qui la reçut rapidement.

– Tu es la seule personne de ma famille qui ne soit pas une image, dit Catalina.

Décontenancée, Magda l'écouta avec attention.

– Depuis que ta mère m'a donné la photographie de mes parents, j'ai cherché à remonter dans le temps.

Magda fut un peu froissée d'entendre Catalina parler de Franco comme de son père.

– Mais, continua Catalina, c'est une mission impossible. Toi seule sais à quel point j'ai voyagé pour en arriver où je suis. Au bout de cette route, il n'y a que toi. Tu es une vraie personne, tu existes. Je peux te parler, te regarder, t'écouter, te toucher, rire et pleurer avec toi. Les autres n'existent plus. Ils ne sont vivants que dans une image. Crois-tu qu'il soit vraiment impossible de retrouver ma mère?

Magda lui promit de tout faire pour l'aider. Après le départ de sa demi-sœur, Magda téléphona à Clara.

– Maman, pourrais-tu essayer de retrouver Yolanda ? Catalina veut tellement la connaître. Tu es la seule à pouvoir l'aider.

\* \* \*

Clara n'avait pas revu Yolanda depuis cinq mois. Elle était troublée. Depuis plus de vingt ans, elle se sentait à l'aise de rencontrer cette femme qu'elle avait toujours considérée non comme une rivale, mais comme une victime. En lui proposant de retrouver sa fille, allait-elle la rendre heureuse ou la culpabiliser d'avoir abandonné son enfant ? En voulant rendre service à la fille, allait-elle gâcher la vie de la mère ?

Clara décida de se rendre dans le bidonville où habitait Yolanda. Elle fut incapable de retrouver la petite fabrique de sandales. La famille qui occupait la maison de Yolanda avait déjà entendu parler de cette femme, mais ne l'avait jamais rencontrée. Ces gens avaient emménagé dans la maison après qu'elle avait été abandonnée.

Désemparée, Clara rentra chez elle. Elle expliqua à Magda avoir perdu la trace de Yolanda.

– Bien, fit Magda. Je dirai à Catalina qu'il est improbable qu'on puisse retrouver sa mère.

## 38

Son statut d'ex-présidente lui avait valu d'être surclassée. Le repas terminé, le personnel avait tamisé l'éclairage et distribué les couvertures. Magda allongea les jambes et, d'une pression du doigt, le fauteuil devint un lit. Le vol Lima-Toronto allait durer toute la nuit. Sans décalage horaire significatif, elle serait reposée à son atterrissage au Canada. Deux heures plus tard, elle débarquerait à Montréal, une ville inconnue qu'elle avait pourtant l'impression d'avoir déjà visitée, tellement elle en avait entendu parler. Magda s'assoupit en imaginant ce qu'avait dû être le premier voyage de Catalina, adolescente, qui, il y a plus de quinze ans, s'était laissé déporter dans ce grand pays nordique.

Après la mort de Franco, elle avait souvent revu sa demi-sœur. Catalina lui avait peu à peu raconté ce qu'elle avait vécu entre son arrivée à Nampuquio et son retour à Lima. Une saga invraisemblable dont elle était sortie non pas vivante, mais renaissante, comme elle disait. Cette nuit, Magda franchissait deux continents pour retrouver celle qu'elle appelait naturellement sa « petite sœur ».

\* \* \*

Catalina était rentrée à Montréal depuis trois ans. À deux ans, la petite Yolanda commençait à parler. Lorsque Pablo entrait dans la maison, elle tendait les bras et se précipitait vers lui en trébuchant et en répétant « papa, papa ». L'enfant avait inquiété ses parents. Elle avait commencé à marcher vers dix mois, mais n'arrivait pas à apprendre les mots que d'autres enfants de la garderie prononçaient avec facilité. À la blague, la pédiatre leur avait dit qu'avec des parents comédiens il était normal que la petite se sente intimidée de parler. Son premier mot avait été « lumière ».

Au retour du Pérou, Catalina avait voulu abandonner le métier d'actrice.

— Je ne peux plus vivre comme une image, avait-elle confié à Pablo.

Les six premiers mois après son retour avaient été consacrés à régler ses comptes avec son passé. Elle n'était plus l'enfant abandonnée par sa mère, mais la femme qui avait abandonné l'idée de la retrouver. Elle s'était découvert un père qu'elle avait rejeté comme amant. Elle avait affronté son amie avant de la transformer en sœur. Elle avait aussi compris que Marc l'avait aimée parce qu'elle était à l'image de Magda, à qui elle ressemblait. Et que Franco l'avait courtisée parce qu'elle était l'image de sa mère, Yolanda. Cet amalgame de racines et d'images entremêlées l'avait étranglée au point où même son métier d'actrice lui était apparu comme une manière de fuir la vie. Pablo avait eu la patience et la générosité de l'accompagner dans cette mise à nu, en lui offrant un amour inconditionnel.

Aujourd'hui, ils étaient les parents d'une petite Yolanda. Pablo dirigeait le Théâtre des Écoles et avait convaincu Catalina de renouer avec le métier de comédienne en travaillant à superviser des enfants qui tenaient des rôles dans des émissions de télévision. À la veille de ses trente-deux ans, une vie douce et apaisante en faisait une femme heureuse.

\* \* \*

Depuis un an, Magda Perez n'était plus présidente. Ni députée. Ni chef du Parti du peuple. Après la mort dramatique de son père, elle avait tenu la route tant bien que mal et, sur les conseils de sa mère, avait décidé d'abandonner la vie politique à la fin de son mandat. Elle était femme de principes et de consensus. Elle ne se voyait pas continuer à faire des compromis toute sa vie pour simplement exercer le pouvoir. Aux élections générales, le chef d'un parti de droite avait été élu président, mais, retour du sort, les citoyens avaient élu une majorité de députés de gauche. Ainsi, pour cinq ans, la cohabitation allait se faire à l'inverse de ce que Magda avait connu.

Après sa carrière politique, elle avait accepté de travailler pour l'Unesco, l'organisation internationale pour l'éducation, la science et la culture constituée sous l'égide de l'ONU. Elle était chargée de monter des programmes d'alphabétisation destinés aux habitants des bidonvilles. À cinquante-quatre ans, elle avait trouvé un territoire professionnel où ses compétences et son expérience se conjuguaient pour aider les plus démunis à se prendre en main. Elle avait baptisé son programme «*La luz*», en référence à cette énergie électrique qui avait permis aux gens de Nampuquio d'apprendre à lire et à écrire.

Elle avait dans ses bagages un cadeau aussi précieux que secret.

Après le retrait de la vie politique de sa fille, Clara Perez avait vendu le *Playa Blanca* à Alfonso et Julio qui avaient décidé de changer de carrière. Libre et disponible, elle avait continué de visiter les gens des bidonvilles. Au cours d'une de ses balades, une ancienne voisine de Yolanda l'avait reconnue. Cette femme l'avait informée que Yolanda avait connu des problèmes cardiaques et respiratoires, quelques années auparavant. Sur les conseils d'un médecin, elle avait décidé d'aller vivre dans les montagnes.

– L'air pur de la sierra devait lui rendre la santé, avait expliqué la voisine. Je suis contente de vous rencontrer parce que, avant de partir, Yolanda m'a remis une lettre que je devais vous donner le jour où vous viendriez la voir.

– Et vous l'avez encore?

– Bien sûr, avait répliqué la femme, j'avais promis de la conserver pour toujours.

Après être allée la chercher, elle avait tendu à Clara une enveloppe dans laquelle se trouvait une lettre et une deuxième enveloppe cachetée. Sur cette deuxième enveloppe figurait en lettres moulées un nom : CATALINA.

La lettre était adressée à Clara.

*Bonjour, madame Clara. C'est Yolanda qui vous écrit par une de ses voisines. Je pars dans les montagnes pour préserver mon cœur malade. On ne se reverra plus. Merci de ce que vous avez fait pour moi. Je vous laisse une lettre que j'ai écrite à ma fille Catalina. Si jamais vous la retrouvez, donnez-lui la lettre. C'est mon héritage. – Yolanda.*

Dès qu'elle avait eu cette lettre en main, Clara en avait informé Magda, qui avait décidé de prendre quelques semaines de vacances et de livrer elle-même le message adressé à Catalina.

\* \* \*

Lorsque Magda s'approcha des carrousels à bagages, Catalina se précipita vers elle.

– Ma petite sœur! ne cessait de lui répéter Magda.

316

Pablo l'embrassa et, se retournant, lui fit découvrir, accrochée à son dos, une enfant qui répétait «maman», tout en tendant les bras à Magda. Une fois les larmes épongées et les bagages récupérés, ils montèrent dans la petite voiture du couple. Pablo, au volant, jetait un œil sur Yolanda bien calée dans son petit fauteuil fixé au siège avant. Catalina et Magda, assises l'une à côté de l'autre, sur la banquette arrière, se tenaient par le bras, se touchaient le visage et les cheveux et parlaient toutes les deux en même temps.

Magda découvrait Montréal en octobre, au moment où la nature en délire s'offre le luxe de flamber ce qui lui reste de charme et d'émotions estivales.

— Je ne peux attendre plus longtemps, dit Magda en pénétrant dans la maison du couple.

Elle sortit de son sac une enveloppe rose, défraîchie, sur laquelle le nom de Catalina était tracé en lettres détachées. Elle expliqua la démarche de Clara, résuma les propos de la voisine de Yolanda et remit l'enveloppe à Catalina.

— J'ai le trac, dit Catalina, les yeux mouillés.

Elle ouvrit et lut.

*Chère Catalina,*

*C'est ta maman qui t'écrit par la main d'une amie. Si un jour tu lis cette lettre, je veux que tu me pardonnes. La vie n'a pas voulu de moi, alors je t'ai laissée partir. Je savais que, toi, tu trouverais la vie. Je m'en vais vivre et mourir dans les montagnes où tu viendras me visiter si tu veux. Je serai toujours là où tu seras. Je t'embrasse. Je t'aime. — Ta maman, Yolanda.*

Catalina pleura pendant des heures. Des larmes de joie et de peine. D'amour et de rage. De mère et de petite fille. Finalement, elle rangea la lettre avec les photos et proposa d'aller en famille se promener sur le mont Royal.

* * *

Il fallut au moins deux jours aux sœurs pour reprendre contact, consolider leurs liens, échanger des confidences. Pablo les laissa se balader seules, heureux de voir sa « belle-sœur », comme il l'appela, découvrir sa ville. Le soir du troisième jour, quelques amis furent invités, à qui Catalina et Pablo voulaient présenter Magda.

– Nous ne serons que six, dit Catalina.

Vers dix-neuf heures, un couple se présenta. Ces personnes avaient déjà visité le Pérou et beaucoup entendu parler de Magda. Pendant l'apéritif, on sonna à la porte. Pablo endormait la petite et Catalina était occupée dans la cuisine.

– Peux-tu ouvrir ? demanda Catalina à Magda.

Elle tira la porte vers elle pour laisser entrer l'inconnu.

– Bonsoir, monsieur. Je suis Magda, l'invitée, l'amie du Pérou.

– Bonsoir, madame. Je suis aussi invité et un ami du Pérou.

Magda recula de deux pas. L'homme ne bougeait pas. Elle plissa les yeux. Il sourit.

– Marc ! cria-t-elle, en se lançant dans ses bras.

La soirée fut chargée d'émotions, de rires et de tendresse. Même s'il approchait de la soixantaine, Marc avait un air de jeunesse que Magda ne lui avait jamais connu. Le repas les transporta vers le Pérou, leur rencontre et le souvenir impérissable du projet d'électrification de Nampuquio. À quelques reprises, les éclats de voix réveillèrent la petite Yolanda que, chacun leur tour, les parents allaient endormir. Marc et Magda, assis l'un à côté de l'autre, se touchaient discrètement de temps à autre, échangeant des regards furtifs qu'ils auraient souhaité troquer seul à seule.

Vers minuit, le couple d'amis s'en alla.

— Que fais-tu le week-end prochain? demanda Marc à Magda.

— Je n'ai aucun projet. Je suis en vacances. Et libre.

# 39

– Sœur Helena, comment se porte le *padre* Perron ?
– Depuis qu'il peut sortir et se promener un peu, il semble beaucoup plus calme.
– Dieu soit loué ! soupira la supérieure.
– Cette femme que nous avons hébergée fait un travail remarquable. Je ne sais pas pourquoi, mais elle semble s'être attachée au *padre*. Elle s'en occupe comme si c'était son père.
– Quel âge a-t-il maintenant ?
– Quatre-vingt-cinq ans.

Après son séjour au Guatemala, le père Roger Perron avait supplié la direction de sa communauté de le ramener au Pérou. Il avait d'abord été nommé aumônier d'un centre de détention pour adolescents. Cette tâche épuisante l'avait convaincu qu'il n'avait plus l'âge ni l'énergie pour relever de grands défis.

– Je veux finir mes jours dans les montagnes, avait-il demandé.

On lui avait alors confié la charge d'aumônier dans une maison d'accueil à Huancayo. L'établissement, créé par une communauté religieuse féminine, était une sorte de terminus de la vie pour quelques dizaines de religieuses et de religieux âgés et malades. Après quelques années d'activité, Perron avait subi une hémorragie cérébrale qui l'avait laissé partiellement paralysé. En perte d'autonomie physique, ses facultés mentales et intellectuelles s'étaient aussi détériorées. D'aumônier, il était devenu pensionnaire de la *Casa del Cielo*, la Maison du Ciel, ainsi nommée parce que c'était « le dernier refuge avant d'accéder au repos céleste », disaient les religieuses.

– Où allez-vous ce matin, Yolanda ? demanda la religieuse.

– Le *padre* aime beaucoup le centre de la ville. Chaque fois il me raconte des histoires. Ça le fait parler.

Yolanda accompagna le père Perron qui, même s'il s'appuyait sur une canne, marchait fièrement et refusait qu'on l'aide à traverser la rue. Sa première question était toujours la même :

– Avez-vous froid ?

– Non, *padre*, c'est plus frais qu'à Lima, mais c'est très agréable dans les montagnes.

En quelques minutes, ils arrivèrent sur la place du Marché où Perron aimait bien se reposer. D'un petit parc en retrait, il regardait passer les voitures et les piétons affairés. Au bout de dix minutes, il demandait à rentrer. Mais, ce matin, il semblait particulièrement attentif à un groupe d'enfants qui quêtaient auprès des clients du marché.

– La petite, là-bas, dit-il, connaissez-vous son nom ?

– Non, répondit Yolanda.

– Moi, je la connais. Elle s'appelle Catalina.

– Ah oui ! fit Yolanda en souriant. Comment le savez-vous ?

– Elle porte un petit foulard et elle demande de l'argent.

– Mais il y a des milliers de petites filles qui se nomment Catalina.

– Non, il n'y en a qu'une.

Curieuse, Yolanda le laissa parler.

– Elle croyait bien s'être enfuie de Nampuquio, mais je l'ai rattrapée ici, dans ce marché. Je l'ai fait étudier. Elle m'aimait beaucoup. Elle m'a accompagné au Guatemala. Je lui ai enseigné les choses de la nature, les plantes, les volcans et la langue française. Elle voulait devenir religieuse, mais je lui ai suggéré d'aller étudier à Montréal, au Canada. Un jour, elle est revenue au Pérou et elle est devenue présidente du pays. Grâce à moi!

– Présidente! s'exclama Yolanda. Je croyais que la présidente s'appelait Magda. Magda Perez.

– Vous connaissez la présidente?

– Non, mais j'ai déjà rencontré sa maman, répondit-elle.

– Mais Catalina n'avait pas de maman. C'est-à-dire que sa maman l'avait abandonnée dans les rues de Lima.

Yolanda se figea. De qui le *padre* parlait-il donc? Pourquoi associait-il le nom de Catalina à la présidente?

– Mais vous venez de dire que votre petite Catalina vivait à Nampuquio, souligna Yolanda.

– Oui, mais auparavant elle vivait à Lima. C'est là que Magda l'avait rencontrée.

– Et Magda connaissait une petite Catalina?

– Oui, oui. C'est pourquoi Catalina est devenue présidente.

Perron s'interrompit. Comme d'habitude, après quelques minutes de conversation, il s'arrêtait et se perdait dans ses pensées. Aussi amusée qu'intriguée, Yolanda brûlait d'en entendre plus.

Elle avait quitté Lima avec l'espoir de s'installer chez une de ses sœurs qui habitait dans les Andes, près de Huancayo. Elle ne l'avait jamais retrouvée. Perdue et démunie, elle avait erré dans les rues de la ville, où elle avait été recueillie par les religieuses de la Maison du Ciel. Depuis trois ans, en retour de son travail auprès des retraités, elle était logée et nourrie. Lorsque le *padre* avait été paralysé, on lui avait confié la tâche de l'accompagner chaque jour pour une petite promenade. Aujourd'hui, cette sortie se transformait en voyage dans le passé.

— Vous voulez rentrer? lui demanda-t-elle.

— Non, j'attends Catalina. Elle va revenir.

— Mais, vous me dites qu'elle est présidente.

— Elle a été présidente, mais, par la suite, elle est redevenue Catalina.

— Ah bon!

— C'est moi qui ai apporté l'électricité à Nampuquio. C'est moi qui ai nommé Catalina présidente. Mais je n'ai pas réussi à être le père de Catalina. Vous savez…

Perron s'interrompit de nouveau. Des larmes coulaient sur ses joues cuivrées. Yolanda les essuya.

— Allons, ne vous en faites pas. Elle reviendra, votre Catalina. Vous verrez.

Elle le prit par le bras et l'entraîna vers la maison d'accueil. Avant d'entrer, il fixa Yolanda droit dans les yeux. Tout à coup, son regard n'avait plus l'air absent.

— J'ai un secret à vous confier. N'en parlez à personne.

— Promis!

— Je suis le seul à le savoir ici. Catalina est revenue.

— Ah oui!

— Je vous ai reconnue. Catalina, c'est vous!

\* \* \*

Le lendemain matin, Yolanda prit le bras du père Perron pour l'accompagner vers la place du Marché. Il ne dit pas un mot. Ils s'installèrent un peu en retrait pour regarder les enfants quêter.

— Avez-vous froid? demanda Perron.

Yolanda leva les yeux et planta son regard dans celui du vieil homme dont elle tenait toujours le bras.

— *Padre*, murmura-t-elle, parlez-moi de Catalina...

(Montréal, juin 2001 – juin 2002.)

## Remerciements

Je salue mes compagnons de route et de travail avec qui, en 1985, j'avais découvert le Pérou et ses enfants pour une série de reportages télévisés à la Société Radio-Canada.

Merci à Monique H. Messier, mon éditrice, dont la complicité et la sensibilité ont éclairé ma route.

Je remercie Francine, ma compagne, dont les observations, le soutien et l'amour ont facilité la naissance de «Catalina».

Ce volume a été achevé d'imprimer
au Canada en janvier 2003.